한국 예술가소설의 지형

PARAN LOGOS 0001 한국 예술가소설의 지형

1판 1쇄 펴낸날 2019년 5월 15일
지은이 황경
펴낸이 채상우
디자인 최선영
인쇄인 (주)두경 정지오
펴낸곳 (주)함께하는출판그룹파란
등록번호 제2015-000068호
등록일자 2015년 9월 15일
주소 (10387) 경기도 고양시 일산서구 중앙로 1455 대우시티프라자 B1 202호
전화 031-919-4288
팩스 031-919-4287
모바일팩스 0504-441-3439
이메일 bookparan2015@hanmail.net

ⓒ황경, 2019, printed in Seoul, Korea

ISBN 979-11-87756-40-8 93810

값 20,000원

한국 예술가소설의 지형

황경

책머리에

　이 책은 대체로 소설로 쓴 소설론, 소설로 쓴 예술론이라는 관점
에서 그에 부합하는 작품들과 작가들을 분석한 논문들로 구성되었
다. 다소 예외적이지만 나도향이나 유진오, 임화를 다룬 글들도 함
께 묶었다. 문학이란 언제나 문학이란 무엇인가를 묻는 존재론적 자
기 성찰의 반영적 산물이라 할 수 있고, 그들의 문학도 이러한 본질
적 문제의식을 공유하고 있다는 점에서 예술가소설의 지형에서 그
리 멀리 있지 않기 때문이다.

　마르쿠제에 의하면 예술가소설은 예술과 생활이 분열될 때, 주변
에 동화되지 않는 고유한 의식이 고개를 내밀 때, 그때야 비로소 생
성 가능한 서사 형식이라 할 수 있다. 말하자면 예술가소설은 태생
적으로 작가와 현실의 대립과 불화를 바탕으로 작동하며, 삶과 현실
의 압력 속에 놓인 예술가의 예민한 자의식을 그대로 투영하면서 당
대 문학의 장(場) 안에서 예각화된다. 문학장의 구조적 변동이 문학
관념의 변화를 야기하듯 예술가소설에 나타나는 현실과 예술의 이
항 대립적 구도 또한 시대적 문맥에 따라 그 강도와 양상을 달리한
다. 사회·정치적 변혁기나 이데올로기적 전환기에 밀도 있는 예술
가소설이 부상하는 것은 아마도 그런 맥락에서 이해할 수 있다.

　특히 한국 예술가소설에 나타난 문제의식은 문학과 정치, 예술성
과 사상성, 모더니즘과 리얼리즘의 대립 구도 속에서 길항해 온 우
리 근대문학의 특징적 국면과 연결된다. 지금 우리는 그 이분법적

구도 자체가 무화되거나 무의미한 시대를 살고 있지만, 근대문학의 형성 이래 그것은 언제나 우리 문학의 중심 화두였고, 논쟁과 갈등의 진원지였다. 이는 어쩌면 우리 문학이 문학 밖의 현실에 대한 교섭과 계몽의 책무를 벗어나서 무작정 예술이라는 이름의 유토피아로 나아갈 수 없는 혹은 나아가지 못하게 막는, 어지러운 현실과 역사를 살아야 했기 때문인지도 모른다. 그래서 더욱이 우리의 근대문학은 문학 외적 현실에 대한 규정력과 계몽의 역할에 치중해 왔고, 문학의 언어로 현실을 번역하고자 하는 미학적 태도에 강박되어 왔다. 시대의 운명, 시대의 얼굴이 곧 자신의 얼굴이라고 믿는 우리 문학사의 계몽적 전통은 현실에 대한 요청으로부터 벗어나는 심미적 가상의 상태를 쉽게 수락하지 못했다. 그런 의미에서 우리 문학에 자주 결락되어 있는 것은 심미와 탐미, 환상을 향한 예술적 욕망이며, 예술의 자율성과 절대성에 대한 옹호와 추구라 할 수 있다.

임화는 시인이었으나 시인으로서 죽지 못했다. 그는 문학과 정치, 문학과 현실의 경계를 지우고 그 사이를 넘나들다가 끝내 '미제 스파이'라는 죄명과 함께 정치적으로 처형되었다. 임화는 문학을 단지 문학으로 대면하지 않고, 현실 대응의 도구이자 문학 운동의 차원에서 사유했다. 최인훈 식으로 말하면, 임화는 '광장'의 시인이자, 고향 마을의 재판정으로 소환되는 소설 『서유기』의 독고준과 닮아 있다. 임화는 처형되었고, 독고준은 사면되었다. 임화는 문학의 말과 현실이 하나임을 믿었고, 추구했고, 독고준은 현실을 떠나 말이 만드는 말의 공간, 문학이라는 그만의 '밀실'로 귀환했다. 어쩌면 이것은 이 땅에서 문학을 행위했던 또 다른 많은 사람들의 운명의 두 얼굴이며, 우리 문학과 정치의 지형도라 할 수 있다.

이 책에서 호명한 작가와 작품들은 임화의 길과 독고준의 길 사이 그 어름에서 방황하고 갈등하면서 문학의 본질과 정향을 치열하게 사유하고 있다. 그들의 소설은 소설 안에서 문학과 예술의 길을 직접적으로 탐문하는 자기 반영적 성찰의 서사로서 우리 문학이 걸어 왔던 고뇌와 모색의 지점들을 보여 준다는 점에서 문제적이라 할 수 있다. 예술가소설이라는 개념과 범주를 활용한 종합적인 연구와 논의는 아직 그리 많지 않다. '한국 예술가소설의 지형'이라는 제명에 정합하려면 보다 체계적이고 포괄적인 확장된 연구가 필요하다. 한국 예술가소설의 사적인 계보와 그 내적 논리의 편차를 드러내는 작업, 문학사적 의미와 맥락을 구축하는 연구는 후속 과제로 남겨 두기로 한다.

　다시 읽어 보니 글도 나이가 있음을 알겠다. 낡아 버린 살림을 싣고 신도시로 이주하는 빈자의 두려움이랄까, 그런 마음도 생긴다. 두서없는 마음과 분별없는 정신이 연구자에 맞지 않는다는 것도 새삼 깨닫는다. 그래도 빛과 그늘, 선과 악, 슬픔과 기쁨, 약한 것과 강한 것들이 함께 있어 세상이 움직이고 문학도 아름다울 수 있다고 그렇게 위안한다. 치열한 정신으로 문학을 사유했던 글에 실린 작가들에게 경의를 표하며 부족함은 오로지 저자의 것임을 밝혀 둔다.

　은사이신 송하춘 교수님과 여러 선생님들께 감사드린다. 여럿의 경, 원, 현, 찬, 그저 그런 지식인들에게 고마운 마음을 전한다. 평생을 말과 글에 목말라하셨던 양한종, 강동규 두 분의 함자를 존경의 마음과 함께 적어 둔다. 내 삶의 기원이자 궁극인 박순원 여사에게, 홍준과 준하에게 다함없는 사랑을 보낸다. 책을 만들어 주신 파란의 여러분께 감사의 말씀을 드린다.

2019년 봄, 황경

차례

일러두기

인용문 가운데 일부는 읽기의 편의를 위해 한자어를 한글로 바꾸거나 괄호 속에 병기하였으며, 현행 맞춤법 규정에 따라 띄어쓰기를 수정하였습니다.

한국 예술가소설의 맥락
—예술과 현실의 길항 관계를 중심으로

1. 머리말

이 글은 한국 예술가소설의 맥락과 특성을 검토하기 위한 시론이다. 서구소설사에서 '예술가소설(Artist novel)'은 대체적으로 "소설가 혹은 다른 예술가가 주인공으로 등장하여 주로 예술가의 고유한 사명과 사회에 대한 태도의 문제를 제시하며, 창작의 본질에 대한 물음을 제기하는 소설"[1]로 정의된다. 예술가의 내면과 존재 방식, 예술과 관련된 미학적 검토를 수행한다는 점에서 예술가소설의 발생과 기원의 맹아는 이를테면 플라톤의 시대로 소급될 수도 있으며,[2] 한국문학사의 경우 조선 후기의 '예술가전(藝術家傳)'에서 그 연원을 찾는 논의도 있다.[3] 그러나 예술가소설은 보다 엄밀한 의미에서, 예술

---

1 이강은·이형숙, 「'예술가소설'의 개념과 접근 방법—문학과 인간의 해체를 넘어서」, 『러시아어문학 연구논집』, 한국러시아문학회, 2000, p.67.
2 이강은·이형숙, 「'예술가소설'의 개념과 접근 방법—문학과 인간의 해체를 넘어서」, p.70 참조.

과 생활이 분리되고 예술가의 자유로운 주관성과 예술의 자율적 독
자성이 중요하게 부각되는 시점인 근대의 서사 양식이라고 보는 견
해가 일반적이다. 마르쿠제에 의하면 예술가소설은 "예술과 생활이
분열될 때에만, 예술가가 더 이상 주변의 생활 형식들에 동화되지
않고 고유한 의식을 일깨울 때에만"[4] 비로소 생성 가능한 서사 형식
이다. 말하자면 예술가소설은 태생적으로 작가와 현실의 첨예한 대
립과 불화를 바탕으로 작동하며, 세상과 화합하지 못하는 또는 화
합하지 않으려 하는 고독하고 오만한 예술가의 자의식을 밑그림으
로 공유한다. 대개의 예술가소설에서 세계는 어김없이 이분화되고,
그 소설 속의 예술가들은 양분된 가치와 체계 앞에서 갈등하거나 방
황하면서 현실과 길항한다. 어찌 보면 이것은 보통 사람과는 다르
게 "이마 위에 표지"를 달고 태어난 예술가의 피할 수 없는 운명이
며,[5] "덧없는 쾌락"의 "죗값"으로 세상에 던져져 욕설과 조롱의 대상
이 되는 보들레르적 시인의 징표이다.[6] 흥미로운 것은 현실의 논리

---

3 이동하, 「한국 예술가소설의 성격과 전개 양상」, 『현대소설연구』 15집, 한국현대소
  설학회, pp.10-15 참조.
4 H. 마르쿠제, 「독일 예술가소설의 의의」, 『마르쿠제 미학사상』, 김문환 편역, 문예
  출판사, 1989, p.11.
5 홍길표, 「현대의 예술가상에 관한 소고—토마스 만의 초기 단편소설 〈토니오크뢰거〉,
  〈트리스탄〉, 〈베니스에서의 죽음〉을 중심으로」, 『독일문학』 100집, 한국독어독문학
  회, 2006, pp.50-58 참조.
6 가령 보들레르의 시에서 시인은 사랑과 축복 속에서 세상과 마주하는 존재가 아니
  라 멸시와 냉대 속에 태어나 천상을 향해 가는 고독한 순례자와 같다. "따분한 이
  승에 시인이 나타날 때/그의 질겁한 어머니는 마구 욕설을 퍼부으며/하느님 향해
  삿대질하니, 하느님은 그녀를 가여워한다/아! 이런 조롱거리를 기르기보담/나는
  어찌하여 차라리 한 뭉치의 독사를 낳지 않았을까!/덧없는 쾌락에 취해 내 배 속
  에/내 죗값을 배 버린 그날 밤이 원망스럽다!" 보들레르, 「축복」, 『악의 꽃』, 정기수
  역, 정음문화사, 1995, pp.35-39.

가 강고하면 강고할수록, 문학과 예술에 요구되는 시대적 관습과 책무가 가중될수록 현실과 맞서는 예술(가)의 자의식과 갈등 또한 증폭된다는 사실이다. "삶의 압력, 현실의 압력이 가중되면 이걸 견뎌내려는 정신의 틀을 만드는 것, 이것이 문학 활동이고 문학적 상상력"[7]이라면, 예술가소설은 바로 그러한 삶과 현실의 압력 속에 놓인 예술가의 예민한 자의식을 그대로 투영하면서 당대 문학의 장 안에서 예각화된다. 특히나 한국 예술가소설에 나타난 문제의식은 문학과 정치, 예술성과 사상성, 모더니즘과 리얼리즘의 대립 구도 속에서 길항해 온 우리 근대문학의 특징적 국면과 연결된다. 지금 우리는 그 이분법적 구도 자체가 무화되거나 무의미한 시대를 살고 있지만, 근대문학의 형성 이래 그것은 언제나 우리 문학의 중심 화두였고 논쟁과 갈등의 진원지였다고 할 수 있다. 이는 어쩌면 우리 문학이 문학 밖의 현실에 대한 교섭과 계몽의 책무를 벗어나서, 무작정 예술이라는 이름의 유토피아로 나아갈 수 없는 혹은 나아가지 못하게 막는, 어지러운 현실과 역사를 살아야 했기 때문인지도 모른다. 그래서 더욱이 우리의 근대문학은 문학 외적 현실에 대한 규정력과 계몽의 역할에 치중해 왔고, 문학의 언어로 현실을 번역하고자 하는 미학적 태도에 강박되어 왔다. 대체적으로 예술(가)이란 무엇인가를 궁구하는 본질적인 의미에서의 예술가소설들은 대개, 예술이나 문학을 이처럼 현실 계몽 혹은 사회적 소명과 도덕의 표현 도구로 인식하는 우리 문학의 주도적인 논리와 관습을 재고하는 특성을 보여준다. 이런 맥락에서 보면, "얻은 것은 이데올로기요 잃은 것은 예

---

[7] 이청준·권오룡(대담), 「시대의 고통에서 영혼의 비상까지」, 권오룡 편, 『이청준 깊이 읽기』, 문학과지성사, 1999, p.25.

술"이라 했던 카프 작가 박영희의 유명한 전향 선언은 그 함의는 다
르지만, 예술과 예술 밖의 현실을 가르고 그 사이에서 문학의 본질
을 회의했던 한국 근대문학의 경향적 사유의 일단을 시사한다고 할
수 있다.

2. 미의 절대성과 반윤리의 미학

일련의 한국 예술가소설에 나타나는 두드러진 특징의 하나는 예
술의 절대성 혹은 주관성을 향한 갈등과 욕망의 서사화이다. 이는
대개 예술은 현실의 모방이나 재현이 아니라 예술가의 창조적 상상
력의 소산이라는 인식과 주장에 의해서 지탱된다. 이들 소설에서 예
술의 현실 반영성은 원천적으로 부정되거나, 속악한 현실에 대한 거
부라는 맥락에서 예술의 밖으로 밀려난다. 본격적인 의미에서 한국
예술가소설의 첫자리에 놓이는 김동인의 「광염 소나타」는 한국 예술
가소설의 이러한 특성을 전형적으로 드러낸다. 김동인은 이 소설에
서 음악을 위해 살인과 방화, 시간(屍姦)마저 서슴지 않는 악마적인
예술가 백성수를 주인공으로 등장시켜 현실 논리를 넘어서서 예술
의 절대성을 주장하는 이른바 예술지상주의적 문학관의 극점을 보
여 준다. 김동인의 예술관은 "나의 욕구는 모두 다 미다. 미는 미다.
미의 반대의 것도 미다. 사랑도 미이나 미움도 또한 미이다. 선도 미
인 동시에 악도 또한 미다"[8]라는 주장에서도 잘 드러나듯, 미를 선악
을 넘어선 최상의 가치로 보는 '미 절대론'에 가깝다. 「광염 소나타」
의 결미에서 김동인은, 그의 이러한 탐미주의적 예술관[9]을 '음악 비

---

8 김동인, 「조선근대소설고」, 김치홍 편저, 『김동인 평론 전집』(상), 삼영사, 1984,
   p.80.

평가 K'의 눈물 어린 강변을 통해 직접적으로 표출하고 있다.

　　힘 있는 예술, 선이 굵은 예술, 야성으로 충일된 예술, ― 우리는 이
것을 기다린 지 오랬습니다. 그럴 때에 백성수가 나타났습니다. 사실
말이지, 백성수의 그의 예술은, 그 하나 하나가 모두 우리의 문화를 영
구히 빛낼 보물입니다. 우리 문화의 기념탑입니다. 방화? 살인? 변변
치 않은 집 개, 변변치 않은 사람 개는, 그의 예술의 하나가 산출되는
데 희생하라면 결코 아깝지 않습니다. 천 년에 한 번, 만 년에 한 번 날
지 못 날지 모르는 큰 천재를, 몇 개의 변변치 않은 범죄를 구실로, 이
세상에서 없이하여 버린다 하는 것은 더 큰 죄악이 아닐까요. 적어도
우리 예술가에게는 그렇게 생각됩니다.[10]

　　여기서 '음악 비평가 K'의 주장과 논리는 두 가지 측면에서 흥미
롭다. 우선 일체의 윤리적 재단을 불허하는 '탐미적 악마주의' 문학
혹은 예술에 대한 과감한 호명이다. 1920년대 전후의 한국문학이 죽
음과 질병, 퇴폐에 사로잡힌 데카당스한 징후를 드러냈다 해도 동인
의 「광염 소나타」처럼 '미와 악의 친연성'을 예술의 절대 조건으로 탐
구한 작가는 흔치 않다. 비인간의 차원에서 자행되는 백성수의 예
술 행위는 배척과 비판의 대상이 아니라 도리어 "예술이 아닌 기술"

---

9 「광염 소나타」를 김동인의 탐미주의적·낭만주의적 미학관을 소설화한 일종의 예술
　론으로 보는 기존 논의들은 특히 이 소설에 나타난 악과 미의 친연성 혹은 악마주
　의에 주목한다. 정은경, 「김동인 소설에 나타난 '악'의 의미와 미적 수용에 관한 연
　구」, 『어문논집』 50집, 민족어문학회, 2004; 이철호, 「악마를 위한 변론: 1920년대
　예술가소설과 낭만적 주체성」, 『사이間SAI』, 국제한국문학문화학회, 2007 참조.
10 김동인, 「광염 소나타」, 『김동인 선집』, 어문각, 1973, p.494.

로 전락한 당대의 예술을 회생시킬 미(美) 본연의 가치로서 언급되고 있다.[11] 악마적인 음악가 백성수를 옹호하는 '음악 비평가 K'의 어조는 망설임 없는 확신에 차 있으며, 예술가로서의 윤리적 갈등이나 고뇌는 찾아보기 어렵다. 다음으로, 예술의 창조력이 반사회적이고 반인륜적인 방식으로 작동되고 창출된다 해도, 예술이기에 그것은 허용되고 오히려 수용되어야 한다는 '음악 비평가 K'의 직설적인 발언은 마치 작가 김동인의 당대 문단을 향한 일종의 도전적인 문학적 선언문처럼 읽힌다. 특히 이 소설이 다분히 의도적으로 '음악 비평가 K'와 '사회 교화자'의 대화라는 액자 구조를 취하고 있다는 사실을 염두에 둔다면, 「광염 소나타」의 작의는 상당히 노골적이다.[12]

춘원에게는 내재적 미동경(美憧憬)과 의식적 선욕구(善欲求)가 있었다. 그런고로 의식적 욕구(善)만 포기하면은 그는 미(美)의 예술가가 될 만한 소질이 있었다. 그러나 그는 반대로 선의식(善意識)을 보존하고 미관념(美觀念)을 버리려 하였다. 가능한 자를 버리고 불가능한 자를 보존하려 하였다. 여기 그의 파탄이 있다. 그러나 내게 있는 것은 그와 성질이 달랐다. 양자가 같이 내재적이었다. 미(美)를 버리랴? 이는 예술의 멸망을 뜻함이다. 선(善)을 버리랴? 천성(天性)의 우

---

11 「광염 소나타」에서 김동인은 예술이란 본연의 육체성, 야성, 천품 등에서 흘러나오는 주관적이고 자연적인 것이라고 보고, 규칙과 규범, 훈육과 교육, 나아가 문명에 의해 길들여진 예술은 '기술'이지 '예술'이 될 수 없다는 논리를 보여 준다. 김동인, 「광염 소나타」, pp.213-216, p.223 참조.

12 이런 측면에서 「광염 소나타」가 "동인의 유미주의 사상을 구체화하고 있지만, 그것은 작품 내적으로 심미화되어 향유되기보다는 계몽되고 있다"는 정은경의 평가는 타당하다. 정은경, 「김동인 소설에 나타난 '악'의 의미와 미적 수용에 관한 연구」, p.253 참조.

에 생장과 교양으로 더욱 굳세히 박힌 이 뿌리를 뽑을 수 없었다. 이때에 나는 번민하였다. (중략) 나는 선(善)과 미(美), 이 상반된 양자의 사이의 합치점을 발견하려 하였다. 나는 온갖 것을 '미(美)'의 알에 잡어 넣으려 하였다.[13]

인용은 김동인의 「조선근대소설고」의 일부로, 유추하자면 「광염 소나타」의 '음악 비평가 K'와 '사회 교화자'는 명백히 김동인 자신과 이광수의 문학적 입장에 대한 일종의 알레고리로 해석할 수 있다. 이 글에서 동인은 춘원이 문학에 내재되어 있던 '미관념(美觀念)'을 버리고 '선의식(善意識)'으로 경사됨으로써 예술적으로 파탄했다고 평가하면서, 동인 자신의 문학과 비교하고 있다. 요컨대 김동인은 '미의식'과 '선의식'이라는 이분법적 구도에서 문학과 예술의 갈등 양상과 존재 방식을 파악하고, 자신의 문학은 춘원과 달리 그 양자를 모두 수용한 지점에서 이루어지고 있다고 강조한다. 춘원 문학과 동인 자신의 문학에 대한 그의 분석과 평가의 타당성은 차치하고, 「광염 소나타」에 나타난 김동인의 예술지상주의 혹은 유미주의적 예술관이 어떤 문학사적 맥락에서 나온 것인지를 알 수 있는 대목이다. 요컨대 김동인은 이광수 식의 계몽문학과 도덕주의에 대해서 미적 계몽 혹은 악마주의로 대응했고, 후자에 한국 근대문학과 근대예술의 본질이 있다고 보았던 것이다. 김동인의 예술절대주의는 이처럼 당대의 주도적인 문학 논리에 맞서 의도적이고 계획적으로 제출된 것이며, 이는 소설 「광염 소나타」에 그대로 투영되어 서사화되

---

13 김동인, 「조선근대소설고」, p.80. 필자 임의로 현대 표기법에 맞게 바꾸고 일부 한자를 생략했다.

어 있다. 문제는 김동인의 이러한 반윤리적 예술절대주의가 현실과의 교섭이나 갈등이 원천적으로 배제된, 반리얼리즘적이며 추상적인 차원의 관념론이라는 점이다. 김동인은 「광염 소나타」의 서두에 "독자는 이제 내가 쓰려는 이야기를, 유럽의 어떤 곳에 생긴 일이라고 생각하여도 좋다. 혹은 사오십 년 뒤에 조선을 무대로 생겨날 이야기라고 생각하여도 좋다"[14]고 명기함으로써 이 소설의 구체적인 현실 연관성을 스스로 부정하고 있다. 동인이 춘원의 문학관에 맞서 '백성수'라는 악마적 예술가를 내세울 수 있었던 것은, 그러므로 "속악한 현실에 대한 대항"의 결과라기보다는[15] 백성수로 대표되는 예술(가)의 존재 방식을 진정한 예술미의 구현이며 천재적인 예술가 보편의 본질로 보는 관념적 미의식의 표출이라는 측면에서 이해된다. "내가 여기 쓰려는 이야기의 주인공 되는 백성수를, 혹은 알벨트라 생각하여도 좋을 것이요, 찜이라 생각하여도 좋을 것이요, 또는 호모(胡某)나 기무라(木村某)로 생각하여도 괜찮다"[16]는 '음악 비평가 K'의 설명 또한 동일한 맥락의 부언이라 할 수 있다. 문학사적 공과를 떠나서, 이광수의 계몽문학이 당대 조선의 현실과 나름의 방식으로 길항하면서 그의 문학과 문학론의 자리를 찾고자 했다면,[17] 김동

---

14 김동인, 「광염 소나타」, p.482.

15 속악하고 황폐한 현실에 대한 일종의 저항으로 백성수와 같은 예술가를 형상화하고, 예술을 향한 낭만적이고 극단적인 신성화를 통해 적대적 현실과 대결하고자 했다고 보는 시각도 있다. 이철호, 「악마를 위한 변론: 1920년대 예술가소설과 낭만적 주체성」, p.23; 김흥규, 「황폐한 삶과 영웅주의—김동인 소설의 대결 구조와 세계 인식」, 『문학과 지성』, 1977.봄, pp.234-235 참조.

16 김동인, 「광염 소나타」, p.482.

17 이와 관련해서, 최인훈이 춘원을 "근대의 원리인 당대주의"와 "사실주의의 원리"에 충실하게 문학을 수행하고자 했던 작가로 언급한 대목이 흥미롭다. 최인훈은 그의

인의 '미 절대론'은 유미주의의 극단에서 반사회적이고 반윤리적인 예술에 주목함으로써 상대적으로 현실과 멀어졌다고 평가할 수 있다.[18] 흥미로운 것은 김동인의 「광염 소나타」에 나타난 예술절대주의 혹은 반리얼리즘적 논리가 해방 후에 발표되는 여타 작가의 예술가소설에서도 변주된 형태로 지속된다는 사실이다.

3. 재현적 서사의 부정과 소설의 운명

예술가소설은 작가 자신의 문학과 예술에 대한 자성과 회의로부터 태동한다. 예술가소설은 소설 안에서 소설가 혹은 예술가의 존재론적 위상을 문제 삼는다는 점에서 자기 반영적 특성을 지니며, 동시에 "문학 혹은 글쓰기에 대한 자의식이 작품의 주제적 요소를 이룬다는 점"에서 메타픽션의 속성 또한 갖는 것으로 평가된다.[19] 한국소설사에서 예술가소설을 논할 때, 가장 주목해야 하는 작가는 아마도 『광장』의 소설가 최인훈일 것이다.[20] 최인훈은 소설을 쓰면서

소설 『서유기』에서 이광수를 "동시대 동료들이 탐미로, 복고로 은둔으로, 풍월로, 서민 취미로 각기 비켜 섰을 때, 근대문학의 결론의 예각(銳角)한 창끝으로 곧바로 걸어"감으로써 "고통스러운 근대인의 드라마"를 체험한 작가라고 평가하고 있다. 최인훈, 『서유기』, 문학과지성사, 1994, pp.175-176 참조.

18 한국 근대문학의 생성이 그러하듯, 김동인 식의 예술지상주의 또는 유미주의는 일본을 통한 서구 근대문학의 수입과 모방이라는 매개항을 빼놓고는 논의할 수 없는 것이다. 「광염 소나타」의 핵심 주제라고 할 수 있는 탐미적 예술지상주의는 일본이나 서구 문학을 통해 습득한 관념적 미의식의 소산이며, 이런 측면에서 일본의 작가 아쿠타가와 류우노스케의 예술지상주의의 영향을 추론하는 논문도 있다. 남은미, 「芥川龍之介와 김동인의 예술지상주의 대비 고찰」, 『일본학보』 32집, 한국일본학회, 1994.

19 이강은·이형숙, 「'예술가소설'의 개념과 접근 방법─문학과 인간의 해체를 넘어서」, pp.71-74 참조.

20 문학과 예술(가)의 존재 방식에 대한 탐구는 『회색인』 『서유기』 『소설가 구보 씨의

동시에 소설이란 무엇인가를 분석적으로 성찰하고, 문학에 대한 끊임없는 이론적 모색을 거쳐 다시 창작으로 나아가는, 그의 표현을 빌면, "소설 인식론적인 방황" 자체를 "문학 속에다 끄집어내는"[21] 일종의 메타서사적 글쓰기의 전형을 보여 준다. 특히 그의 소설 「하늘의 다리」는 최인훈 스스로 "문학의 내용과 형식의 문제를 가장 절박하게 작중 상황으로 삼고 있는 작품"이라 평하는[22] 본격적인 예술가소설로서 주목을 요한다.

1960년을 전후로 출발한 최인훈 문학의 중심 화두의 하나는 새로운 소설 미학의 모색과 창안이었다. 그는 당대를 예술적 전범이 부재하는 시대로 규정하면서, 스스로 예술과 문학의 방법론을 구축하고 창작하는, 그의 표현에 따르면 마치 "발명가"나 "공학자"와 같은 작가를 자임했다. 그 모색의 결과가 최인훈에게는 "회화적 추상" 혹은 "환상"이었다. 요컨대 최인훈은 "사실주의를 거부하는 것"이 예술가로서의 "본질적 저항"이라고 주장하면서, 재현적 서사를 부정하고 세잔의 회화나 몬드리안의 추상과 같은 일체의 현실 연관성을 배제한 회화적 추상에서 문학 혹은 소설의 형식을 찾고자 했다.[23]

김동인과 최인훈의 예술가소설은 예술의 자율성과 절대성을 수용한다는 측면에서 닮아 있다. 김동인이 그러했듯, 작가 최인훈에게

일일」「화두」를 비롯한 최인훈의 대부분의 작품에서 지속적으로 이루어진다. 최인훈의 예술가소설에 대해서는 황경의 「최인훈 소설에 나타난 예술론 연구」, 고려대학교 박사 학위 논문, 2003을 참조할 수 있다.

21 최인훈·김현(대담), 「변동하는 시대의 예술가의 탐구」, 「신동아」, 1981.9, p.220.

22 최인훈·연남경, 「최인훈 문학 50주년 기념 인터뷰 〈두만강〉에서 〈바다의 편지〉까지」, 「문학과 사회」, 2009.가을, p.423.

23 이에 대한 자세한 분석은 황경의 「회화적 추상과 소설의 형식」, 「비평문학」, 한국비평문학회, 2010.6, pp.387-390을 참조할 수 있다.

중요한 것은 사회적 교섭이나 책무가 아니라 자족적이고 주관적이며 동시에 자율적인 예술, 혹은 예술가였다고 할 수 있다. 김동인이 선악을 넘어선 절대미를 상정했다면, 최인훈은 예술 그 자체로 순수하게 존립하는 회화적 추상의 소설 형식을 지향했다. 양자 간에 분명 큰 차이가 있지만, 예술과 현실을 가르고 현실을 벗어난 절대적인 예술의 차원을 동경했다는 점에서는 공통적이다. 그러한 문학과 예술이 가능하기 위해서는 그러나, 「광염 소나타」의 백성수가 그러하듯 현실과 불화하거나 현실을 위반하는 예술적 주체(예술가)의 갈등과 번민이 수반된다.

나는 두 가지 생각을 가지고 있네. 한 가지는 무어가 어찌됐건 환쟁이는 캔버스 밖으로 나가서는 안 된다. 우주가 밖에서 망하고 있더라도 머리 꼭대기에 천장이 내려앉는 순간까지는 캔버스와 팔레트와 손, 그리고 눈만이 그의 세계이어야 한다. 그밖의 일은 더 고상한 일인지는 몰라도 미술은 아니다—하는 생각이야. 다른 한 가지는 그렇다 손 치더라도 그만큼 끄떡없는 집념을 가지자면 역시 바깥세상을 사랑해야 한다는 것, 근대 예술가들이 생각하듯 예술이나 학문이라는 것이 고립적인 힘으로만 이루어지는 것이 아니라는, 아무도 날 때부터 미술가인 사람은 없고 인간의 공동체가 개발하고 쌓아 온 전통과, 분업의 약속 아래서만 한 전문가가 탄생한다는 것, 그러므로 인간의 마을에 대한 믿음 없이는 방법적 고립도 불가능하다는 것—이런 생각일세.[24]

우리들의 눈앞에 벌어지는 정치는 우리들의 것이 아니다. 그것은 우

---

24 최인훈, 『하늘의 다리/두만강』, 문학과지성사, 1994, p.116.

리들의 발상이 아니다. 그럴 때 정치는 예술가를 유혹하지 않는다. 그것은 마네킨처럼 낯설다. 영원에 봉사할 것인가. 밀실에 박혀 문학 외적인 것을 솎아 버리고 인간의 영혼을 구성하는 엘리먼트를 시험관 속에서 노려보면서. 역사에의 참여를 버린다면 이길 밖에는 없다.[25]

「하늘의 다리」에서 최인훈은 "하늘에 걸린 다리"라는 주관적인 환상의 이미지를 화폭에 담고자 하는 화가 김준구의 예술적 욕망과 사유의 궤적을 묘사하면서 예술과 현실의 거리를 문제 삼고 있다. 이는 "우주가 밖에서 망하고 있더라도" "환쟁이는 캔버스 밖으로 나가서는 안 된다"는 생각과 예술(가)은 "고립적인 힘으로만 이루어지는 것이 아니"며 때문에 "역시 바깥세상을 사랑해야 한다"로 예시되는 두 논리 사이의 갈등으로 드러난다. 문학(예술)이란 무엇인가를 탐구하는 최인훈의 다른 소설들, 이를테면 『회색인』이나 『서유기』에서도 이와 유사한 문제의식이 반복적으로 언급되고 있다. 『회색인』에서 문학(예술)은 현실 정치나 역사와 대립되는 지점에서 사유되며, 예술가는 "문학 외적인 것을 솎아 버리고" 밀실에 칩거하며 "영원에 봉사"하는 지극히 유폐적이고 개인적인 존재로 이상화되기도 한다. 『서유기』의 독고준 또한 현실의 온갖 이데올로기와 정치적 풍문에 쫓기면서도 끝내 그만의 예술적 이상이 가능한 공간인 밀실을 향해 스스로를 유폐시킨다. 「하늘의 다리」에서 화가 김준구가 그리고 싶어 하는 "하늘에 걸린 다리"라는 환상의 오브제는 그야말로 최인훈 문학이 욕망했던 예술(예술가)의 존재 방식에 대한 비유적 상징물이라 할 수 있다. 화가 김준구는 끝내 그 환상을 그리지 못하며, 세잔

---

[25] 최인훈, 『회색인』, 문학과지성사, 1986, pp.248-249.

022

의 '사과' 그림에 비견하여 예술 밖의 현실과 절연하고 주관적인 절대 환상 혹은 추상으로 존립하는 예술이란 한낱 문화적 '공포'일 뿐이라는 결론에 도달한다. 김동인의 「광염 소나타」가 현실의 논리와 무관하게 창출되는 예술의 세계로 의심 없이 달려갔다면, 최인훈은 자기 문학에 대한 반성적 회의와 성찰의 과정을 거쳐 "인간의 마을"로 돌아온다. 예술가소설로서 「하늘의 다리」가 문제적인 것은 이 작품이 '창' 앞에 선 관조적 예술가의 자리를 벗어나서, 이처럼 타자와의 소통과 연대를 사유하고 있기 때문이다. 최인훈 문학 논리의 이러한 갈등과 변전을 이해하려면 그의 반리얼리즘이 어디서 연원하는지를 따져 보아야 한다.

우리 역사가 사실적 민주주의를 이루지 못했는데 문학이 '사실주의'를 이루라고 한다면 그것은 미친 사람이거나 생각이 모자란 사람이다. (중략) 사실주의란 이런 모든 것을 숨김없이 드러내는 자유이다. 그것을 우리는 후대의 '재능'이나, 자각으로 이해하고 싶어 한다. 그렇지 않다. 그것은 정치적 자유이며 표현의 자유이다. 자유 없는 곳에 사실주의는 없다. 자유 없는 땅에서 사실주의가 가능한 것처럼 소설을 쓸 때, 멜로드라마와 관제문학이 생긴다. (중략) 현대소설이 상상력을 중시하고, 기억을 강조하고, 추론식의 문체를 가지게 된 것은 역사 자체의 어둠과 우회의 반영인 것이다.[26]

요컨대 최인훈의 리얼리즘 비판은 가시적 현실에 대한 재현적 모사가 사실 혹은 진실일 수 없다는 부정적 현실 인식에서 비롯된다.

---

26 최인훈, 「미학의 구조」, 『문학과 이데올로기』, 문학과지성사, 1988, pp.52-54.

그가 이해하는 '사실주의'는 정치적 자유와 표현의 자유가 보장되고 사실이 사실로서 숨김없이 드러나는 사회적 풍토에서만 가능한 문학적 형식이다. 그러나 그 현실 자체의 진위가 의심된다면 현실을 모사하거나 재현하는 리얼리즘 문학이란 '멜로드라마'나 '관제문학'으로 전락할 가능성이 높다는 것이 최인훈의 주장이다.[27] 이런 맥락에서 "일체의 생활을 떠난 예술"이 진정한 근대의 예술이며, 예술가는 광장을 벗어나 개인의 밀실에 칩거하는 존재라는 인식을 드러내기도 한다. 결국 최인훈 문학의 반리얼리즘적 추상과 환상에의 경사는 당대 현실에 대한 환멸과 비판이라는 이면의 논리를 전제하고 있으며, 이는 최인훈 소설의 예술가들이 끝내 현실을 부정하지 못하고 "인간의 마을"로 귀환할 수밖에 없는 이유이기도 하다. 말하자면 최인훈과 최인훈 소설의 예술가들에게 예술이란 받아들일 수 없는 속악한 현실에 대한 "본질적 저항"의 형식으로 존재하며, 그런 의미에서 최인훈의 문학은 그 원점에서 이미 현실과 긴밀히 조응하는 리얼리즘의 다른 차원을 보여 준다고 해석할 수도 있다.[28] 문학과 예술의 '사실주의'가 어떠한 '진실'과 '사실'도 담보할 수 없는 현실에 놓여 있을 때 예술(가)은 차라리 거짓 현실을 말하기보다 고립된 예술(가)의 영역을 구축해야 한다는 것이 최인훈 소설 미학의 논리라면, 『서유기』나 『구운몽』과 같은 난해한 형식 실험의 '반사실주의'적 소설들

---

27 자세한 논의는 황경의 「최인훈 소설에 나타난 예술론 연구」, pp.72-82 참조.

28 최인훈의 소설을 '반리얼리즘', '반사실주의'로 평가하는 논의가 있는 반면에 이의 대척점에서 '고차원적 리얼리즘' 혹은 '가장 치열한 리얼리스트'의 문학으로 해석하는 시각도 공존한다. 대표적으로 이태동(「문학의 인식 작용과 야누스의 얼굴」, 『최인훈』, 서강대학교 출판부, 1999)과 송재영(「꿈의 연구─최인훈의 초현실주의 소설」, 『작가세계』, 1999.봄)의 글을 들 수 있다.

은 그의 이러한 문학론의 산물이다. 「하늘의 다리」에서 최인훈은 그러나, 문학(예술)이 현실이라는 오브제 없이 예술적 주체의 주관성만으로 온전히 성립할 수 없다는 전환적 인식에 도달한다. 최인훈에 의하면 예술 특히 소설은 명확하게 파악되지 않는 우리 삶의 역사와 근원에 대해서 사유하면서 그 감춰진 인과의 고리를 풀어 해명하고 '되풀이'하는 상기(想起)의 형식이 되어야 한다. 원시가 문화가 되고 조상이 바로 오늘의 '나'에 이르는, "이 거리의 내력을 잃지 않으면 안 되는" 것,[29] 최인훈은 바로 그것이 소설의 운명이며 존재 방식이라고, 마침내 분명히 전한다. 「하늘의 다리」는 그의 자평처럼, 최인훈 문학의 내용과 형식의 문제를 가장 절박하게 고민하고 성찰한 예술가소설이라 할 수 있을 것이다.

4. 예술(가)의 욕망과 소멸의 형식

예술(가)의 욕망이 현실과 절연한 자리, 사회 윤리와 금기를 넘어서는 지점에서 비로소 가능해질 때, 예술(가)은 필연적으로 현실과 불화하며 일상의 삶과 "평범성이 주는 온갖 열락"을 스스로 포기해야 한다.[30] 「광염 소나타」의 백성수는 광기와 도착을 마다하지 않는

---

29 최인훈, 『하늘의 다리/두만강』, pp.116-118 참조.

30 토마스 만은 예술가소설 「토니오 크뢰거」에서 예술가는 "평범성이 주는 온갖 열락을 향한 은밀하고 애타는 동경"에 괴로워하는 "길 잃은 시민"이라고 설명한다. 그의 예술가는 "피비린내 나는 위대성과 거친 아름다움의 환상"에 빠진 예술절대주의자도 아니면서 동시에 일상의 시민으로 살아갈 수도 없는, 예술과 현실의 간극 그 사이에서 길을 잃은 자이다. 불안정한 그 구도를 벗어나 한쪽으로 치달을 때, 도취와 열락의 순간에 예술(가)은 죽음에 직면한다. 토마스 만의 또 다른 예술가소설 「베니스에서의 죽음」에서 시인 아셴바하의 죽음은 바로 예술(가)의 이러한 숙명을 묘파한 것으로 해석할 수 있다. 토마스 만, 『토니오 크뢰거·트리스탄·베니스에서의 죽음』, 안삼환 외역, 민음사, 1998 참조

반윤리적 예술을 얻는 대가로 비인간의 범죄자로 전락하며, 「하늘의 다리」의 화가 김준구는 현실이라는 오브제 없이 예술가의 주관성만으로 구축되는 예술(문학)이란 단지 공포이거나 불가능한 욕망이라는 자각 앞에서 현실을 수용한다. 여기서 이들의 예술적 욕망과 현실의 간극을 바라보는 관점의 차이는 곧 예술과 문학에 대한 서로 다른 입장과 논리로 이어진다. 김동인에게 중요한 것이 예술의 '미' 그 자체라면, 최인훈은 현실의 삶과 역사, 그 당대의 좌표 속에서 가능한 문학과 예술의 의미를 탐문한다. 이들과는 또 다른 각도에서 문학과 예술의 본질을 사유했던 작가로 이청준을 들 수 있다. 이청준은 「줄광대」 「시간의 문」과 같은 예술가소설을 통해서 현실의 윤리와 책무 앞에서 갈등하고 고뇌하는 예술(가)의 문제를 서사화한다. 김동인과 최인훈이 그러하듯, 이청준 또한 예술을 현실과 조화할 수 없는 절대적 차원에서 사유하고 욕망한다. 「줄광대」의 주인공들이 아내를 죽이거나 혹은 스스로 목숨을 끊는 반사회적 행위를 자행하는 것은, 예술과 현실은 결코 양립할 수 없다는 극단적인 인식의 표현이자 결과라 할 수 있다. 「줄광대」의 허 노인과 그의 아들 운은 대를 이어 줄을 타는 광대들이고, 그들에게 '줄 위'의 세상이란 땅 위의 현실적인 삶과는 단절되어 있는 자족적인 완전성의 영역이다. 광대로서 줄을 타는 행위는 줄 위의 세상이 곧 허 노인 자신이 되는 물아일체의 방식으로만 가능한 형식이다.

    줄 끝이 멀리 보여서는 더욱 안 되지만, 가깝고 넓어 보여서도 안 되는 법이다. 그 줄이라는 것이 눈에서 아주 사라져 버리고 줄에만 올라서면 거기만의 자유로운 세상이 있어야 하는 게야. 제일 위험한 것은 눈과 귀가 열리는 것이다. 줄에서는 눈이 없어야 하고 생각이 땅에 머

무르지 않아야 한다는 소리다.[31]

인용은 허 노인이 아들 운에게 줄타기를 전수하면서 들려주는, 일종의 줄광대의 예술관이다. 여기서 허 노인은 '줄 위'로 상징되는 예술의 공간과 땅 위의 세상 즉 현실은 절대 공존할 수 없음을 강조하고 있다. 현실을 향한 "눈과 귀"가 닫히고 "생각이 땅에 머무르지 않아야"만 비로소 줄광대는 줄 위의 세상을 만날 수 있다는 것인데, 이처럼 "예술의 완전성과 순수성을 지향하는 그의 원칙은 세속적인 모든 것에 대한 거부"[32]를 전제한다. 이청준의 「줄광대」는 결코 예술과 현실의 조화로운 결합이나 타협을 수긍하지 않는다. 허 노인은 그의 줄타기를 저해하는 그 어떤 현실도 용납하지 않으며,[33] 육체적으로 더 이상 줄을 탈 수 없는 한계에 직면했을 때 스스로 죽음을 선택함으로써 예술의 절대성을 향한 그의 강한 열망과 집념을 드러낸다. 흥미로운 것은 이청준의 예술가소설에서 죽음을 향한 충동과 욕망은 그것이 타살이든 자살이든 간에 예술적 개인(예술가)들이 환멸의 현실에 맞서 그들의 예술을 지키고 전유하는 가장 특징적인 방식이라는 점이다. 무릇 예술이란 이름의 '월계수'는 본래 "자신의 목숨을 그 대가로 지불하지 않"으면 단 한 잎의 이파리도 허락하지 않는, 타나토스적 욕망의 다른 얼굴일지도 모르거니와,[34] 이청준 소설의 예

---

31 이청준, 「줄광대」, 『시간의 문』, 열림원, 2000, p.27. 애초에 이 소설은 「줄」이라는 제목으로 1966년 8월 『사상계』에 발표되었다가 후에 「줄광대」로 개제되었다.

32 조정래, 「카프카와 이청준의 예술가소설 비교 연구」, 『독일언어문학』 15집, 독일언어문학회, 2001, p.457.

33 허 노인은 줄을 타야 한다는 일념으로 그의 "생각을 땅에 머무르게 하는" 부정한 아내를 비정하게 살해한다.

술가들은 그들이 추구하는 예술의 어떤 경지를 향하여 목숨을 건 사투를 마다하지 않는다. 이와 관련하여 가장 문제적인 작품이 중편「시간의 문」이다. 「시간의 문」의 창작 후기에서 이청준은 지나친 미학에의 탐닉이 "허망한 패배주의와 폐쇄적 정신주의"로 함몰될 위험성에 대해 적고 있지만,[35] 이 소설의 문제의식은 무엇보다 예술과 현실의 관계를 단선적인 반영적 리얼리즘으로 설명하는 익숙한 관습에 대한 저항에 놓여 있다.

유종열이란 위인의 가슴속엔 그런 사랑이 없는 것처럼 보였다. 그의 사진들은 사람들이나 사람의 일에 초점을 맞추는 일이 거의 없었다. 사람의 삶이나 삶의 자취들 대신, 그는 나무와 산을 찍고 강과 바다와 하늘을 찍고 때로는 구름과 바람과 바위를 찍었다. 그의 사진에선 이 시대의 사람들과 삶의 흔적이 깡그리 사라져 가고 있었다. 남은 것은 오직 지극히 추상적인 시간에의 동경과 그것에 대한 예감 같은 것뿐이었다. 그게 말하자면 그가 자신의 흑백 화면에 담아내려는 미래의 시간이라는 것이었다.[36]

---

34 "그는 거기 그렇게 서서 몹시 낭패한 가운데에 자신이 저지른 오류의 값을 치르고 있습니다. 자신의 목숨을 그 대가로 지불하지 않고서 예술이란 월계수에서 한 잎, 단 하나의 이파리쯤은 따도 되겠다고 생각한 오류 말입니다. 안 될 일이고 말고요." 이는 토마스 만의 「토니오 크뢰거」(p.58)에 나오는 구절이다. 자신의 목숨을 지불하지 않고는 얻을 수 없는, 예술이란 어쩌면 본래 그러한 것이지도 모르겠다. 서머싯 몸의 『달과 6펜스』에서 화가 스트릭랜드의 죽음이 특히 그러하다. 현실의 모든 것을 던져 버리고 그가 그렇게도 갈망하던 예술의 절대적 경지는, 그의 죽음과 함께 비로소 완성된다. 서머싯 몸, 『달과 6펜스』, 송무 역, 민음사, 2000, pp.291-301 참조.
35 이청준, 「죽음의 미학과 사회학─창작집 〈시간의 문〉 후기」, 『시간의 문』, p.246.
36 이청준, 『시간의 문』, p.191.

요컨대 "이청준 소설 쓰기의 기원에는 당대의 폭압적인 현실 상황과 그 아래에서 갈등하는 주체의 모습이 각인"되어 있으며, "근대소설의 재현 형식을 회의하는" 작가적 반성과 고뇌가 함의되어 있다.[37] 작가 이청준의 재현적 리얼리즘에 대한 회의와 현실 부정 의식은 소설 「시간의 문」에서 직접적으로 드러난다. 여기서 이청준은 예술적 주체와 예술적 객체 사이의 거리를 지우고 양자가 합일됨으로써, 결국은 예술 주체의 행위 자체가 소멸되는 극단적인 어떤 지점과 사유를 보여 주고 있다. 이 소설의 주인공 유종열은 자신의 사진 작업에서 '사람'을 지워 버리고 고집스럽게 '바다'나 '바다의 안개' 따위만을 담아낸다. 그는 "사람의 삶이 아무리 괴롭고 절망스럽더라도 우리는 어차피 그런 삶을 보아야 하고, 그런 삶 속으로 함께 섞여 들어가 살아야 하는 것이 또한 숙명"[38]이라는 현실 순응의 논리를 거부한다. 이는 현실에 대한 도저한 부정이며, 셔터를 누르는 순간 사물의 현재만을 재생할 뿐인 카메라의 본질마저 부인하면서, 그는 한사코 "미래의 시간"을 좇는다. 이는 현실 재현의 서사, 리얼리즘의 서사에 대한 회의와 비판으로 해석될 수도 있거니와, 유종열은 스스로 피사체가 되어 바다의 난민선으로 사라지는 극적인 결말을 통해서 현재의 시간을 벗어난다. 여기에 이르면 이청준의 소설 미학은 결코 현실 반영이나 관조의 방식으로는 잡을 수 없는 절대적인 예술의 차원으로 나아간다. 이 소설이 암시하듯 예술 주체가 예술의 객체로 전이되는 순간은, 곧 예술 주체의 죽음 혹은 소멸과 연결된다.

---

[37] 한순미, 「이청준 예술가소설의 서사 전략과 '재현'의 문제」, 『현대소설연구』 29집, 한국현대소설학회, pp.331-334 참조.
[38] 이청준, 『시간의 문』, pp.200-201.

5. 맺음말

문학장의 구조적 변동이 문학 관념의 변화를 야기하듯, 근대 예술가소설에 나타나는 현실과 예술의 이항 대립적 구도 또한 시대적 문맥에 따라 그 강도와 양상을 달리한다고 할 수 있다. 사회정치적 변혁기나 이데올로기적 전환기에 밀도 있는 예술가소설이 부상하는 것은 아마도 그런 맥락에서 이해할 수 있을 것이다. 김수영의 작시(作詩)가 곧 메타시(詩)가 되었던 시대적 정황은,[39] 최인훈이나 이청준에게도 유사하게 적용된다. 혁명의 환희와 쿠데타로 인한 좌절감에서 배태된 양가적 감정은 부조리하고 모순된 현실을 반영하는 재현적 리얼리즘을 거부하고, 새로운 문학적 상상력과 소설의 형식을 창출해야 한다는 강한 책무감으로 이어진다. 최인훈과 이청준의 일련의 예술가소설은 이런 맥락에서 창작되며, 이들은 공히 예술과 문학으로써 모순된 현실을 넘어서고자 하는 작가적 의지와 모색을 '자기 반영적 서사'를 통해 표출하고 있다. 현실과 길항하는 예술 세계로의 침잠은 그러므로, 최인훈과 이청준의 예술가소설에서 비로소 설득력을 얻는다. 최인훈은 순수예술의 형식으로서의 추상회화에서 그의 문학의 길을 실험하고, 이청준 또한 현실과 유리된 장인적 예술에서 예술가의 현실 대항 논리를 탐색한다. 김동인의 예술지상주의 혹은 반리얼리즘의 문학론은 이처럼 1960년대의 최인훈과 이청준에 이르러 변주된다. 최인훈은 그러나 「하늘의 다리」에서 '인간의 마을에 대한 신뢰'와 역사적 상상력이 부재하는 절대적 예술의 형식은 불가능하다는 전환적 인식으로 선회한다. 반면에 이청준은 「시간의 문」이 보여 주듯 끝내 절대적 예술의 세계를 향해 나아감으로써

---

39 김상환, 「시와 교량술」, 『풍자와 해탈 혹은 사랑과 죽음』, 민음사, 2000, p.13 참조.

현실과 결별한다. 그가 열어젖힌 '미래로 가는 시간의 문'은 그가 통과함과 동시에 닫혀 버린다. 그곳에 더 이상 예술가가 설 자리는 없으며, 이는 곧 예술적 주체의 죽음, 소멸을 의미한다. 이문열의 「금시조」에서, 예술의 최고 경지에서 날아오른다는 '금시조'는 예술가가 그의 모든 예술 작품을 불태우고 완벽한 예술적 주관으로 화하는 바로 그 순간에 모습을 드러낸다. 어쩌면 모든 예술의 궁극은 「시간의 문」의 유종열이 그러하듯, 실종의 욕망 혹은 죽음과 소멸의 욕망에 맞닿아 있는 것인지도 모른다.

존재론적 자아 탐구의 여정
—허준의 「습작실에서」 「속 습작실에서」 「잔등」

1. 개인적 실존 탐사와 자기 비평의 논리

허준은 문학에 대한 독특한 자의식을 지닌 작가였다. 그에게는 애초부터 문학이 사회 현실을 반영해야 한다거나 시대적·사회적 소명의식을 지녀야 한다는 관념 자체가 희박했다. 또한 그는 문학의 형식과 문장의 아름다움에 대해 천착한 작가도 아니었다. 그렇다면 허준에게 문학이란, 문학의 진정성이란 무엇이었을까. 단적으로 말해서, 그것은 끊임없이 자기 내면의 세계를 파고드는 것, 집요한 자아 성찰과 자기 탐색을 통해서 "심면(心面)의 완전한 모상(貌相)"을 획득하는 데 있었다. 즉 문학을 통해 자신의 내적 진실을 고구하고, 삶의 의미와 방향성을 모색하는 것, 그것이 허준 문학의 내용이자 형식이었다고 할 수 있다.

어찌 보면 허준은 별빛이 사라진 미로의 세계[1]에서 스스로 삶의

---

1 G. 루카치, 『소설의 이론』, 반성완 역, 심설당, 1985, pp.41-45 참조.

비전과 가치를 만들고자 했던 고독한 예술가였다. 허준의 글 어디에서도 그가 식민지 시대를 살았던 작가라는 자의식을 찾아보기 어렵지만, 그러나 그 또한 출구가 막힌 시대, 사회 현실의 중압감이 그 어느 때보다도 강력하게 문학의 자유로운 표출을 억압하던 1930년대 후반기의 시대적 자장과 분위기 속에 있었다는 사실을 간과할 수 없다. 1930년대 후반에 밀어닥친 파시즘의 기세는 사회의 진보와 변혁에 대한 당대 지식인들의 믿음 자체를 회의하게 만들었고, 진정한 가치와 의미를 지닌 것은 아무것도 없다고 여기는 허무주의와 세계에 대한 환멸적 인식이 문학인들 사이에 팽배했다.[2] 이처럼 어떠한 이론이나 이념도 세상을 이해하고 분석할 수 있는 보편적 원리로써 기능하지 못하는 상황, 자아와 세계 사이에 메울 수 없는 심연만이 가로놓인 문학 정신의 공동(空洞) 지대에서 허준 또한 고심하고 있었다. 그는 자신의 작가적 입지를 "소위 지식의 온실(溫室)도 과학의 망루(望樓)도 다 없어진 무제한한 황량한 회의의 틀"[3]에서 '분열'을 거듭하고 있는 형국이라고 진단하고 있다. 자신의 문학적 이상이나 전범으로 삼을 만한 어떠한 문학적 전통도 방향도 부재한 상태, 이것이 허준의 눈에 비친 당대 문단의 모습이자 문학의 현실이었다.[4] 외

---

2 류보선, 「환멸과 반성, 혹은 1930년대 후반기 문학이 다다른 자리」, 『민족문학사연구』 4호, 민족문학사연구소, 1993, pp.222-232 참조.

3 허준, 「문예 시평—비평과 비평 정신」, 『조선일보』, 1939.5.31.

4 기성 문단에 대한 불신과 비판적 태도는 1930년대 후반에 등장한 이른바 신세대 작가들의 공통된 경향이었다. 특히 이들은 프로문학이 선규정적인 문학 원리와 이념에 지배됨으로써 문학을 물신주의의 노예로 만들고 인간성 옹호의 정신을 몰각했다고 비판하면서, 작가적 개성과 문학의 순수성을 주장했다. 기성 문단과 신세대 작가의 이러한 대립은 세대 논쟁으로 이어졌고, 김동리가 신세대의 기수로서 그 선편에 서 있었다. 허준 또한 사회주의 문학이 인간 본래의 복잡다단한 성능을 무시함으로써 인간성을 몰각하였다는 비판을 제기한 바 있다. 강진호, 「1930년대 후반

적 현실이 삶의 정당성도 문학의 진실성도 지지해 주지 못하는 이러한 상황에서, 허준이 나아간 세계는 개인 체험의 내적인 영역을 중시하는 고립된 개체, 실존적 개인으로서의 삶과 문학이었다.

허준은 예술 혹은 문학이란 자기만이 알고 자기만이 느끼는 "본래의 경험"을 살려야 한다는 자각에서 비롯되며, 이러한 자각은 석가나 기독이 종교적 구도의 길로 나서던 순간의 내적 경험과 유사한 성격을 갖는 것이라고 주장한다. 그렇다면 "본래의 경험"이란 무엇을 말하는가. 그것을 그는 "인간성의 개차와 운명적인 것의 차별"에 대한 발견으로 설명하고 있다. 인간에게는 각기 다른 운명이 있고 인간성의 미세한 개차가 존재한다는 것, 그리고 그러한 차이와 개성에 대한 자각이 예술과 종교 형식에의 의욕으로 연결된다는 것이다.[5] 여기서 주목되는 것은 허준이 문학을 주관적인 체험과 관념의 표현 형식으로 이해하고 있다는 점이다. 인간이란 구체적이고 역사적인 공동의 현실을 살아가는 사회 내적 존재가 아니라, 본질적으로 개별화된 개체로서의 운명을 타고난 존재라는 인식은 허준의 문학 논리의 중심에 놓여 있는 핵심적인 사항이다. 이처럼 인간을 각기 다른 운명과 존재 근거를 가진 개별체로서, 고유의 내적 영역과 경험을 지닌 존재로 규정할 때, 문학은 개인적이고 주관적인 진실을 담는 형식이라는 논리가 가능해진다. 문학이 담아내야 할 진정성은 외부 현실에 있는 것이 아니라, 개인의 내부에 있다는 허준의 이러한 작가 의식은 눈에 보이는 현상을 그대로 모사, 재현, 반영하는 것이 문학의 이상이 아니라는 논리로 연결된다. 「야한기」에서 허준은

기 신세대 작가 연구」, 『한국근대문학 작가 연구』, 깊은샘, 1995, pp.57-83 참조.
5 허준, 「문예 비평—비평과 비평 정신」, 『조선일보』, 1939.6.2.

사진의 비유를 들어 이를 설명하고 있다. 있는 그대로의 대상과 사물을 찍어 내는 사진사는 "진실의 모상(貌相)"을 획득할 수 없으며, 주체적으로 찾고 버리는 복잡한 수정의 단계를 거친 이후에야 비로소 대상의 참된 실체를 접할 수 있다는 것이다. 주관의 절대적 우월성을 강조하는 이러한 인식 태도는 작가 개인의 경험과 판단, 관념 세계에 대한 탐구와 표출이 곧 문학일 수 있다는 문학관으로 이어지며, 이는 자기 자신의 내부가 사회에 비해 우월하다는 자존 의식[6]을 전제하지 않고는 불가능한 논리라고 할 수 있다. 이와 같은 맥락에서 허준은 문학이란 '고독의 처소'에서 이루어지는 "허무 탐구"에 다름 아니라고 설명한다.

> 허무 탐구는 비극의 혼에 통한다. 철학은 도달하기 위하여 출발하는 허무다. 그러나 문학적 허무는 늘 출발하려고 도달함으로 거기에는 완성된 허무라는 것은 없다. 다음 순간에는 도달된 체계도 없애지 않고는 못 배기는 모색과 혼탁이 있을 뿐이다. 그럼으로 철학에서와 같이 큰 문학에서 투명을 구하는 것은 잘못된 일이다. 그렇게 그 코스는 언제나 부정한 것임으로 일층 비극적이라 할 것이다―정신적 진공―엑

---

6 최혜실은 허준의 소설이 외계를 배제한 채 개인적 관념의 세계를 보편적 진리의 차원으로 치환하고 있으며, 이런 발상법은 자기 자신의 내부가 사회에 비해 우월하다는 사고방식을 전제하지 않고는 불가능한 것이라 본다. 허준이 자기 문학의 정당성이나 가치를 개인적이고 주관적인 경험과 관념의 탐구에 두고 있다는 점에서 최혜실의 이러한 논리는 어느 정도 타당하다. 그러나 허준의 소설을 연애, 교우, 가정생활 등 개인의 사생활을 있는 그대로 묘사하는 사소설과 동일한 것으로 규정하는 것은 무리가 있다. 작가의 관념이나 내면이 강하게 드러난다 해서 사소설로 본다면, 사소설의 외연은 무한정 확장될 것이다. 최혜실, 『한국 모더니즘 소설 연구』, 민지사, 1992, pp.167~178 참조.

스타시. 정신에 진공이 온다. 그러나 보통 진공은 아니다. 문학인은 이 진공을 만들기 위하여 화학에서와 같이 역시 복잡한 원소를 화합시키지만 실상 그 진공은 분열이요 분열의 극치 작용일 따름이다. 그는 항시 비극의 실험자이다.—그는 본능적으로 그 심연에서 나오려고 한다. 그러나 동시에 보다 더 깊은 심연을 파지 않고는 못 배긴다. 보다 깊은 심연을 파기 위하여 다시 말하면 그는 그 심연을 재이기 위하여 나오는 것이다. 그러나 아무리 파들어간다고 하여도 거기에는 예술가를 질식시킬 아무런 독한 가스도 없다. 그는 고민할 것이다. 그러나 다시 소생한다. 이것을 나는 고독의 심연이라 한다.[7]

위 인용에 따르자면, "허무 탐구"와 "고독"이란 문학적 형식과 등가이다. 허무 탐구를 중단하거나 고독의 심연에서 벗어나는 것은 곧 예술가이기를 포기하는 것이며, 문학의 존재 기반을 버리는 것과 같다. 문학이란 고독의 심연에서 끊임없이 깊어지는 허무의 깊이를 재는 행위이기 때문이다. 따라서 그 허무와 고독은 외부에서 주어진 것이 아니라 자신이 선택한 자발적이고 능동적인 체계이며, 지속적으로 이어져야 할 문학의 방법적 형식이다.[8] 그렇다면 허무의 내용은 무엇인가. 그것은 허준의 논리에 의하면 개체로서의 운명을 타고난 자기 존재의 근원과 삶에 대한 사색과 성찰이라고 할 수 있다. 여

---

7 허준, 「나의 문학전」, 『조선일보』, 1935.8.2, 8.4.
8 이처럼 허준 소설에 나타나는 허무 의식은 1930년대 후반기 문학사에서 일반적으로 드러나는 허무 의식과는 그 맥락을 달리하고 있다. 이른바 전향소설이나, 최명익, 유항림의 소설에서 드러나는 허무와 절망감은 일정하게 강압적인 시대 현실에 대한 반작용의 성격을 갖는 것이다. 그러나 허준의 허무 의식은 인간이란 본질적으로 부조리한 운명을 타고났다는 인식에서 비롯되며, 한편으로 극복과 지향에의 의지를 내포하고 있는 것이다.

기서 허준이 자신의 문학 행위를 종교적 형식에 맞먹는 성찰과 탐구의 차원으로 파악하고 있다는 점에 주목할 필요가 있다. 종교적 형식이란 근본적으로 구원에의 열망을 내포한다. 끊임없는 성찰과 응시를 통해서 삶과 인간 존재의 근원을 밝히고 깨달음에 도달하고자 하는 지난한 구도의 길, 일반적으로 종교의 본질을 이렇게 규정할 수 있다면 허준에게 문학은 이러한 자기 구원의 방법론이었다.

소설의 분석을 통해서 드러나겠지만, 허준 소설들의 지식인들은 하나같이 자신의 내면을 응시하고 자신의 존재 방식에 대해서 고민한다. 그것은 사회적 관계나 현실과 무관하게 진행되는 고독한 정신의 자기 전개이며 치열한 자기 성실성을 동반하는 것이다. 때문에 그들 지식인들은 허무와 절망을 경험하되 그 허무에 갇혀 허덕거리거나 자신을 포기하지 않는다. '버릇'처럼 '습벽'처럼 스스로를 '고독한 처소'에 가두면서 지속적으로 자기 탐구를 모색하는 것이다. 허준의 허무의 심연이 본질적으로 혼탁하고 암담하지만 그 "맥박은 희귀하게도 건실"하며 섣불리 "데카당"이나 "찰나주의"로 기울어지지 않을 것 같다는 동시대 작가 김동리의 지적[9]은 그런 점에서 상당히 적확한 것이었다.

이처럼 개인적 경험과 실존의 의미 탐색을 수반하지 않는 문학 행위란 허준의 관심사 밖이었다. 인간이란 어디에서 왔으며, 왜 여기에 있는가, 또한 무엇을 해야 하며 어디를 향해 가고 있는 것인가. 인간 실존의 근원과 본질을 둘러싸고 있는 이러한 의문 앞에서, 세계란 본원적으로 이해할 수 없는 불확실성의 차원에 존재한다. 유기적인 인과관계도 없이 우연성에 의해 지배되는 것으로 여겨지는 세

---

9 김동리, 「신세대의 정신」, 『문장』, 1940.5.

계를 대상으로 어떠한 행동과 결단을 취하는 것은 실존적 개인에게 의미를 갖지 못한다. 세계 혹은 현실이란 그러한 개체의 힘으로 변혁되거나 구획될 수 없는 층위에 있기 때문이다. 따라서 역사의 진보라는 것도 존재하지 않으며, 타인과 유대하는 공동의 삶의 방식 또한 거부된다. 그렇다면 이러한 세계 인식을 가지고 있는 실존적 개인들은 어떻게 삶을 살아가는가. 그들은 자신의 진정한 자아에 도달하기 위하여 내면을 향해야 하며, 자기 존재의 심연을 탐구해야 한다고 생각한다. 존재의 진리와 가치는 개인의 경험, 자기 발견, 본래적인 자아의 창조 안에서만 추구되고 발견될 수 있다고 믿기 때문이다.[10] 허준의 세계 인식은 실존주의자들의 이러한 논리와 유사하게 닮아 있다. 「탁류」나 「야한기」에서 묘사된 허준 소설의 지식인들은 대상도 형체도 없는 극심한 허무감에 시달리며, 현실에 대한 어떠한 가치판단도 내리지 않는다. 설혹 현실의 세계가 자신들의 삶을 훼손할지라도 적극적으로 대항하지 않는다. 현실에 대한 적극적인 개입이나 대결 행위가 무의미하다고 판단되기 때문이다. 그들에게 문제가 되는 것은 항상 자기 자신의 의식이며 내부이다. 그래서 그들은 고독한 삶의 방식을 취하거나 타인과의 연대를 회피한다. 고독 속에서 자신의 존재를 탐구하는 이러한 삶의 태도는 「습작실에서」 「속 습작실에서」의 주인공들에게서도 일관되게 드러나는 양상이다. 허준 소설의 이러한 구도는 '자기 존재의 연유'를 탐구하는 '비평 정신의 자기 운동'만이 창작의 유일한 이유이자 목적이라고 밝혔던 그의 문학론과 그대로 조응한다.

　요컨대 자신의 주관적인 '기초 경험'과 '고독'을 전제로 해서 이루

---

10 G. 노바크 편, 『실존과 혁명』, 김영숙 역, 한울, 1983, pp.318-327 참조.

어지는 '허무의 탐구', 이것이 허준의 문학적 출발점이었다면, 그의 문학의 폭은 좁아질 수밖에 없다. 작가 자신의 의식 속에 갇혀 줄기차게 자신의 '존재의 연유'를 탐사하는 것 이외에는 별다른 문학적 원리나 대상이 부재하기 때문이다. 그의 소설들이 주로 자전적이고 내면적인 고백이나 기록의 형식으로 나타나는 것은 이러한 연유에서 비롯된다. 그러나 소설이란 궁극적으로 동시대의 구체적인 삶과 현실에 대한 다양한 관심과 이해를 재료로 하여 만들어지는 것이고 그것을 떠나서는 성립될 수 없는 것이라고 한다면, 허준 문학이 지니고 있는 한계 또한 자명해진다. 해방 공간에서 허준은 스스로 자기 문학의 존재 방식을 부정하면서 실존적 개인의 삶에서 역사적 개인의 삶으로 나아간다. 그의 소설들은 허준의 이러한 의식 전이와 깨달음의 여정을 고스란히 반영하고 있다. 바로 여기에 허준 문학의 특이성이 내재하고 있다.

2. 절연과 유폐의 형식, 그리고 고독의 사상

해방 전에 발표된 허준 소설은 데뷔작인 「탁류」를 포함하여 「야한기」「습작실에서」 단 세 편뿐이다.[11] 허준은 이 소설들을 통해서 실존적 고뇌와 숙명론적 세계 인식에 사로잡힌 지식인의 존재 방식을 문

---

11 허준은 1934년 『조선일보』를 통해 시로 등단하였고, 1936년 『조광』에 소설 「濁流」를 발표하면서 이후 1948년 무렵 월북하기까지 총 9편의 작품을 남겼다. 해방 전에 발표된 작품은 「濁流」(『조광』, 1936.2), 「夜寒記」(『조선일보』, 1938.9.3-11.11), 「習作室에서」(『문장』, 1941.2) 세 편이며, 「殘燈」(『대호』, 1946.1-7), 「寒食日記」(『민성』 7호, 1946.6), 「林風典씨의 日記」(『협동』, 1947.6), 「續習作室에서」(『문학』 8호, 1948.7), 「평때저울」(『개벽』 76호, 1948.1), 「歷史」(『문장』, 1948.10)는 해방 후에 쓴 것이다. 「寒食日記」「林風典씨의 日記」「평때저울」은 신변잡기적인 콩트나 수필에 가까운 것으로 분석에서 제외한다.

제 삼고 있다. 「탁류」의 현철이나 「야한기」의 남우언은 모두 생래적으로 주어진 운명의 비극성을 깊이 인식하고 있는 인물들이다. 그들이 파악한 운명의 비극성은 선천적으로 타고난 질병이나 죽음과 같은 거부할 수 없는 인간의 조건들로 묘사되어 있다. 「탁류」의 어린 소녀 채숙의 아버지는 애꾸눈으로 소외된 인생을 살고 있고, 「야한기」의 은실 어머니는 죽음을 목전에 두고 깊은 슬픔에 잠겨 있으며, 은실은 "누구의 죄도 아니련만" 태어나자마자 앞을 제대로 보지 못하는 불행한 인생을 살고 있다. 인간의 의지나 능력으로는 감당할 수도 해결할 수도 없는 것이 인간 존재의 현실이고 운명이라면, 인간은 도대체 어떻게 살아야 하는 것인가. 이것이 바로 작가 허준의 문제의식이자 「탁류」의 현철이나 「야한기」의 남우언이 겪고 있는 고뇌의 핵심이라고 할 수 있다. 생로병사를 겪어야 하는 인간의 본질적 조건이 문제될 때, 그들 지식인이 택한 대응 논리는 현실의 삶에 대한 적극적인 행동이나 가치판단의 유보이다.

새삼스러이 다시 해결할 것도 없고 해결할 수 있는 것도 아니로되 그것은 모두가 의지라고 하는 한 큰 무덤에 입을 막아 넉넉히 고이 매장할 수가 있었던 것들이었다. 왜 그러냐 하면 대상을 가지지 아니한 의지 그것이라 하는 것도 결국은 또 무의지에 지나지 않으니까. 그러면 그 의지는 왜 대상이 없었는가. 대상이 없지 아니하다면 그럼 의지를 버리었던 것인가. 그렇지도 아니하다 하면 그런 것에는 관계도 없는 운명에 대한 깊은 의식이 자기에게 이러한 결심을 주었던 것인가. 그렇다. 그 결심.—그 큰 청맹과니가 내게 가치에 대한 판단력을 거부하였고, 그러므로 나는 무능력한 줄을 알았고, 나는 인생에 나태(懶怠)한 사람인 줄을 알지 않았는가. 그것을 안다고 하는 것은 얼마나 무

서운 일이냐.[12]

　더욱이 현철과 남우언을 둘러싸고 있는 일상의 현실이란 비속하기 짝이 없다. 늙은 창부 출신인 현철의 아내는 의심과 질투에 사로잡혀 현철을 괴롭히며, 남우언은 민보걸 형제의 음모로 살인 누명을 쓰기도 한다. 이처럼 부정적인 현실 세계에 대해서 적극적인 가치판단을 행하고 그 사회 속의 일원으로서 살아간다는 것은 이들 소설의 주인공들에게 아무런 의미도 없는 것으로 인식된다. 때문에 그들은 외부 세계에 대해서 철저하게 수동적이고 방관자적인 삶의 태도를 견지한다. 현철은 아내의 오해나 불신을 해소하려는 어떠한 행동도 취하지 않으며, 아내와의 소통 자체를 거부한다. 이러한 태도는 「야한기」의 남우언에게서도 마찬가지로 드러나는데, 그는 억울하게 감옥에 갇혀서도 세상에 대한 대결 의식을 갖지 못한다. "대상을 가지지 아니한 의지" 곧 "무의지"의 상태에서 수동적으로 주어진 삶을 견디거나, "태만과 곤비의 자세"로 "무한히 흘러가는 공간과 시간 가운데 자기의 부동하는 존재성을 정치(定置)"시키는 것, 그것이 현철과 남우언이 택한 그들의 존재 방식이었다.

　그러나 이러한 삶의 방식은 외부 대상과의 불화를 초래하는데, 아무도 그들의 삶의 태도를 이해하지도 받아들이지도 않기 때문이다. 결국 「탁류」나 「야한기」의 주인공이 대상과 겪는 불화와 소통의 부재는 자신들의 주관적이고 폐쇄적인 삶의 태도에서 연유하는 것으로, 그들이 일상의 삶을 수용하지 않는 한 화해란 불가능한 것이다. 「탁류」의 끝은 현철이 아내와의 관계를 모두 청산하고 떠나는 것으로

---

12 허준, 「탁류」, 『월북작가 대표문학』 8, 서음출판사, 1989, pp.119-120.

맺어진다. 그리고 현철은 "역시 나를 구원하는 것은 내 해결성 없는 지속의 버릇"임을 스스로 확인한다. 현철의 떠남은 자기 관념 속으로의 유폐를 의미하는데, 현철의 존재에 대한 불안이나 절망, 허무 등은 이미 그 자체로서 주어진 것으로 현실의 관계 속에서 해결되거나 회복될 성질의 것이 아니었던 것이다. 「야한기」의 남우언 또한 모든 문제 해결의 화살을 자신에게 돌림으로써, 세상과 절연한 채 유폐의 세계로 들어간다.

다만 나는 이러한 사실들이 내 자신에 대해서 자꾸 무엇인지 요구하고 있는 것을 깨달을 뿐이다. 내 자신에다 칼날을 자꾸 갖다 대이는 것을 나는 느끼듯 자꾸 죽고 자꾸 살아나기를 요구하는 것을 나는 안다. 그는 마음이 후끈후끈 달아오는 것을 깨달았다.[13]

작가 허준이 「탁류」와 「야한기」에서 그리고자 했던 세계가 생의 본원적인 허무와 절망에 시달리는 지식인의 행방에 있었다면, 현철이나 남우언이 보여 주는 바, 그 폐쇄적인 자의식의 세계를 빠져나와 구원을 얻는 길은 구체적인 생활의 현장이나 타인과의 관계 속에 있지 않다. 구원에의 길은 지향 없는 인생을 숙명론적으로 받아들이며 자기 자신에게로 돌아가는 곳, 그 절연과 유폐의 공간 속에서 끊임없이 자기 응시와 성찰을 수행하는 실존적 개인으로서의 삶에 있다. 절망과 허무로부터의 해방은 상황이라고 하는 외부적 조건이나 타인과의 관계와는 아무런 관련이 없다는 작가 허준의 이러한 사유 방식은 고독만이 가장 올바른 삶의 방식이라는 인식으로 이어지는데,

---

13 허준, 「야한기」, 『월북작가 대표문학』 8, p.250.

이는 소설 「습작실에서」 분명하게 드러난다. 북지 어느 산골에 있는 T 형에게 보내는 편지 형식으로 되어 있는 「습작실에서」는 고독한 개인으로서의 삶의 방식을 동경 유학생 남목과 하숙집 주인 노인의 죽음을 통해서 그리고 있는 작품이다. 주인공 남목은 고독을 즐기는 사람이다. 그는 고독하기 위해 적지 않은 돈을 들여 한적한 교외에 방을 얻어 혼자 생활한다. 남목에게 고독은 자신의 청춘을 "밝고, 슬프고, 화려하게" 꾸며 주는 것으로 여겨지며, 스스로 선택한 쉽게 누릴 수 없는 '사치'이기도 하다. 그의 고독은 관계 속에서의 소외나 현실적인 조건의 어려움이나 고통에서 연유하는 그런 성질의 것이 아니라 일종의 감상벽의 소산이다. 그런 남목에게 고독의 진정한 의미를 깨닫게 해 주는 계기로 작용하는 것이 하숙집 주인 노인의 죽음이다. 노인은 자살을 선택함으로써, 자신의 죽음을 자연적이며 우연적인 것으로 받아들이기를 거부한다. 그는 남에게 의탁하거나 의지하지 않고 주체적이고 독립적으로 자신의 생을 살고자 하는 인물이다. 그러기에 노인에게 자살이라는 죽음의 방식은 자신의 삶의 방식의 자연스러운 귀결이다. 노인이 자신의 좌우명으로 삼는 '인욕(忍辱)'이라는 구절이 보여 주듯, 노인의 삶은 모든 번민과 고뇌를 참고 견디며 "자신의 존재를 밝혀 가는" 과정이었다. 죽음마저도 주체적으로 인식하고 맞이하려는 노인의 태도는 철저하게 자신의 삶을 자신에게 귀속시키려는 실존적 개인의 모습이다. 주인공 남목은 노인의 이러한 삶의 태도, 죽음의 방식을 통해서 "사람이 고독한 것은 그것만으로 옳은 일이요, 또 옳게 사는 사람은 고독한 것이 당연한 법"이라는 인식에 이르게 된다.

「탁류」와 「야한기」에서 집요하게 지식인의 내적 의식을 묘사하면서 삶의 절망과 허무를 결국 해결 불가능한 개인의 숙명으로 묘사했던 허준은 「습작실에서」에서 고독 속에서 철저하게 주체적으로 자신을 견디고 사는 것이 가장 정당한 삶의 방식이라는 나름의 결론에 도달하고 있다. 「탁류」와 「야한기」 「습작실에서」의 인물들은 사회 현실이나 타인과의 관계와 무관하게 자신의 힘으로만, 폐쇄적인 세계 속에서 살아가려고 하는 고독한 개인주의자의 모습을 하고 있다. 그들에게 사회나 역사나 타인의 삶은 끼어들 여지가 없다. 중요한 것은 근원을 알 수 없는 자기 자신의 허무요 절망이며, 그들이 선택한 삶의 방식은 철저한 고독 속에서 자신의 정신세계를, 존재 의미를 밝혀 가는 데 있다. 본원적인 생의 비극적 인식을 벗어날 수 있는 구원의 길이 바로 자신의 고독 속에 있다고 믿어지기 때문이다. 이처럼 해방 전 허준 소설의 경향은 무시간적이고 무역사적인 것으로, 작가 허준의 관심사는 사회 현실이나 역사, 구체적이고 사회적인 인간의 삶에 있지 않았다. 그러나 해방 공간에 쓴 일련의 소설들은 구체적이고 역사적인 시간과 공간 속을 살아가는 인물들을 등장시키고, 또한 역사적 개인들과의 만남을 통해 변모해 가는 지식인들의 모습을 그리고 있다는 점에서 해방 전의 소설과는 변별된다.

3. 여로의 형식과 제삼자의 정신

허준 소설들이 대체로 자기만의 '방'에 갇혀 세상과 절연된 상태에서 자신의 내면을 들여다보는 지식인들을 그리고 있다면, 「잔등」은 여로 형식 속에서 세상을 관찰하는 지식인을 주 인물로 설정하고 있다. 「잔등」은 해방을 맞아 고향을 찾아가는 지식인 주인공의 귀환기이다. 「잔등」의 '나'는 체념과 고독의 습성을 지닌 인물로 해방 전 허준 소설의 지식인들과 닮아 있다. 그러나 「잔등」의 '나'는 역사적인 시간대 속에 존재하며, 일정하게 시대 현실과 교섭하고 있는 인물이

라는 점에서 해방 전 허준 소설의 지식인들과는 다른 면모를 보여
준다.

「잔등」의 구조는 '나'가 귀향 여로에서 겪는 갖가지 사건들을 접하
면서 해방 직후 고국의 다양한 현실적 상황과 면모들을 경험하는 것
으로 짜여진다. 화가인 '나'는 해방을 맞아 고국으로 돌아온다. '나'의
실제적인 여로는 장춘에서 서울까지이지만, 그러나 소설에서 그려
지는 것은 회령에서 청진에 이르는 거리이다. '나'는 회령에서 청진
까지 이르는 여로에서 여러 가지 사건과 에피소드를 겪는다. 「잔등」
에 이르러 허준 소설의 지식인 주인공은 해방 공간이라는 구체적이
고 역사적인 현실에 직면하게 되는데, 여기서 주목되는 것이 주인공
'나'의 눈에 포착되는 해방 공간의 현실과 그것을 바라보는 '나'의 시
각과 태도이다. '나'의 눈에 비친 해방 공간의 가장 충격적인 현실은
귀향에의 염원과 의지로 무개화차 위에 빽빽이 올라앉은 '피난민'의
행렬과 쫓겨 가는 일본인 잔재민들의 비참한 생활상이다. 나는 그들
을 모든 것을 '회신(灰燼)'하고 일종의 "특수한 개념"을 형성하는 사
람들로 파악한다.

> 기름기름히 쌓아 얹힌 각재들 사이에 끼인 사람, 부서지다 남은 걸
> 상과 책상을 쓰고 자는 사람, 째어진 장막의 한끝을 잡아당겨 뼈가 들
> 추이는 어깨를 가리운 사람, 이 사람들은 한 특수한 개념을 형성하는
> 사람들이었다.[14]

그들 "특수한 개념"을 형성하는 사람들을 바라보는 '나'의 시선에

---

[14] 허준, 「잔등」, 『월북작가 대표문학』 8, p.65.

연민이나 동정 같은 것은 없다. 단지 '나'는 아직 "회신화"할 것이 남아 있는 사람이며, 또 "일층 높은 처소에서 회신화하고 있는 자기 자신을 내려다보고 방관할 수 있는 부류"의 사람으로 그들과는 다른 존재임을 깨달을 뿐이다. 그것을 '나'는 "애꿎은 제삼자의 정신"이라고 명명한다. 여기서 해방 공간의 가장 핍진한 현실 즉 귀환 동포와 일본인 잔류자들을 바라보는 '나'의 태도는 냉정하고 관찰자적인 것이며, 추상적이다. 해방 공간에서 그들 '피난민'들이 갖는 역사적이고 사회사적인 문맥은 '나'에게 인식되지 않는다.

이러한 '나'의 현실 인식의 태도는 고기잡이 소년과 국밥집 할머니의 현실 인식 태도와 대비된다. 이 소설에서 '나'는 고기잡이 소년과 국밥집 할머니라는 두 인물을 만나는데, 일본인 잔류자들을 대하는 그들의 시선과 방식은 매우 대조적이다. 고기잡이 소년의 눈에 일본인 잔류자들은 "다 죽어 버린 것"이나 다름없는 존재들이지만, 일말의 동정이나 용서 없이 여전히 감시당하고 탄압받아야 할 대상이다. 반면에 정거장 어귀에서 국밥집을 하고 있는 노인의 눈에 비친 그들은 불쌍하고 가엾은 존재들이며, 연민과 보살핌의 대상이다. 해방 공간의 현실에 비추어, 국밥집 노인과 고기잡이 소년이 보여주는 태도는 '나'에 비해 훨씬 더 구체적이고 현실적인 것이다. 이것은 두 인물이 보다 구체적이고 경험적으로 해방 공간의 현실을 살고 있는 역사 속의 개인들이라면, '나'는 일정한 거리를 두고 현실을 지켜보고 있는 '제삼자적' 지식인이라는 점에서 설명될 수 있다. 그러나 '나'의 이러한 '제삼자적' 태도는 국밥집 할머니의 삶의 모습을 접하면서 심한 충격을 받는다. 할머니와 '나'의 만남은 이 소설에서 가장 핵심적인 부분이자, 이 소설의 주제 의식이 드러나는 장면이라고 할 수 있는데, 이 노인이 일본인 잔류자들에게 베푸는 따뜻한 사랑은 일제 하에서 사회주의 운동을 하다가 옥사한 아들의 내력과 연결되어 있다. 해방 전 감옥에 갇힌 아들에게 면회를 가서 들은 바 있는 '가토'라는 일본인의 이야기가 해방 후 노인의 삶의 방식을 설명해 주는 열쇠이다.

그때 우리 애 하는 말이 가토라는 사람은 집은 있으되 집이 없어서 온 사람이 아니요, 먹을 것이 있으되 제 먹을 것 때문에 애쓸 수 없었던 사람이다. 그렇다고 물론 건달을 하려고 건너온 사람도 아닌 것이니 자기하고 같은 일에 종사했으나 거지도 아니요, 도둑놈도 아니요, 아무런 죄도 없는 사람이라고 그러지요. 그럼 무엇이 죄냐—일본 사람은 일본 바다에서 나는 멸치만 잡아먹어도 넉넉히 살아갈 수 있다고 한 것이 죄다. 어머니, 멸치만 잡아먹어도 산다는 말을 아시겠어요, 하였습니다……누가 무엇 때문에 누구 까닭으로 싸웠는지 나는 모릅니다. 하지만 내 아들이 붙들려는 갔으나마 죄 아님을 못 믿을 나는 아니었으므로 응당 당장에 해득했어야 할 이 말들을 오 년 동안을 두고도 해득지 못하다가, 이제야 겨우, 오늘에야 겨우 해득한 것입니다.—그 종자들로 해서 어떻게 눈물이 안 나옵니까.[15]

소설 속의 여러 정황으로 보아 노인의 아들과 가토는 이른바 사회주의 운동가로, 자신의 이념을 위해 싸우다 감옥에서 죽어 간 사람들이다. 노인은 오 년을 두고도 이해할 수 없었던 '가토'의 삶의 방식을 해방이 되어 굶주리고 학대받는 일본인 잔류자들을 보면서 해득하게 되었다고 고백하고 있다. 때문에 노인은 그들 불쌍하고 가엾은

---

15 허준, 「잔등」, p.76.

'가토의 종자들'을 위해 밤을 밝혀 가며 국밥을 팔고 일본인 잔류자들에게 사랑을 베푼다. 그렇다면 노인이 해득한 일본인 '가토'의 삶의 방식이 말하는 바는 무엇인가? 추측컨대 그것은 억압받고 비참한 생활을 하는 사람들, 「잔등」의 현실 속에서 보자면 노인의 연민의 대상이 되는 일본인 잔류자들이나 '피난민'들을 위한 삶, 그들과 연대되는 삶이다. 이 점은 '나'가 '피난민'의 행렬을 보면서 느꼈던 '제삼자적 정신'의 장면과 대비하여 파악될 수 있다. '나'에게 국밥집 할머니의 삶의 방식은 "새로이 발견한 크나큰 경이"이며, 또한 "인간 희망의 넓고 아름다운 시야를 거쳐서만 거둬들일 수 있는 한없이 너그러운 슬픔"으로 다가선다. 이 사건 즉 국밥집 할머니를 통해 일어나는 '나'의 이러한 심정의 동요와 떨림은 '나'에게 매우 중요한 의미를 지니는데, 그것은 "내 가슴속에 고유하니 잠복해 있는 구슬픈 제삼자의 정신"을 충격하는 강렬한 계기로 작용하기 때문이다. '나'는 이제 청진을 떠나 다음 목적지를 향해 출발한다. 그러나 스스로 자신의 여정이 이곳에서 끝났음을 자각한다.

> 방은 이 땅이 우리들 여정의 절반이라고 하였지마는, 설혹 지나온 것이 절반이 못 된다 하더라도 내게는 이미 내 가슴속에 그려진 이번 피난의 변천 굴곡은 여기서 다 완결된 것이나 조금도 다름이 없었다. 그리고 앞으로, 이 이상 고생스러운 험로를 몇 갑절 더 연장해 나간다 하더라도 나로서는 이외의 더 색다른 의미를 찾는 어려운 일인 듯하였다.[16]

---

16 허준, 「잔등」, p.89.

여기서 '나'의 귀향 여정의 목적이 '서울'이라는 구체적인 지점을 향하는 데 있었다기보다는 실존적 개인의 현실 탐사를 통한 삶의 방향성 찾기에 있었음이 드러난다. 때문에 국밥집 할머니의 삶의 방식을 통해 이른바 '제삼자적' 태도로 명명되는 자신의 존재 방식이 문제가 있었음을 자각하는 지점에서 '나'의 여정은 끝이 나고, 남은 여정이 자신에게 아무런 의미도 갖지 못함을 깨닫게 되는 것이다. 그리고 다음 목적지를 향해 멀어지는 차 속에서도 '나'의 뇌리에 깊이 각인되어 명멸하는 "할머니 장막의 외로운 등불"은 이제 심정적으로는 끝이 나 버린 '나'의 여정의 유일한 의미이자 성과이다. 그런 맥락에서 이 소설의 제목 「잔등」은 사회 현실과는 무관하게 고독한 실존의 세계를 살아가던 지식인이 현실 사회로 혹은 타인과의 관계 속으로 다가서도록 인도해 주는 고리로서 상징적 의미를 획득한다.

4. 자기부정과 개방의 정신

「잔등」을 통해 구체적이고 역사적인 사회 현실 속에서의 지식인의 삶을 인식하기 시작한 허준은 「속 습작실에서」에서 다시 한 번 실존적 개인의 현실 존재 방식을 문제 삼는다. 「속 습작실에서」의 '남몽'은 시인으로, 할머니의 객줏집, 음습하고 곰팡내 나는 '뒷방'에서 "내 방의 혼자만이 느끼는 질서"를 사랑하며 자폐적인 자기 세계에 빠져 살고 있다. 그가 원하는 것은 "누구도 내 생활을 간섭하고 엿보지 않는" 공간에서 "죽이 되든 밥이 되든 들어박혀 헛헛이 살아가는데" 있다. 말하자면 「습작실에서」의 "옳게 사는 사람은 고독한 것이 당연한 법"이라는 지식인의 존재 방식, 철저하게 고독한 주체로서의 삶의 방식을 체현하고 있는 인물이다. 남몽에게 고독한 개인으로서의 자기 존재 방식의 정당성은 문학과의 치열하고 성실한 대결을 통

해 이루어진다. "말(言語)의 엄연함과 냉혹함" 속에서 괴로워하면서
도 "심면의 완전한 모상이 제 옷을 찾아 입고 완전한 표현이 되어 나
오게 하려는 노력"으로 이어지는 그의 창작 행위의 이면에는 "말의
사기사"가 되지 않겠다는 확고한 신념이 자리하고 있다. 그러나 남
몽의 이러한 존재 방식은 그와는 또 다른 차원에서 치열하고 성실하
게 자기 삶을 추구하는 이병택이라는 사회주의자와의 만남과 교류
를 통해 재고되고 새로운 전환을 맞이하게 된다.

　남몽과 이병택의 만남은 현실 세계와는 차단된 채, 개인 존재의
내면을 향해 집중되어 있던 허준 소설의 지식인의 존재 방식이 또
다른 지식인의 삶의 방식을 통해 반성되는 계기가 된다는 점에서,
허준 소설 전체를 통해 매우 중요한 의미를 지닌다. 남몽의 객줏집
에서 하룻밤을 같이 지내게 되는 항일 투사 이병택은 역사적 모순,
불합리한 구체적 현실의 '허울'을 벗기기 위하여 끊임없이 자신의 삶
을 추스르고 다스려 나가는, 남몽과는 또 다른 의미에서의 자기 삶
의 성실성을 구현하고 있는 인물이다. 즉 남몽이 문학이라는 형식으
로 자기 내면의 세계를 응시하는 고독한 실존적 개인이라면, 이병택
은 구체적인 현실 속에서 자신의 생존 이유와 삶의 방향성을 추구하
는 역사적 개인으로 대비된다. 이 두 인물의 만남에서 주목되는 장
면은 남몽의 존재 방식을 바라보는 이병택의 시선이다. 이병택은 남
몽의 자폐적이고 고독한 실존적 개인으로서의 생활, 창작의 고통과
괴로움을 애정 어린 마음으로 이해하면서도 그 정당성에 대해서는
의문을 제기한다.

　하지만 남형의 존재가 다시 나고 중생(重生)을 하고 삼생(三生), 사
생(四生)을 한다 하더라도 그건 그런 괴로움은 어찌하지 못할 종류의

것들인 것 아닐까요? 동서고금을 막론하고 지금껏 내려오는 허다한 문학적인 천재라 한들 과연 그런 게 없었을는지![17]

나는 참으로 깜짝 놀랐던 것이야요. 이 음습한 뜬 좁은 방에 자기 자신을 몰아넣고 또한 자기의 군색하고 어지러웁고도 자기 분열적인 생각에 자기 자신을 가두어 놓고 매질하여 괴롭히며[18]

이병택이 보기에 남몽의 고뇌와 절망은 거듭 태어난다 해도 해결할 수 없는 예술가적인 고통에 불과하며, 때문에 음습하게 뜬 방과 자기 존재의 심연에 갇혀 있는 그의 존재 방식은 그 치열함과 성실성에도 불구하고 가학적이고 소모적인 것이다. 그런 남몽에게 이병택은 후일 자신과의 바다낚시를 제의하고 떠난다. 이것은 남몽이 음습한 좁은 방의 세계, 자기 자신의 폐쇄적인 세계로부터 청신한 '대기' 속으로, 세상 밖의 현실 세계로 걸어 나올 것을 바라는 '이병택'의 간접적이지만 간절한 바람의 표현이다. 이제 허준 소설의 고독한 실존적 개인들은 자기 삶의 방식을 문제 삼는 또 다른 지식인의 애정 어린 충고와 감화에 의해 회의와 선택의 기로에 섰다. 「속 습작실에서」의 결미에서 이병택이 사회주의자이며 항일 투사라는 사실이 밝혀질 때, 남몽의 고독한 삶의 정당성은 집요한 회의 속에서도 흔들리기 시작한다. "근본적인 방향"이 서지 않았기 때문에, "독선적인 배타주의"이며 사이비 사회주의자인 김 씨라는 인물을 향한 모멸 때문에, 여전히 망설이고 있는 남몽에게 이병택은 다시 한 번 이렇

---

17 허준, 「속 습작실에서」, 『한국소설문학대계』 24, 동아출판사, 1995, p.379.
18 허준, 「속 습작실에서」, pp.379-380.

게 충고한다.

형은 형 편지 속에 방향이 서고 안 서고를 말씀하셨지만 무엇을 어떻게 어떤 방향으로 굳이 나가라고 형에게 권하는 데 이 나의 소원이 있었다는 것보다는 향내가 나던 형의 그 곰팡이 묻은 방 창문이 열리어 지린내가 나든 향내가 나든 형의 발길이 인간 세상의 대로를 향하여 한 발자국 디뎌지는 데에만 있었다 할 것입니다. 그렇게만 되신다면 그다음은 기다리지 않아도 물은 높은 데에서 낮은 데로 비(肥)한 데서 메마른 데로 흘러가고 번져 나가 주는 것 아니겠어요?[19]

수감 중에 있는 이병택이 공판을 앞두고 남몽에게 보낸 이 편지는 역사의 진보와 인간의 삶에 대한 희망을 품고 살아가는 진정한 역사적 개인의 발언이다. 그러나 끝끝내 "가서 만난다기로 무슨 말을 하며 무슨 낯으로 나만 다시 사바 세상에 돌아오는가"를 고민하면서 면회를 미루던 회의주의자 남몽은 마지막으로 그가 남긴 수의를 바라보며 자신의 존재 방식에 대한 절절한 자책에 도달한다. 「습작실에서」의 지식인이 하숙집 주인 노인의 죽음을 통해 고독한 실존적 개인으로서의 삶의 방식을 더욱 굳혀 나갔다면, 「속 습작실에서」의 지식인은 치열하게 현실 관계 속의 삶을 살아가는 한 항일 투사의 죽음을 통해 인식의 전환점에 서게 되는 것이다.

나는 눈이 내 눈에 시가웁게도 자극이 되어 펄떡 뛰어 일어나서 방을 나왔다. 그리고 인제는 자꾸만 자꾸만 눈 속으로 형지를 감추어 들

---

19 허준, 「속 습작실에서」, p.407.

어가는 그 한 벌 옷을 향하여, "당신이야말로 당신이야말로 정말 새롭고 새로운 몸의 상처를 받아 나오기 위해 무수한 허울을 나날이 벗어 나온 분입니다." 하는 언젯날 부르짖음을 인제야 속으로 부르짖으며 이렇게 미칠 듯이 속으로 외치었다. "이게 다 무어냐 이게 다 무어냐 아아 저는 아무것도 아니랍니다. 저는 아무것도 아닙니다. 저야말로 이외로 아무것도 아닌 단순한 말의 사기사를 지향하고 나갔던 사람이었는지도 모릅니다."[20]

자신의 고독한 개인으로서의 존재 방식이 "새롭고 새로운 몸의 상처를 받아 나오기 위해 무수한 허울을 나날이 벗"는 치열한 것임을 자부하고 있던 남몽은 이제 자신의 삶의 방식이 아무것도 아니었다는 인식에 도달함으로써, 고독한 실존적 개인에서 역사적 개인으로 다시 태어나는 그 출발의 지점에 서게 된다. 남몽의 이러한 인식의 변화는 해방 공간에서 작가 허준이 자신에게 던졌던 물음이자 결론이라고 할 수 있다. 자신의 소설 속의 지식인들과 마찬가지로 냉정한 회의주의적 자세로 자신의 문학 세계에 몰두해 왔던 허준은 해방 공간에서 자신의 문학과 삶의 방식을 궤도 수정하고 있다. '문학가동맹'의 회원으로 가입하고 이후 월북을 감행하기까지의 그 내밀한 허준의 의식 변화의 전모를 확인할 수는 없지만, 그의 소설을 통해 드러나는 바와 같이 그 과정이 실존적 개인의 삶에서 역사적 개인으로 나아가는 도정에 있었음을 추측할 수 있다. 허준의 이러한 작가 의식의 변모는 월북하기 전 1948년 『문장』에 발표한 소설 「역사」에서 보다 명확히 드러난다. 허준의 월북과 함께 1회 연재로 중

---

[20] 허준, 「속 습작실에서」, pp.411-412.

단된 이 소설은 이전의 허준 소설과는 전혀 판이한 세계로 나아가고 있다. 「속 습작실에서」와 석 달 간의 간격을 두고 발표된 소설 「역사」는 제목 자체가 이미 상징적이다. 소설 「역사」 속에서 작가 허준은 자신의 존재의 심연으로 파고드는 지식인의 세계를 벗어나, 현실의 삶, 타인의 삶이라는 서사의 세계, 이야기의 세계로 진입한다. 그러한 맥락에서, 이 소설이 거둔 문학적 성과나 의미는 분석하기 힘든 상황이지만, 허준의 문학에서 이 소설이 가지는 의미는 크다고 할 수 있다.

5. 허준 문학의 존재 방식과 그 의미

한국소설사에서 지식인을 주인공으로 설정하고, 지식인의 갈등과 삶의 방식을 형상화한 소설은 적지 않다. 이광수의 『무정』에서 염상섭의 『만세전』, 유진오의 「김강사와 T 교수」, 이기영의 『고향』에 이르기까지, 그 외에도 1930년대 후반기에 쓰여진 많은 소설들이 지식인의 고민과 생활을 직간접적으로 다루고 있다. 이들 소설들은 대개 사회 현실과의 관련 속에서 지식인이 어떤 방식으로 대응하는가, 특히나 식민지라는 시대적 제약과 조건 속에서 지식인들이 부딪치는 내적·외적인 문제들에 초점을 맞추고 있다. 대체로 지식인으로서의 시대적 소명 의식, 식민지 현실 속에서 겪게 되는 좌절감이나 모멸감, 혹은 현실 변혁에 대한 강한 희망과 의지가 이들 소설의 지식인들이 포지하고 있는 문제의식이라 할 수 있다. 또한 1930년대 후반기 소설 속의 지식인들은 외적 강제 앞에서 느끼는 좌절감과 허무의식에 사로잡혀 있거나, 또는 이념이나 이상이 더 이상 추구될 수 없는 상황에서 과거의 생활을 반추하고 생활 세계로 편입해 가는 모습으로 묘사된다. 거칠게 보아 한국소설에 나타난 지식인상을 대충 이렇게 정리할 수 있다면, 허준 소설의 지식인들은 다른 층위에 존재한다. 그들은 선험적인 인간 운명과 조건에 대해 좌절한 지식인들이며, 사회 현실과의 갈등이나 대립은 묘사되지 않는다. 때문에 그들이 경험하는 허무나 절망 또한 여타의 다른 소설의 지식인들과는 그 성격을 달리한다. 그들의 절망은 관념적이고 철학적인 문제와 연결되어 있으며, 추상적이다. 당대 지식인이 겪어야 했던 구체적인 생활이나 현실의 문제와는 멀리 떨어져 있는 것이다. 이들 지식인들의 사고는 존재론적 자아 탐구의 차원에서 진행되는데, 주체적인 진리나 절대성을 추구하려는 경향을 드러낸다. 여기에는 강한 엘리트 의식, 자신 스스로 자신의 삶의 의미와 가치를 발견하겠다는 의식이 그 바탕에 깔려 있다. 한편으로 이들은 추상적이고 보편적인 인간에 대한 연민을 지니고 있다. 그 연민은 인간이란 부조리한 운명을 타고난, 거역할 수 없는 숙명적 조건과 상황 하에 놓여 있다는 관념에 바탕을 둔 것이다. 허준 소설은 해방을 전후로 일정한 의식 전이를 보여 주는데, 이는 인간 일반에 대한 연민이 구체적인 현실의 인간에 대한 연민과 관심으로 진전되는 양상을 보여 준다. 허준 소설의 고독하고 폐쇄적인 지식인들이 현실 세계로 나아가는 과정에는 이러한 타인에 대한 연민이 하나의 내적 요인으로서 자리한다. 해방 전의 소설에서 엿보이는 추상적인 휴머니티가 해방 후의 소설 속에서는 보다 구체화되고 현실화되는 것이다.

허준은 어찌 보면 소설가로서 소설을 썼다기보다는 문학이라는 형식을 통해 자신의 존재성을 탐구한 지식인이었다. 그의 소설이 미적 형식에 대한 치열한 모색이나 실험이 부족하다는 평가나,[21] 소설

---

21 차혜영, 「1930년대 한국소설의 근대성과 모더니즘적 전망」, 상허문학회, 『1930년대

의 정도에서 벗어나 있다는 채만식의 발언[22]은 지식인의 관념이나 의식 세계를 직접적으로 표출하고 있는 허준 소설의 단면을 지적한 것으로 이해할 수 있다. 한국소설사에서 이상만큼 자신의 자의식의 세계를 소설로 치열하게 그려 낸 작가는 흔치 않다. 그러나 이상은 다양한 형식과 기법을 구사하면서 소설을 만들어 낸 작가였다. 그러니까 이상에게는 소설이라는 장르에 대한 객관적인 인식과 거리 감각이 있었던 셈이다. 반면 허준은 소설이란 자기 성찰과 자기 비평의 방법론이라는 사고에서 한 치도 벗어나지 못했다. 주관적인 자기의식의 세계를 드러내는 것만이 소설의 목적이자 의미라는 인식이 그의 일관된 논리이자 창작 방법론이었다. 「탁류」에서 「속 습작실에서」에 이르기까지 허준은 그의 이러한 작가 의식을 그대로 밀고 나갔다. 현철→남우언→남목→천복→남몽으로 이어지는 그의 소설의 주인공들은 자기 존재성의 탐구라는 동일한 주제를 반복해서 이어 가고 있다. 그 과정은 이들 지식인들이 실존적 개인에서 역사적 개인으로 나아가는 변모를 수반한다. 허준 소설의 이와 같은 구도는 「속 습작실에서」에 이르러 철저한 자기부정으로 귀결되면서 문학을 통한 자기 존재 탐사의 여정은 여기서 일단 종결된다고 할 수 있다. 허준의 작가적 행적은 그의 소설의 이러한 전개 양상과 맞물린다. 그가 「속 습작실에서」에서 처절하게 고백하듯 자신의 문학적 행로, 혹은 존재 방식이 "단순한 말의 사기사"에 불과했다면, 그의 문학 세계는 이제 어디로 나아가야 하는가. 여기서 허준이 일관되게 견지해

후반 문학의 근대성과 자기 성찰」, 깊은 샘, 1998, p.143; 최혜실, 『한국 모더니즘 소설 연구』, p.178 참조.

22 「창작합평회」, 『신문학』 2호, 1946.6.

온 문학 정신이나 작가적 태도는 일대 전환의 시점에 서지 않을 수 없다. 그 자기부정과 갱생의 끝과 출발의 지점에 소설 「역사」가 위치하고 있으며, 그의 월북이 자리한다.

　요컨대 허준 소설은 전체가 마치 한 편의 성장소설처럼 읽힌다. 지식인의 정신적인 변화, 갱생의 과정이 작품 전반에 걸쳐 순차적으로 드러나고 있기 때문이다. 결국 자신의 삶의 존재 방식을 모색하는 지식인의 여로가 허준 소설의 서사 형식이라고 할 수 있는데, 1930년대 후반기의 문학사적 구도 속에서 그의 작품을 평가하거나, 해방 공간의 문학사 속에서 그의 작품 세계를 논의할 때, 허준 문학의 특성이 온전히 드러나지 않는 것은 이러한 이유에서이다. 같은 맥락에서, 그의 소설을 심리소설이나 모더니즘 소설이라는 틀로 접근할 경우에도, 허준 문학의 전반적인 의미를 포착하기는 어렵다고 할 수 있다. 허준 소설의 의의는 문학을 통해서 자기 존재의 의미를 밝히고 추구하려 했던 진지하고 성실한 실존적 개인, 작가 허준의 정신세계와 현실의 대응 방식을 보여 주는 데 있다. 그는 리얼리스트 혹은 모더니스트로 규정되기에 앞서 철저하게 자기 자신과 대면해서 자신의 삶의 정당성을 확인하고자 했던 작가였다. 때문에 그의 소설들은 사회 현실에 대한 세세한 묘사나 시대 이데올로기의 표출이라기보다는 작가 자신의 삶에 대한 성찰의 기록이나 고백의 형식을 띠고 있다. 이러한 허준의 소설들이 우리 소설사에서 각별하게 읽히는 것은 격정기의 정치·사회 현실에서 깊이 있는 성찰의 기회나 시간을 제공받지 못했던 문학인들의 삶의 방식, 혹은 그 반영으로서의 소설들과는 다른 미덕을 보여 주기 때문이다. 그의 소설들은 식민지 말기 그리고 해방 공간이라는 역사의 격동기를 살았던 문학인의 고민과 거듭남의 고통스럽고 절절한 내면 기록으로서 다가온다. 즉자적이고 정치적인 시대감각과는 거리를 두고 진지하고 냉정한 자기 성찰과 반성적 사고를 통해 지속적인 자기 탐구를 시도했던 허준의 문학 세계는 그 치열성과 성실성으로 인해 우리 소설사에 독특한 정신사적 궤적을 남기고 있다.

회화적 추상과 소설의 형식
—최인훈의 「하늘의 다리」

1. 머리말

이 글은 최인훈의 중편 「하늘의 다리」를 '소설로 쓴 소설론'이라는 관점에서 재독한다. 최인훈은 창작 못지않게 문학 이론의 탐구에 천착한 작가이며, 그의 문학 이론과 사상은 문학사적인 측면에서도 중요한 의의를 갖는 것으로 평가된다.[1] 이를테면, 그는 "근대 서양소설의 개념에 정통한 작가였을 뿐만 아니라 근대소설의 의의를 역사

---

1 최인훈은 『문학과 이데올로기』 『유토피아의 꿈』 등의 평론집을 통해 자신의 문학 이론을 개진하고 있다. 그는 스스로 그 글들이 '문학론'의 '한몫'을 하리라는 소견을 피력하고 있기도 하다. 한국소설 이론사의 범주에서 최인훈의 문학론이 차지하는 위상에 주목하고 그의 문학론이 좀 더 정치하게 검토되어야 한다는 주장이 제기된 바 있지만, 그의 문학론에 대한 본격적인 연구는 여전히 미답의 지대로 남아 있다. 최인훈의 문학론에 대해서는 다음을 참조할 수 있다. 김주연, 「말멀미에 이기기 위하여—최인훈 평론에 대하여」, 최인훈, 『문학과 이데올로기』, 문학과지성사, 1988; 김태환, 「문학은 어떤 일을 하는가—최인훈의 문학론」, 『시학과 언어학』, 시학과언어학회, 2001.

철학적 담론으로 설명할 수 있었던 거의 유일한 작가"로 지목된다.[2] 그러나 최인훈의 문학론을 보다 분명하게 보여 주는 것은 무엇보다도 그의 소설들이라 할 수 있다. 난해한 형식 실험을 통해 사실주의와 비사실주의의 경계를 넘나들며, 소설의 일반적인 형식과 장르적 관습으로부터 의도적인 일탈을 감행하는 최인훈 소설의 서사 전략은 그 자체로 문학이란 무엇인가에 대한 인식론적인 물음과 논리를 전제한다. 그는 소설을 쓰면서 동시에 소설이란 무엇인가를 분석적으로 성찰하고, 문학에 대한 끊임없는 이론적 모색을 거쳐 다시 창작으로 나아가는, 그의 표현을 빌면 "소설 인식론적인 방황" 자체를 "문학 속에다 끄집어내는"[3] 일종의 메타서사적 글쓰기의 전형을 보여 준다. 그런 의미에서, 최인훈의 소설은 자신의 문학론과 작가적 입지에 대한 존재 증명이자 모색이고 실험이며, 반성적 사유의 장(場)으로써 기능한다고 할 수 있다.[4]

특히, 이 글의 분석 대상인 「하늘의 다리」는 문학과 예술의 존재 방식을 탐문하는 최인훈의 치열한 문제의식과 논리가 집약적으로 드러나는 소설로서 주목된다.[5] 「하늘의 다리」는 김준구라는 화가의

2 김현주, 「새롭게 시작하는 '최인훈학'」, 「문학과 사회」 54호, 2001, pp.743-744 참조.
3 최인훈·김현(대담), 「변동하는 시대의 예술가의 탐구」, 「신동아」, 1981.9, p.220.
4 이런 측면에 주목하여 최인훈의 소설을 분석한 글로는 다음을 참조할 수 있다. 김인환, 「소설가의 소설론—「소설가 구보씨의 일일」, 「웃음 소리」」, 「문학과 지성」, 1972.가을; 김기우, 「최인훈 「화두」의 구조와 예술론의 관계에 대한 연구」, 동국대학교 석사 학위 논문, 1999; 황경, 「최인훈 소설에 나타난 예술론 연구」, 고려대학교 박사 학위 논문, 2003.
5 김윤식은 이 소설을 "정신의 높이를 첨예하게 드러낸 예술론"으로 고평한다(김윤식, 「어떤 한국적 요나의 체험」, 이태동 편, 「최인훈」, 서강대학교 출판부, 1999, p.136). 최인훈 또한 "미학적인 의미에서 자기의 정신적인 초점이 잡혀 있는" 소설로 이 작품의 의의를 자평한 바 있다(최인훈, 「기억을 찾아가는 소설의 길」, 「상상」,

일상과 의식을 다루는 짧고 간명한 소설이지만, 최인훈의 소설 미학과 작가적 고뇌가 함축되어 있는 중요한 작품이라 할 수 있다. 단적으로, 이 소설의 중심 논리는 '환상'과 '실재'라는 미학의 오래된 그러나 여전히 해결되지 않은 인식론적 문제에 닿아 있다. 또한 흥미로운 것은, 이 소설이 '환상성' 혹은 '반사실주의'로 특징되는 최인훈 자신의 소설적 방법론에 대한 우회적인 반문(反問)과 성찰의 서사로 읽힌다는 점이다. 최인훈의 대표적 실험소설이라 할 수 있는 『구운몽』이나 『서유기』의 서사 구성 원리가 리얼리즘의 문법을 파기하는 '환상성'에 기반하고 있다면,[6] 「하늘의 다리」는 이의 대척점에서 현실과 유리된 주관적 '환상'이 과연 소설이 될 수 있는가라는 회의적 사유와 리얼리즘 미학에 대한 전환적 인식을 서사화한다. 여기서 중요한 것은 최인훈의 소설 미학이 '환상'에서 '현실'로 혹은 '반사실주의'에서 '사실주의'로 넘어서는 그 인식론적 이행의 맥락이며 논리이다. 「하늘의 다리」는 그 변환의 접점에 위치하는 소설이며,[7] 그 사유

1994.여름, p.218). 그러나 이 소설에 주목한 그간의 논의와 연구는 많지 않다. 개별 작품론으로는 김윤식의 글 외에, "미래의 미적 형식"에 대한 제시라는 측면에서 해석한 김인호(「환상으로 예견되는 미래의 미적 형식」, 『해체와 저항의 서사』, 문학과지성사, 2004), "피난민 의식과 삶의 의미에 대한 탐색"으로 규정한 조해옥(「냉혹한 신의 화폭에서 명멸하는 오브제―최인훈의 하늘의 다리」, 『도로를 횡단하는 문학』, 새미, 2004)의 연구를 들 수 있다.

6 최인훈의 소설 세계를 '환상성'의 범주에서 규명한 논의로는 다음을 들 수 있다. 박정수, 「현대 소설의 환상적 상상력 연구」, 서강대학교 박사 학위 논문, 2002; 정혜영, 「최인훈 소설의 환상성 연구」, 숭실대학교 석사 학위 논문, 1992; 조보라미, 「최인훈 소설의 환상성 연구」, 서울대학교 석사 학위 논문, 1992; 황순재, 「최인훈 소설의 환상 기법 연구」, 부산대학교 석사 학위 논문, 1989.

7 이런 측면에서 「하늘의 다리」를 최인훈의 소설 세계를 양분하는 하나의 분기점으로 지목하는 김윤식의 분석이 주목된다. 김윤식, 「어떤 한국적 요나의 체험」, p.154 참조.

의 궤적 자체를 소설화한 '소설로 쓴 소설론'이라 할 수 있다. 이 글이 「하늘의 다리」에 주목하는 것은 바로 이런 이유에서이다.

2. 반리얼리즘의 서사 지향과 논리

최인훈은 최근의 한 대담에서 가장 애착이 가는 작품으로 「하늘의 다리」를 지목하고, 이 소설을 "문학의 내용과 문학의 형식의 문제를 가장 절박하게 작중 상황으로 삼고 있는 작품"[8]으로 평하고 있다. 작가의 이러한 진술을 따른다면, 「하늘의 다리」는 최인훈 소설 미학의 핵심적인 논리와 문제의식을 직접적으로 드러내는 매우 중요한 소설이라고 할 수 있다. 최인훈은 소설 안에서 소설을 탐구하는 이른바 메타서사의 형식을 빌려 끊임없이 자신의 소설적 방법론에 대한 모색과 사유를 지속해 왔고, 거칠게 말해 그것은 반리얼리즘의 '환상' 추구로 요약될 수 있을 것이다. 단적으로 '환상'은 최인훈의 문학적 인식론과 서사 형식을 구조하는 미학적 입지였다고 할 수 있다. 이는 그의 문학적 궤적과 작품 세계 전반에 대한 일종의 주석으로 읽을 수 있는 소설 『화두』에서도 분명하게 언급되고 있다. 이를테면, 최인훈은 그의 문학적 방법론의 핵심이 '환상'에 놓여 있었다는 사실을 다음과 같은 맥락으로 설명한다.

그 환상성과 부조리야말로 현실의 가장 사실주의적이고 조리 있는 반영이었다. 이 현실에 대해서 사실주의적으로 그려 낸다는 것은 사실 감으로부터의 도피이기 쉽고 밤을 흰 물감으로 묘사하려는 태도처럼

---

8 최인훈·연남경, 「최인훈 문학 50주년 기념 인터뷰 〈두만강〉에서 〈바다의 편지〉까지」, 『문학과 사회』, 2009.가을, p.423.

느꼈다. 사실주의를 거부하는 것이 예술가로서는 이 세계에 대한 육체적 저항에 맞먹고 본질적 저항처럼 느꼈다. 세상도 아닌 것을 세상처럼 그려서는 안 되지 않는가. 예술의 마지막 메시지는 언제나 그 형식이다. 괴기한 사물을 단아하게 그리는 방법을 나의 감정이 허락지 않았다. 현실의 어이없음에 맞먹는 표현 형식을 실천하고 싶은 깊은 충동에 비하면 내가 막상 써 낸 작품은 아직도 너무 이성의 눈치를 보고 있는 느낌이 들었다.[9]

　인용문에서 드러나듯, 최인훈 소설의 '환상' 지향은 '사실주의' 문학에 대한 부정과 비판에서 비롯된다. 여기서 최인훈은 "사실주의를 거부하는 것"이 예술가로서의 "본질적 저항"이라고 적고 있다. 그의 이러한 논리는 사실주의 문학 자체에 대한 부정보다는, 사실주의 문학으로 포착되지 않는 부조리한 현실에 대한 회의와 비판을 강하게 담고 있다. 그가 보는 현실은 '세상도 아닌 세상'이거나 '어이없는 현실'이기에 이런 현실을 사실주의적으로 그려 낸다면 이는 오히려 "사실감으로부터의 도피이기 쉽고" 이를테면 "밤을 흰 물감으로 묘사하려는 태도"로서 현실의 부정성을 은폐하는 결과를 야기한다는 주장이다. 재현적 서사로서의 리얼리즘 문학은 "괴기한" 현실의 이면과 진실을 더 이상 담아낼 수 없고, 따라서 진정한 예술가는 리얼리즘과는 다른 예술적 "표현 형식"을 창출하여 그 현실에 저항해야 한다는 것이다. 말하자면 '환상'은 "풍문에 취해서 잠꼬대를 하는 저 꾀죄죄한 리얼리스트들"의 문학을 거부하는[10] "예술의 마지막 메

---

9 최인훈, 『화두』 1, 민음사, 1994, pp.339-340.
10 "예술은 혁명의 피를 먹고 자라난 독화(毒花)이며 요화라는 것을 잊어버리고 있습

시지"로서 그가 선택한 문학의 방법론이었다고 할 수 있다. 실제로 최인훈은 『구운몽』이나 『서유기』와 같은 소설에서 "이미 설정된 재현 규칙으로부터 일탈된 서사적 상황을 제시"하는 파격적이고 실험적인 형식으로 '서사적 리얼리티'에 대해 재심문하고 있다.[11]

　요컨대 최인훈이 말하는 리얼리즘 문학에 대한 부정은 이처럼 현실에 대한 회의와 비판이라는 이면의 논리를 전제하고 있는 것이다. 새로운 예술의 형식을 창출함으로써 그러한 부정적 현실을 예술적으로 넘어설 수 있다고 보는 것인데, 『광장』의 이명준이나 『서유기』의 독고준 등, 현실과 불화하는 그의 소설 속 인물들의 행로는 작가의 이러한 반리얼리즘적 문학론을 그대로 투영한다. 『광장』의 이명준은 남과 북의 현실을 모두 거부하고 바다로 투신함으로써 현실의 질서를 뛰어넘으려 하고, 『서유기』의 독고준 또한 그의 과거와 현재를 규정하고 재단하는 모든 현실적 이데올로기를 걷어 내면서, 그만의 밀실로 스스로를 유폐시킨다.[12] 이처럼 리얼리즘의 현실을 밀어 낸 자리에 최인훈 소설의 '환상'이 놓인다면, 중편 「하늘의 다리」가 문제적인 것은 그 '환상'의 소설 미학적인 타당성을 자성하면서 재고하고 있기 때문이다. 작품 분석에서 드러나겠지만, 「하늘의 다리」에

니다. 한국의 전위(前衛)들이 항상 파산하는 까닭이 여기 있습니다. 그들은 부도 수표를 떼고 있는 것입니다. 피와 땀의 보증이 없는 종이 한 장을 휘두르며 사기를 하고 있는 것입니다. 복덕방 영감처럼, 박서방네 집은 항상 담배 가게 앞이라는 소리만 하고 풍문에 취해서 잠꼬대를 하는 저 꾀죄죄한 리얼리스트들에게 닥치라고 합시다. (중략) 이 같은 상황에서 리얼리즘을 고집하는 것은 불가피하게 타협과 조무래기 잡아치기밖에 안 된다는 것을 모르고 있는 섭섭한 사람들에 대해서 우리는 무엇이라 답변해야 하겠습니다." 최인훈, 『서유기』, 문학과지성사, 1996, pp.99-100.

11 박정수, 『현대소설과 환상』, 도서출판 새미, 2002, p.167.

12 황경, 「최인훈 소설에 나타난 예술론 연구」, pp.22-30 참조.

서 최인훈은 소설 혹은 예술적 개인이 역사적이고 구체적인 현실의 자리를 벗어나 주관적인 '환상'의 형식으로 존재할 수 있는 것인지를 자문하고 있다. '환상'과 '현실' 사이에서 소설의 자리, 소설의 얼굴을 찾아 회의하고 고투하는 최인훈 문학의 자의식은, 그의 소설 미학이 안고 있는 갈등과 분화의 지점을 단적으로 보여 준다. 최인훈의 다음과 같은 토로에 의하면, 그 갈등의 근저에는 현실과 유리되어 점점 "인공적인 현실"의 서사화로 나아가는 자신의 소설 쓰기에 대한 어떤 "공포감"이 놓여 있다.

나는 늘 내가 소설에 접근하는 것이 어떤 의미에서 자기 모국어의 대지에서부터 출발을 하지 않고 마치 외계인이 로케트를 타고 점점점점 대지를 향해 내려가면서 충돌을 전전긍긍하여 기어를 확 꺾는 식의 거꾸로 된 비상이 확실하다고 생각하고 있어요. 그러나 그것이 일반 사람들이 그렇게 생각할지도 모르는 것처럼 비현실적인 것이라고는 아직 생각하지 않아요. 달 로케트가 결코 비현실적일 수 없는 것처럼 말이지요. 그런데 다만 그것은 땅으로부터 위로 올라오는 것이 아니라 허공중에서 땅으로 내려가면서 계산을 까딱 잘못하면 그 순간에 그야말로 현실로부터 이별이 될 수밖에 없는 완전히 인공적인 현실이었고, 이런 현실에 의해서 작업을 오래 하다 보니까 어떤 공포감 같은 것이 느껴졌어요. 과연 이것이 내가 생각하는 그런 것인가, 혹은 소설가로서의 무능력을 그때마다 간신히 돌파하는 데 지나지 않는 것인가, 다른 사람들은 넓은 땅 위에서 춤을 추면 그것이 그대로 산문의 노래가 되는데 나는 공중에 거꾸로 서서 무언가를 해 보고자 하는 것이 아닌가, 그런 예술가로서의 본능적인 공포가 있더구만요.[13]

여기서 최인훈이 말하는 "예술가로서의 본능적인 공포"는 자신의 문학이 "모국어의 대지"에 발을 딛지 않은 "거꾸로 된 비상"의 형식이라는 자각과 관련된다. 이는 곧 현실 재현의 리얼리즘 서사를 부정하면서 그가 추구했던 문학과 예술가의 존재 방식에 대한 불안과 회의로도 해석될 수 있다. 「하늘의 다리」는 바로 이러한 "예술가로서의 본능적인 공포"에 대한 최인훈 나름의 분석과 극복의 서사로 읽을 수 있다. 반리얼리즘의 '환상'으로 부조리한 현실을 넘어서고자 했던 것이 최인훈 문학론의 원점이라면, 「하늘의 다리」에서는 현실과 단절된 예술적 '환상'의 의미를 되짚으며 소설이란 과연 무엇인가를 탐구한다.

3. 회화적 추상과 소설의 형식

단순하게 말하면, 「하늘의 다리」는 하늘에 걸린 환상의 다리를 화폭에 담고자 하나 결국 좌절하는 한 화가의 예술적 각성에 대한 서사이다. 주인공 김준구는 단신 월남한 피난민이고 생활에 쫓겨 소설의 삽화나 그리며 살아가는, 그 자신의 표현에 의하면 "탈락한 예술가"이다. 「하늘의 다리」의 첫 장면은 주인공인 화가 김준구가 소설의 제목 그대로 "하늘에 걸린 다리"의 환영을 목도하는 것으로 시작된다. 이 소설의 중심 모티브라 할 수 있는 "하늘에 걸린 다리"는 실재하는 대상이 아니라 준구의 눈에만 보이는 "착각" 혹은 "허깨비"이다. 그 "허깨비"는 얼굴도 몸체도 없이 "허벅다리 아래만 뚝 잘린" 채 하늘에 걸려 있는 여자의 다리 형상을 하고 있다.

---

13 최인훈·김현(대담), 「변동하는 시대의 예술가의 탐구」, pp.224-225.

보도에 내려서서 조금 걸어가다가 준구는 또 그 '착각'을 일으켰다. 그것은 착각이라기보다는 '허깨비'라고 하는 편이 옳았다. 갠 밤하늘에 여자의 다리 하나가 오늘도 걸려 있다. 허벅다리 아래만 뚝 잘린 여자의 다리다. 쇼윈도에 양말을 신겨 거꾸로 세워 놓은 마네킹의 다리가 하늘 한가운데 애드벌룬(氣球)처럼 떠 있는 것이다. (중략) 그런데 그 끊어진 대목이 마네킹과 다르다. 끊어진 대목에서 피는 흐르지 않는다. 있어야 할 둥근 절단면이 없는 것이다. 아무리 뒤로 돌아가서 절단면을 보려고 해도 보이지 않는다. 절단면은 자기 그림자를 밟으려고 할 때처럼 시선에서 벗어난다. 끊어진 다리. 그런데 끊어진 자리가 없다. (중략) 그것은 마네킹의 다리가 아니라 분명히 살아 있는 사람의 다리였다. 준구는 여러 번 보아서 그런지 이제는 부자연스럽지도 않다. 땅 위에서 올라가는 밤의 도시의 색깔 섞인 불빛들이 힘이 다해서 스러져 가는 언저리보다 훨씬 높이, 달빛과 별빛만으로 차고 맑게 빛나면서 살찐 발가락들이 부드럽게 하늘을 즈려밟고 있다.[14]

여기서 주인공이 왜 이러한 환시를 경험하는가는 중요하지 않다. 문제는 그 환시의 이미지가 갖고 있는 상징성이며, 의미의 맥락이다. 준구가 이 그로테스크한 환영을 접할 때마다 반복적으로 강조되는 것은 "끊어진 다리"의 절단면이 보이지 않는다는 사실이다. "끊어진 다리"의 절단면은 아무리 보려고 해도 보이지 않고, 마치 "자기 그림자를 밟으려고 할 때처럼" 준구의 시선에서 벗어난다. 이처럼 "하늘의 다리"가 끊어져 있으되 절단면은 없고, 그러나 "분명히 살아 있는 사람의 다리"로 그려진다는 사실은 주목을 요한다. "하늘의

---

[14] 최인훈, 「하늘의 다리」, 『하늘의 다리/두만강』, 문학과지성사, 1994, pp.26-27.

다리"는 살아 있을 뿐만 아니라 "차고 맑게 빛나면서" 어떤 부드러운 안정감마저 뿜어내는 것으로 묘사된다. 도대체 준구의 눈에만 보이는 이 기이한 환상의 정체는 무엇인가. 그리고 그는 왜 스스로 "착각"이라 여기고 "허깨비"라 지칭하는 이 오브제를 화폭에 담고자 하는가. 이는 소설의 말미에 제시되는 세잔(Paul Cezanne) 회화의 미술사적 맥락에 대한 준구의 설명과 분석을 통해 비로소 분명하게 드러난다.

생활하는 인간으로서의 관념의 무게—지구만 한 부피의 관념을 덜어 낸 자리에 남는 사과 한 알. 숱한 슬픔의 무게에도 끄떡 않는 지구의 부피를 덜어 내고 남는 사과 한 알. 그런데도 떨어낸 슬픔의 이름은 사라지고 '슬픔' 자체만 남는 이 익명(匿名)의 인식. 사과뿐인가. 모양 가진 '것'마다, 그렇게 매정스럽게 제 선(線)의 밖에 있는 것들을 몸부림쳐 떼쳐 버리고야 비로소 자기를 지킬 수 있는 이 세계가 차츰 그의 눈에 보이기 시작하는 것이었다. 하늘의 다리 그 허깨비도 바로 무엇인가를 떨쳐 버리고 그렇게 있고 싶은 물건이라는 것을 알 것 같다.[15]

여기서 세잔의 '사과'는 일체의 관념과 감정을 냉정하게 덜어 낸 자리에서 창조된 예술 작품이며, 그것은 주체 자신의 모든 외부와 처절하게 단절함으로써 가능한 순수 형상으로 설명된다. 요컨대 세잔의 '사과'는 "제 선(線)의 밖에 있는 것들"을 모두 걷어 낸 "아무런 인간적인 의미—신화적 위안이나 풍속적 안전감을 갖지 않은 사물 자체"이고, "어떠한 주술적인 의미도 어떠한 풍속적인 정서도 배제

---

15 최인훈, 「하늘의 다리」, p.98.

한 오브제의 조형—이것이 세잔의 길"이었다는 것이다.[16] 이 지점에서, 흥미롭게도 하늘에 걸려 있는 끊어진 다리의 환시는 "제 선(線)의 밖에 있는 것들"과 단절된 채 존립하는 세잔의 '사과'와 겹쳐진다. 세잔의 '사과'가 그러하듯 "하늘의 다리 그 허깨비도 바로 무엇인가를 떨쳐 버리고 그렇게 있고 싶은 물건"이라면, 그 환시의 오브제를 화폭에 담고자 하는 준구의 예술적 욕망 또한 세잔과 동일한 어떤 지점을 향해 있다. 흔히 세잔은 "리얼리티에 이르기 위한 수단을 포기한 채 리얼리티를 추구했던 화가"로 평가된다. 이를테면 그의 회화는 재현의 방식으로 대상을 그려 내는 사실주의를 벗어나, 대상 자체가 지닌 '실재'의 깊이와 본질을 추상한다. 재현의 영역 아래 묻혀 있는 사물들의 친숙한 질서의 세계를 걷어 내고, '사물로 곧장 다가가기' 그것이 세잔이 추구했던 리얼리즘의 차원이라 할 수 있다.[17]

이상의 맥락에서 유추하면, "하늘의 다리"는 화가 준구의 예술적 이상 혹은 예술가로서의 존재 방식에 대한 은유라 할 수 있다. 피난 이후 생활에 쫓겨 '누항'의 '간판쟁이'로 전락한 김준구가 "하늘의 다리"를 그리고자 하는 것은 그러므로, 그가 상실한 예술, 예술가로의 복귀를 의미한다. 준구에게 그림과 예술은 끊어진 채 하늘에 걸려 있는 환시의 다리처럼 "제 선(線)의 밖에 있는 것들"과 완벽하게 단절된 곳에 자리하는 것으로, 사상이나 이데올로기와 같은 일체의 관념은 물론 일상의 삶마저도 끊어 버린 주관적이고 추상적인 형식으

---

16 최인훈, 「하늘의 다리」, p.114.

17 세잔의 회화에 대해서는 다음을 참조할 수 있다. 메를로 뽕띠, 「세잔느의 회화」, 『의미와 무의미』, 권혁민 역, 서광사, 1985, pp.15-40; 송석랑, 「지성의 감각, 감각의 지성―메를로 뽕띠의 세잔론과 탈근대의 진리」, 『동서철학연구』 39호, 한국동서철학회, 2006.3, pp.265-271.

로 인식된다.

원산 시절에 준구는 사상이니, 이데올로기니 하는 것은 거의 염두에
없었다. 그에게 확실한 것은 캔버스 위에 그은 한 가닥의 줄, 한 엉킴
의 색깔, 그 위에 퍼진 밝음과 어둠—그런 것이었다. 그에 비하면 '역사
의 발전 법칙'이며, '역사의 추진력' 같은 것은 빈말 같은 것이었다. (중
략) 플래카드와, 구호와, 궐기 대회와, 초상화가 범람하는 시대의 뜻을
준구는 알려고 하지 않았다. (중략) 사람은 자기가 만든 것만을 사랑
할 수 있다. 그래서 그는 그림을 사랑했다. 자기가 만드는 생활. 그것
이 그림 그리기였고 한동순 선생은 그런 생활의 선생이었다.[18]

항상 떠나는 것. 어디론가 가는 것. 미술이 생활에서 풀리기 시작했
을 때, 생활의 멍에를 던져 버렸을 때, 장식에의 예속을 버렸을 때 근
대 예술이 출발하지 않았는가. 예술에 있는 두 개의 극(極). 장식과 모
험. 모험의 몫을 맡은 게 근대미술이다. 삶을 위해 삶을 떠나는 삶의
모습—예술.[19]

준구의 이러한 논리는 또한 "생활을 경멸하는 것이 예술의 목
숨"[20]이라는 견해나 '환쟁이'는 "캔버스 밖으로 나가서는 안 되는" 이
를테면 우주 멸망의 순간에도 "캔버스와 팔레트와 손, 그리고 눈만
이 그의 세계"일 것을 주장하는 대목에서도 드러난다.[21] 여기서 확인

---

18 최인훈, 「하늘의 다리」, pp.28-29.
19 최인훈, 「하늘의 다리」, p.71.
20 최인훈, 「하늘의 다리」, p.70.

할 수 있는 것은 『서유기』의 독고준을 비롯한 최인훈 소설의 대부분의 예술적 개인들이 그러하듯, 「하늘의 다리」의 김준구 또한 '광장'의 삶, '광장'의 이데올로기가 아니라 단절된 예술가의 '밀실'과 그 유폐된 '밀실'에서 창출되는 예술을 지향한다는 사실이다. 화가 준구의 예술관은 곧 작가 최인훈의 문학론을 그대로 투영한다. 요컨대 최인훈은 근대 예술 혹은 근대소설의 위상을 "범람하는 시대의 뜻"이나 일상의 현실과는 무관하게 존립하는 지극히 주관적이고 자족적인 체계로 이해하고 있으며, 재현의 사실주의를 거부하는 현대 회화의 추상적 경향은 이와 같은 맥락에서 그의 소설 미학의 하나의 전범으로 제시된다.[22]

한편으로 주목할 점은 최인훈 문학의 원점이 "태초와 같은 어둠 속에 우리는 서 있다"라고 선언하면서 그 이전 시대의 '모든 화법(話法)'을 거부했던 이른바 4.19 세대의 문학적 감수성의 자리와 무관하지 않다는 것이다.[23] '산문시대'의 동인들로 대표되는 그들 세대의 핵심 과제는 기존의 문학과 결별하고, 그 단절의 폐허 위에 새로운 문학의 논리를 구조하는 것이었다. 최인훈의 소설 미학 또한 "당대에 통용되고 있는 가짜 음계의 잡초를 헤치고" 새로운 예술의 방법

---

21 "환쟁이는 캔버스 밖으로 나가서는 안 된다. 우주가 밖에서 망하고 있더라도 머리 꼭대기에 천장이 내려앉는 순간까지는 캔버스와 팔레트와 손, 그리고 눈만이 그의 세계이어야 한다. 그밖의 일은 더 고상한 일인지는 몰라도 미술은 아니다―하는 생각이야." 최인훈, 「하늘의 다리」, p.116.

22 이를테면, 『회색인』에서도 최인훈은 그가 지향하는 소설 미학이 몬드리안적 추상의 완전한 형식의 세계, 순수한 기하학적 보편성의 예술에 가깝다는 사실을 주인공 독고준의 진술을 통해 드러낸다. 최인훈, 『회색인』, 문학과지성사, 1986, pp.251-252 참조.

23 홍기돈, 「『68문학』 연구」, 『어문연구』 54권, 어문연구학회, 2007, pp.506-513 참조.

론과 문학을 구축해야 한다는 강한 책무와 열망 위에서 출발하고 작동한다.[24] 그러한 모색의 귀결점이 현실의 사물로 연역되지 않는 회화적 추상 형식의 소설적 수용이었으며, 문학 외부의 모든 관념과 현실을 차단하는 철저한 개인으로서의 '밀실의 예술가'의 구현이라고 할 수 있다.[25] '밀실의 예술가'는 결코 현실의 안에서 현실을 보지 않으며, 그들은 대개 현실의 밖에서 세상을 내다보는 방식으로 존립하는, 이른바 '창 타입'의 존재들이다.[26] 「하늘의 다리」의 준구 또한 이러한 '창 타입'의 인물이며, "하늘에 걸린 다리"가 준구 자신으로 환치되는 다음과 같은 장면은, 이 환시의 이미지가 다름 아닌 최인훈 문학의 원질이라고 할 수 있는 '밀실의 예술가'와 동형이라는 사실을 보여 준다.

내가 내 속에서 빠져나오려 한다. 내가 나를 잡는다. 나는 내 속에 빠진다. 진흙으로 빚은 눈이 진흙 속에서 보려 한다. 눈 속에 들어오는 진흙을 밀어내면서. 진흙 속에서 안간힘하는 진흙. 자기의 눈을 자기가 보고 싶어 하는 이 구(球)의 소용돌이―눈. 창가에 선다. (중략) 어느새 그의 몸뚱이가 하늘의 그 자리에 다리가 있던 그 자리에서 도시

---

24 최인훈, 「미학의 구조」, 『문학과 이데올로기』, p.36.

25 김병익은 최인훈 소설의 이러한 예술가를 "순수의 자유인"이라는 관점에서 해석한다. "순수의 자유인"은 모든 현실 관계와 연대의 의무감으로부터 벗어나서 완전한 사고의 자유를 추구하는 정신이며, 이는 1960년대에 등장하는 작가들의 원천으로 자리한다고 평가한다. 홍기돈, 「'68문학」 연구」, pp.519-521 참조.

26 최인훈의 데뷔작인 「그레이구락부 전말기」의 현이나 『회색인』의 독고준은 모두 이러한 '창 타입'의 전형적 인물이며, 「하늘의 다리」의 김준구 또한 그러하다. 최인훈 소설의 인물들을 이러한 관점에서 해석한 대표적인 글은 오생근의 「믿음의 세계와 창의 문학」(최인훈, 『우상의 집』, 문학과지성사, 1995의 해설)이다.

를 굽어본다. 별똥처럼 그는 떨어진다. 달빛처럼 유리를 뚫고 방으로
쏟아져 들어온다. 그는 서 있다. 창가에.[27]

결국 "하늘의 다리"라는 환영의 오브제는 '밀실의 예술가'를 꿈꾸
는 준구 자신의 모습이면서 동시에 그가 지향하는 예술의 존재 형
식으로 해석되며, 이는 그대로 "소설가이면서 화가처럼 발상하는"[28]
최인훈 자신의 문학적 궤적과 사유의 본질적 측면을 상징한 것으로
도 볼 수 있다.[29] 준구 혹은 최인훈은 이 환영의 오브제를 통해서 그
들의 예술적 이상을 실현하고자 한다. 그러나 그것은 마치 "내가 내
속에서 빠져나"와서 "자기의 눈을 자기가 보고 싶어 하는" 것과 같
은, 좀처럼 현실화될 수 없는 욕망으로 끝없는 원환의 "소용돌이"로
끝난다. 현실이 아닌 자기 반영의 '환상' 속에서 실재를 추구하는 최
인훈의 문학적 방법론은 자기의 눈을 자기가 볼 수 없다는 절망적
인 딜레마에 봉착하는 것이다.[30] 그렇다면 끊어진 다리인 채로 자족
적으로 생동하는 순수 형식으로서의 예술 혹은 문학이란 애초부터
불가능한 것이고, '밀실의 예술가'는 "거꾸로 된 비상"으로부터 오는
어떤 '공포'와 죄의식에 직면할 뿐이다.[31] 그리고 이 지점에서 최인훈

---

27 최인훈, 「하늘의 다리」, pp.101-102.

28 최인훈, 『회색인』, p.252.

29 이렇게 본다면 최인훈이 「하늘의 다리」를 그의 문학 논리가 절박하게 응집되어 있
는 소설로 평가하면서 애착을 드러내는 것은 어쩌면 당연하다.

30 이것은 논리의 문제인데 예컨대 거울이 거울을 반영할 수 없듯이 눈은 눈을 볼 수
없고, 화가는 화가 자신을 포함한 세계를 그려 낼 수 없다. 내가 나를 보기 위해서는
나를 보는 나의 눈을 또한 볼 수 있어야 하는 것이다. 그것이 진정한 전체이자 실재
이며 그런 의미에서 진리이다. 황경, 「최인훈 소설에 나타난 예술론 연구」, pp.63-64
참조.

문학의 "예술가로서의 본능적인 공포"는 "과학자 세잔이 발견한 공포"와 다시 겹쳐진다. "아무런 인간적인 의미—신화적 위안이나 풍속적 안전감을 갖지 않은 사물 자체"로서의 세잔의 '사과'가 무서운 '공포'이며 상처라는 논리로서, 또한 문화는 공포가 아니라 공포를 극복한 "목숨의 힘"이라는 주장과 함께,[32] 최인훈의 '밀실의 예술가'와 그들의 예술적 사유는 "인간의 마을"과 역사를 탐색하는 서사의 영역으로 들어선다.

4. 역사철학적 상상력과 리얼리즘의 서사

문학의 방법론에 대한 최인훈의 부단한 사유와 탐구는 "우주는 결국 한 줄의 노래가 되기 위해서 진화하고 있다"는 역사철학적 상상력을 수용함으로써, 새로운 차원으로 나아간다. 그에 의하면 인간의 역사는 "우주 전체가 한 교향곡이 되기 위해" 움직이며, 그 커다란 흐름 안에서 "노래의 부분"은 결코 "노래의 전체"가 될 수 없다.[33] 이러한 논리는 어떠한 예술이나 학문도 "고립적인 힘으로만 이루어

---

31 최인훈은 김현과의 대담에서 그가 쓰는 '글의 방식'에 대해 늘 미안한 마음과 '죄의식'을 가지고 있었음을 고백하고 있다. 그것이 무엇을 향한 어떤 '죄의식'인지 명확하게 드러나 있지 않지만, 이러한 문학적 죄의식에 대한 성찰 혹은 자기 검열의 층위에 그의 메타서사적 소설 쓰기가 놓여 있음은 분명해 보인다. 최인훈·김현(대담), 「변동하는 시대의 예술가의 탐구」, p.228 참조.

32 "그가 한 일은 틀림없는 과학이라 할 만한 것으로 말하자면 미술공학(美術工學) 같은 것이라고 할 수 있겠지. 아무런 인간적인 의미—신화적 위안이나 풍속적 안전감을 갖지 않은 사물 자체란 것은 얼마나 무서운 것인가. 나는 그것이 과학자 세잔이 발견한 공포라고 생각하네. (중략) 내 생각으로는 아직도 세잔이 열어 놓은 상처는 아물지 않았다고 생각하네. 문화는 공포는 아니지 않은가? 공포를 극복한 목숨의 힘—그게 문화지." 최인훈, 「하늘의 다리」, pp.114-115.

33 최인훈, 「하늘의 다리」, p.86 참조.

지는 것이 아니"며 "인간의 공동체가 개발하고 쌓아 온 전통과 분업의 약속 아래서만" 가능하다는 준구의 자각적 진술을 통해 직접적으로 제시된다.

> 그만큼 끄떡없는 집념을 가지자면 역시 바깥세상을 사랑해야 된다는 것, 근대 예술가들이 생각하듯 예술이나 학문이라는 것이 고립적인 힘으로만 이루어지는 것이 아니라는 것, 아무도 날 때부터 미술가인 사람은 없고 인간의 공동체가 개발하고 쌓아 온 전통과 분업의 약속 아래서만 한 전문가가 탄생한다는 것, 그러므로 인간의 마을에 대한 믿음 없이는 방법적 고립도 불가능하다는 것—이런 생각일세. (중략) 여보게 나에게 믿음을 주게. 인간의 마을에 아직 믿을 만한 것이 있는지 없는지, 나의 이 공포가 무지한 소치이고 미술이라는 제한된 인식으로는 알아볼 길이 없으나 소설로는 알 수 있는 무슨 까닭이 있는지 없는지 알려 주게, 그런 소설을 써 주게.[34]

인용문은 준구가 친구인 소설가 한명기에게 보내는 편지의 일부지만, 최인훈 자신에게 보내는 전언으로 읽어도 무방하다. 이 길지 않은 글을 통해 최인훈은 그의 문학이 겪어 온 혹은 겪고 있는 갈등과 회의, 어떤 화해의 지점들을 함축적으로 드러낸다. 이는 우선 "인간의 마을에 대한 믿음 없이는" 어떠한 예술, 어떠한 문학도 불가능하다는 반성적 인식으로 요약된다. 이로써 현실과 불화하며 현실의 바깥으로 벗어나거나 '창'이라는 차단벽을 두고 현실을 관조하는 최인훈 소설의 예술적 개인들은 다시 현실의 안쪽으로 소환되며, 환상

---

34 최인훈, 「하늘의 다리」, p.116.

과 추상 지향이라는 예술의 방법론 또한 재고된다. 중요한 것은, '밀실의 예술가'들이 '창'을 열어젖히고 "인간의 마을"로 들어서는, 그 변환의 내적 계기와 논리이다. 이는 무엇보다도 끊어져 있는 것 같지만 여전히 "기억 세포 속에서 뿌리혹박테리아처럼 무성하게 부풀어 있는"[35] 과거의 기억 혹은 삶의 역사성에 관한 문제와 관계된다. 월남한 피난민인 준구는 일련의 사건을 겪으면서 고향 원산에 두고 온 그의 과거가 여전히 사라지지 않고 기억 속에 "덩굴진 숲"을 이루고 있다는 사실을 자각한다. 덧붙여 준구는 "저 피난민 수용소에서 배급 날마다 벌어지던 수라장 난장판"[36]의 삶이 이십 년이 지난 현재에도 변함없이 이어지고 있는 장면을 목격한다.

> 겨울의 맑은 날 집들은 잔뜩 웅크리고 추위 속에 몰려선 피난민들처럼 보였다. 갑자기 거지가 돼서 백사지 땅에 내동댕이쳐졌던 이십 년 전이 조갯살에 파고든 한 알의 모래처럼 준구의 속에서 자라 온 줄만 알았는데 모래는 밖에도 있었다. 저기 저렇게 서 있는 집들이, 전봇대가, 거리가 모두 어디서 금방 실려 온 피난민같이만 보이는 것이었다. 그는 원래 이 도시에서 자기는 남이고 이 도시에는 자기를 빼놓은 남들의 큰 집단이 자신 있게 살고 있다는 짐작으로 살아왔다. 그런데 차츰 그는 달리 보게 되었다.[37]

이처럼 준구 자신뿐만 아니라 도시 전체가 피난민 수용소와 같다

---

35 최인훈, 「하늘의 다리」, p.17.
36 최인훈, 「하늘의 다리」, p.98.
37 최인훈, 「하늘의 다리」, p.97.

고 느껴지는 순간, 준구와 바깥 현실을 단절하는 경계로서의 '창'은 사라진다. 그리고 고립된 '피난민'으로 살아야 했던 준구 개인의 역사는 과거와 현재가 다르지 않고 '나'와 '남'이 다르지 않다는 인식 앞에서, 타자의 역사, 현재의 역사로 이어지고 확장된다. 과거와 현재, 개인과 타자를 잇는 이러한 역사적 상상력의 복원과 함께, 고립과 단절의 논리 위에 구축되는 '환상'과 '밀실'의 문학 또한 부정된다. 준구가 아무리 그리려고 애를 써도 끊어진 하늘의 다리를 화폭에 옮기지 못하는 것은 이런 측면에서 해석될 수 있다. 동일한 문맥에서 한 선생의 딸 '성희' 역시 준구가 그릴 수 있는 오브제가 되지 못한다. 준구의 화폭 위에 성희의 모습은 "소경의 흰자위 같은 불구의 공허"로 부재할 뿐이다.

> 문득 무서워지는 일이었다. 그녀의 오늘과 어제, 그리고 내일 사이에는 정말 공백이―아무것도 그려지지 않았을 뿐만 아니라 더불어 있는 다른 것들과 한 동네를 만드는 조형 공간의 일부로서의 기능도 하지 않는 그저 공백―소경의 흰자위 같은 불구(不具)의 공허가 있는 모양이었다.[38]

성희는 그녀의 밖으로 이어지는 어떠한 역사적 상상력이나 현실 연관 없이 단절된 개인으로 존재한다는 점에서, "하늘의 다리나 진배없는 환상"이다.[39] 준구는 그 소통 불능의 '환상'으로부터 문득 공

---

[38] 최인훈, 「하늘의 다리」, p.94.
[39] "하늘 복판에 둥 떠 있는 다리가 가끔 보인다. 웬일인지 성희의 다리라는 생각이 난다. 성희를 알기 전부터 보아 온 환상이니 그럴 리가 없는데도 어쩌다 퍼뜩 이어지자 그 두 가지 오브제는 단단히 들러붙어서 서로 그림자가 되고 몸이 되고 하면

포를 느끼거니와, 이는 공동의 상상력이 부재하는 세대론적 단절에 대한 두려움으로 해석될 수도 있다. 반면에 과거의 기억 속에만 존재하는 한동순 선생의 얼굴은 준구 자신이 놀랄 정도로 쉽사리 그려진다.[40] 이는 그들이, 공유하는 역사의 경험과 기억의 시간 안에서 서로 연결되어 있기 때문에 가능한 일이라 할 수 있다.

요컨대 「하늘의 다리」는 문학은 주관적 환상의 차원이 아니라 역사적 상상력으로 이어지는 현실의 맥락에서 구현되어야 한다는 최인훈 문학의 전환적 인식을 보여 준다. "하늘의 다리"라는 환상은 부조리한 현실의 사건들과 연계되는 순간에만 준구의 화폭 위에 일시적으로 그 형상을 드러낸다. 말하자면, 예술의 리얼리티는 환상보다 더 환상적인 현실과 접할 때만 작동하는 것이다. 이와 같이 준구가 그리고자 하는 "하늘의 다리"가 "사제(私製)의 토템"으로서의 환상이 아닌 현실에 실재하는 오브제라는 사실을 인식하는 지점에서, 최인훈의 리얼리즘은 현실 반영의 서사로 다시 복귀한다. 그리고 여기서 최인훈은 또 다른 문제에 봉착하는데, 그것은 환상에서 현실로 들어섰으나 현실의 실체 또한 온전히 포착되지 않는다는 절망감이다.

캔버스 밖에 있는 집이 그림보다 더 쉽사리 뭉개지는 것을 보고 불쌍하고 무능한 환쟁이는 질려 버린 것이었다. 사람과 집을 그렸다 지

서 떨어지지 않게 됐다. 사실 흡사한 일이었다. 성회는 분명히 이 도시의 어딘가에 있으면서 준구에게는 그 하늘의 다리나 진배없는 환상이었다." 최인훈, 「하늘의 다리」, p.93.

40 "이번에는 한 선생을 그려 본다. 놀라운 일이다. 쉽사리 종이 위에 한 선생은 모습을 드러내 주었다. 잘못 불러낸 혼백에 놀란 무당처럼 준구는 어리둥절했다." 최인훈, 「하늘의 다리」, p.97.

웠다 하는 어느 보이지 않는 손. 이름 없는 화가. 보이지 않는 붓. 준구는 상대가 안 되는 화가와 그만 맞닥뜨리고 만 것이었다. 안개의 저편에 있는 노래 같은, 소금장수 귀신처럼 얼굴 없는 이 익명(匿名)의 예술가. 이런 공간 배치. 등줄기에서 옆방 한구석에 놓인 트렁크 사이에 흐르던 전류 같은 것이 성희와 피살 시체와 하늘의 다리 사이에 흐른 것을 보았다. 그들이 준구 몰래 가맹(加盟)하고 있는 음모의 공간 같은 것. 그것은 물리적인 공간도 아니었다. 그리고 미술적인 공간도 아니었다. 아마 비슷한 것이 있다면 바빌론의 벽에 나타났던 글씨와 그 손 사이에 있던 공간─비의(秘儀)의 공간 같은 것을 느꼈다.[41]

화가인 준구가 그리고자 했던 환상이 현실 즉 성희의 다리나 사고 차량의 피살 시체의 다리와 겹쳐지면서, 환상과 현실의 결합이 일어나지만 그러한 "공간 배치"는 "어느 보이지 않는 손"을 가진 "익명의 예술가"가 운용하는 "성물(聖物)의 공간"이거나 "비의의 공간"일 뿐 준구로서는 이해 불능의 영역이다. 환상이 현실과 겹치고 그 현실이 환상보다 더 환상적인 그러한 구도 앞에서, 준구에게 "다만 확실한 것은 감각적 공포뿐"이다. 최인훈은 여기서 미술과 소설의 자리를 구분하고, 그 불가해한 '음모'의 공간 배치를 해명하고 탐구하는 것이 바로 소설의 역할이고 존재 방식이라는 논리를 피력하고 있다. 풍속을 배제한 세잔의 회화가 발견한 것이 '공포'였다면, '진짜'의 '문화'라는 것은 그 '공포를 극복한 문화의 힘'이라는 주장 또한 제기된다.[42] 최인훈에 의하면, 문화는 부조리하고 불가해한, 그래서 마치

---

41 최인훈, 「하늘의 다리」, p.111.
42 "문화는 공포가 아니지 않는가? 공포를 극복한 목숨의 힘─그게 문화지. 이미 낡아

환상과도 같은 현실의 공포를 '반드시 극복하고 길들여서' 창출되는 것으로, 소설은 결국 이런 문화의 진행 과정과 그 이면의 맥락에 대한 해명 작업에 다름 아닌 것이 된다. 또한 문화의 경로가 곧 역사이며, 인간은 모두 바다에서 나와 '한문화'를 이룬 존재라는 주장에 이르면, 소설은 곧 인간의 역사를 탐구하는 형식이라는 결론에 도달하게 된다. 최인훈의 소설 미학은 이렇게 역사철학적 상상력과 만남으로써, 회화적 추상 형식의 지향에서 벗어난다고 할 수 있다. 작품의 대미에서 최인훈은 소설 창작이 미술과 같은 발화의 형식을 공유하기 어렵다는 사실을 직접적으로 강조하고 있다.

그림이란 바다의 형제지. 바다처럼 처음과 끝이 아물려 붙은 물건은 그릴 수 있지. 그러나 바다와 사람 사이에 있는 이 사연에는 손댈 수가 없어. 보이지 않는 것을 그릴 재주가 있나. 나는 지금 이 바다에서 금방 나온 사람처럼 생소하네. 이 마을이. LST에서 걸어 나온 피난민은 헛되이 바다 앞에 섰네. 이 무지한 바다 앞에. 백치와 같은 푸른 짐승 앞에. 그리고 이 바다에서 LST를 내린 한 식구들이 종적 없이 사라진 이 실종의 책임자가 누군지 모르는 채로 말일세. 여보게 내게 좀 가르쳐 주게.[43]

인용문은 화가 준구가 소설가 한명기에게 전하는 부탁이거니와,

빠진 옷으로 무서움을 가리고 있는 것보다는 무서움을 드러내 놓은 것이 더 값있음에는 틀림없지만, 그 무서움은 반드시 극복되고 길들여져야 하는 거야. 그때—무서움을 길들였을 때 한 시대는 비로소 문화를 가졌다고 할 수 있겠지." 최인훈, 「하늘의 다리」, p.115.
43 최인훈, 「하늘의 다리」, p.118.

여기서 최인훈은 소설이 "바다와 사람 사이에 있는" 사연으로 비유되는 보이지 않는 역사, 감춰진 역사를 드러내는 형식임을 결론적으로 확인하고 있다. 화가 김준구의 캔버스에 "함정의 아가리"처럼 뻥 뚫린 어두운 구멍은 아마도, 역사 앞에 무지한 개인 혹은 인류가 느끼는 "감각적 공포"의 상징으로 해석할 수 있다. 최인훈의 논리에 의하면, 그 공포는 얼굴 없는 '신(神)'에 의해서 조종되고 있음이 분명한, 그 "불문곡직"의 역사를 해명하고 복원함으로써 극복될 수 있다. 흥미로운 것은 최인훈의 역사적 상상력이 미래가 아닌 과거를 향해 있다는 사실이다. 그의 시선은 미래를 향한 역사의 진보를 추앙하는 것이 아니라, 오히려 지나온 역사의 궤적을 문제 삼는다. 이는 '사람은 자기가 걸어 나온 고향과는 다른 무엇이 됐다'는 비관적 인식, 일종의 망실된 고향을 향한 회귀 욕망과 관련되거니와, 최인훈이 소설을 통해서 규명하고자 하는 역사란 결국 변질된 역사 혹은 훼손된 삶의 기원, 그 원인과 결과에 대한 통찰이라 할 수 있다. 이와 관련하여 주목할 것은 최인훈의 문명 비판적인 역사 해석이다.

바다에서 한문화가 되기까지의 경로가 역사란 것이 아닌가. (중략) 바다는 진화하지 않은 것이 아니라 처음부터 진화가 끝나 있었는가 하는 생각 말일세. 바다의 족보는 간단하군. 처음이자 끝이요, 원시가 문화요, 조상이 바로 자기라는……. 그래선지 나는 바다를 대하고 섰자니 안타까운 생각이 드는군. 사람은 자기가 걸어 나온 고향과는 다른 무엇이 됐어. 잘된 것인지 못된 것인지 나는 알지 못하겠네. 우리 자손들은 모두 천사가 되는 것일까? 우리는 천사가 되기 위해서 바다에서 걸어 나온 것일까.[44]

함축적으로 서술되고 있어서 정확한 맥락을 짚어 내기 어렵지만, 여기서 중요한 것은 "우리 자손들은 모두 천사가 되는 것일까? 우리는 천사가 되기 위해서 바다에서 걸어 나온 것일까"라는 다소 돌연한 구절의 함의이다. 유추컨대 최인훈이 말하는 '천사'란 벤야민이 근대 문명의 비판 기제로써 표상했던 '역사의 천사'에서 차용한 유사 개념으로 해석된다. 벤야민은 폴 클레(P. Klee)의 「새로운 천사(Angelus Nouus)」라는 그림을 통해, 이성의 힘과 엄청난 기술 생산력으로 추동되는 근대의 진보력은 결코 유토피아를 향해 가는 것이 아니라 파멸을 예정한 것이라고 분석하고 있다. 진보의 폭풍에 밀려가고 있는 천사, 요컨대 벤야민의 '역사의 천사'는 미래를 보고 있는 것이 아니라, 놀란 표정으로 "잔해 위에 또 잔해를 쉬임 없이 쌓이게 하고 또 이 잔해를 우리들 발 앞에 내팽개치는 단 하나의 파국을 바라보고 있다."[45] 벤야민이 보는 근대의 역사는 진보라는 끝이 보이지 않는 극점을 향해 치달으면서, 쓰레기의 잔해로 뒤덮인 거대한 폐허만을 끝없이 양산하는 역설의 현장이다. "천사는 머물러 있고 싶어 하고, 죽은 자들을 불러 일깨우고 또 산산이 부서진 것을 모아서는 이를 다시 결합시키고 싶어 한다."[46] 그러나 '진보'라는 세찬 폭풍은 천사가 "등을 돌리고 있는 미래 쪽을 향하여 간단없이 그를 떠밀고 있으며", 벤야민에 의하면 이것이 바로 근대를 살아가는 이들 혹은 역사가가 처한 모습이고 현실이다. 소설의 결미에서 최인훈이 화가 준구의 입을 통해 던지는 질문은 두 가지로 압축된다. 역사

44 최인훈, 「하늘의 다리」, p.117.
45 발터 벤야민, 「역사철학테제」, 『발터벤야민의 문예이론』, 반성완 편역, 민음사, 2002, p.348.
46 발터 벤야민, 「역사철학테제」, p.348.

는 이미 '진화'가 끝난 상태로 "원시가 문화요, 조상이 바로 자기"가 아닌가 하는 의문이 하나이고, 그렇다면 그 원시 문명의 바다로부터 나와서 사라진 자들, 그 실종의 원인과 책임은 과연 누구에게 있는가라는 역사 진행의 주체에 관한 질문이 또 하나이다. 여기서 드러나듯 최인훈의 역사철학적 사유는, 역사는 "하나의 교향곡이 되기 위해 진전"하고 있다는 헤겔주의적 논리와, 근대 역사는 오히려 원시 문명으로부터의 일탈과 실종의 역사라는 벤야민 식의 근대 비판적 입장 사이에서 혼란을 겪고 있는 것처럼 보인다. "우리 자손들은 모두 천사가 되는 것일까"라는 물음은 이러한 맥락에서 도출된 것으로, 벤야민의 '역사의 천사'가 그러하듯 「하늘의 다리」의 최인훈 또한 과거를 향해 서서, 현재와 과거 사이에 놓인 "이 거리의 내력을 앓지 않으면 안" 된다는 잠정적인 결론을 내리고 있는 것으로 분석된다. '원시'와 '문화' 사이에 놓인 그 공백을 메우지 못한다면, 결국 인류는 쌓여 가는 파멸의 잔해들을 보면서도 진보의 폭풍 앞에 속수무책인 '역사의 천사'가 될 수도 있다는 것이다. 최인훈의 역사적 상상력은 이처럼, 폐허처럼 파편화된 기억의 잔해들을 모아서 과거의 역사들을 복원하고 해명하지 않으면 안 된다는 어떤 절박한 책무감과 결합되어 있다. 그리고 그의 이러한 역사철학적 사유는 "백치와 같은 푸른 짐승"처럼 "무지한 바다"의 내력을 탐구하는 것, 그것이 소설의 형식이고 내용이어야 한다는 자성적 인식으로 귀결된다. 이것이 바로 「하늘의 다리」라는 '소설로 쓴 소설론'을 통해 작가 최인훈이 스스로에게 보내는 궁극적 전언이라 할 수 있다.

5. 맺음말

1960년을 전후로 출발한 최인훈 문학의 중심 화두는 아마도 새로운 소설 미학의 모색과 창안이었다. 그는 당대를 예술적 전범이 부재하는 시대로 규정하면서, 스스로 예술과 문학의 방법론을 구축하고 창작하는, 그의 표현에 따르면 마치 '발명가'나 '공학자'와 같은 작가를 자임했다. 최인훈의 이러한 작가적 욕망은 "자기가 소속한 이 좌표의 체계에 대해서 조금도 사랑은 가지지 않기로 작정한"[47] 말하자면 고립과 단절의 의지로 표출된다. 부언하면, 그는 밀실과 광장, 환상과 현실이라는 이분법적 구도 하에서, 예술과 문학의 자리는 밀실이며 환상이라는 논리를 보여 준다. 그의 데뷔작인 「그레이구락부 전말기」에서 『광장』『구운몽』『회색인』『서유기』에 이르기까지, 편차는 있지만 이 소설들은 대개 '밀실'과 '환상'이라는 최인훈 소설 미학의 핵심적 논리와 범주에서 벗어나지 않는다. 「하늘의 다리」가 문제적인 것은 이 작품이 '창' 앞에 선 관조적 예술가의 자리를 벗어나서, 타자와의 소통과 연대를 사유하고 있기 때문이다. 이 소설에서 최인훈은 그의 문학이 왜 개인의 밀실에서 공동의 광장으로, 주관적 환상의 영역에서 사실주의의 현실로, 또한 고립과 단절의 형식에서 연대와 소통 지향으로 나아가야 하는지를 자문하고 자답한다. 이에 대한 최인훈의 결론은 소설가 한명기가 준구와 성희의 동거 생활에서 시작되는 소설을 쓰고 있다는 짧은 언급을 통해 암시적으로 드러난다고 할 수 있다. "하늘에 걸린 다리"라는 주관적 환상과 마찬가지로 성희가 끝내 단절된 환상의 자리에 놓여 있다면 그들을 오브제로 한 그림이나 소설은 결코 완성될 수 없다는 것, 예술적 주체와 대상은 어떤 방식으로든 삶과 역사의 시간을 공유하는 관계의 망, 현실의 장으로 들어와야 한다는 것, 준구와 성희를 소설의 안으로 끌어들

---

[47] 최인훈, 『회색인』, p.221.

인 한명기의 삽화는 이런 맥락에서 해석될 수 있을 것이다. "그물코처럼 한 코를 잡으면 모든 코가─그물이 움직인다"[48]는 이치와 마찬가지로 인간의 몸은 각 기관으로 분절되어 있지만 결국 한 몸이며,[49] 인간의 삶 또한 "바다에서 한문화가 되기까지의 경로" 즉 '역사' 안에서 공존한다는 사실에 대한 확인, 연대와 소통을 향한 최인훈 문학의 전환적 인식은 이 지점에서 이루어진다고 할 수 있다. 이를 역사철학적 상상력의 수용이라 한다면, 소설로서 소설의 의미를 묻는 메타서사의 형식으로서의 「하늘의 다리」는 이처럼 역사와 현실이라는 연대와 소통의 장 안에서 그의 소설의 자리를 찾고자 하는 나름의 문학적 과제를 부여함으로써 종결된다.

---

48 최인훈, 「하늘의 다리」, p.92.

49 준구가 낙상하여 다리를 다치고, 이를 치료하는 과정에서 한의사와 나누는 대화는 이 소설의 핵심 논리를 드러내는 데 매우 중요한 삽화이다. 말하자면 이런 경험을 통해 준구는 부분과 전체, 개인과 역사의 관계와 그 의미를 깨닫게 된다고 할 수 있다.

이청준 소설에 나타난
예술적 주체의 죽음과 소설론의 상관성

1. 머리말

이 글은 이청준의 수다한 소설 중에서 소설로 쓴 소설론의 관점에서 읽을 수 있는 일련의 작품들을 분석한다. 이청준은 글쓰기, 혹은 소설 쓰기에 관한 자의식이 유난히 강한 작가였고, 숱한 연구자들의 논의와 해석이 입증하듯 소설 혹은 예술의 본질과 의미에 대한 탐구가 이청준 문학의 핵심적 중추의 하나에 해당한다는 사실에 대해서는 이론의 여지가 없다. 소설을 쓰는 작가가 문학이란 무엇이고 왜 쓰는가, 왜 써야 하는가를 질문하고 사유하는 행위는 지극히 당연할 뿐더러 어떤 의미에서 그것은 성실하고 치열하게 글쓰기를 수행하는 작가들에게 필연적으로 부여된 의무이자 숙명 같은 것이라고 할 수도 있다. 그러나 이청준의 경우처럼, 강박적일 정도의 지속성을 가지고 그것도 소설 속의 소설론이라는 일종의 메타서사의 형식을 빌려 소설 쓰기의 문제 자체를 사유하고 서사화하는 것은 다분히 예외적이고 특징적이다. 「소문의 벽」, 「언어사회학서설」 연작, 『자유의 문』, 『인문주의자 무소작 씨의 종생기』와 같은 작품들은 특히 "소설이라기보다는 작가 자신의 문학관을 밝힌 백서(白書)"[1]로 평가되거나 그의 소설 미학 혹은 소설론의 알레고리적 서사로 해석[2]될 정도로 소설 안에서 소설(가)의 길을 묻는 이청준의 작업은 집요하고 직접적이며, 그의 문학 전체를 지탱하고 관통하는 어떤 본질적인 맥락에 닿아 있는 것으로 보인다. 때로 소설 속에 개진되어 있는 문학과 예술에 대한 이청준의 주장이나 논리는 그의 소설을 관념적이고 추상적으로 만들거나 작품 세계의 밀도를 떨어뜨리는 요인으로 지적되기도 한다.[3] 이러한 견해는 일면 타당성이 있는 것이지만, 중요한 것은 이청준의 문학 논리와 사유가 소설 속의 관념적 진술이나 담론의 형태로 제시되는 것에 그치지 않고 인물의 형상화나 서사 진행의 맥락, 주제 형성에 관여하는 근본원리로 작용하기도 한다는 점이다. 거칠게 말해 소설가나 신문기자, 대필업자와 같이 글쓰기를 업으로 하는 인물들, 이의 변주로써 화가, 사진작가, 줄광대 등의 예술가 인물군이 등장하는 이청준의 소설에서 그들 인물의 행적과 서사가 구현하는 것은 결국 작가 이청준의 소설 미학이자 소설론이다. 글을 쓰고 그림을 그리고 사진을 찍는 이청준 소설의 예술가들은 저마

---

1 이태동, 「부조리 현상과 인간 의식의 진화」, 김치수 외, 『이청준론』, 삼인행, 1991, pp.24-25 참조.

2 황현산, 「정지된 세계의 알레고리」, 김치수 외, 『이청준론』, pp.311-312; 남진우, 「이야기의 시원, 시원의 이야기」, 이청준, 『인문주의자 무소작 씨의 종생기』, 열림원, p.132 참조.

3 이런 측면에서 이태동은 이청준이 소설에 대한 주장이나 의견을 소설 형식 속에 담지 않고 별도의 소설론으로 발표했다면 훌륭한 평론도 남고 그의 소설 또한 훨씬 더 밀도 있는 작품이 될 수 있었으리라는 견해를 피력한다. 이태동, 「부조리 현상과 인간 의식의 진화」, p.25 참조.

다 다른 삶의 궤적과 사연을 보여 주지만, 그들 서사의 주된 추동력이 문학(가)과 예술(가)의 존재 방식을 탐문하는 치열한 예술가 의식과 관련된다는 점에서 유사한 문제의식을 공유한다. 무엇보다 흥미로운 것은 그의 작중인물들이 끊임없이 글을 쓰거나 작품을 완성하는 데 실패한다는 것이며, 그 실패와 불화의 과정 속에서 '강력한 자기 실종의 욕망'에 시달린다는 사실이다. 「이어도」「시간의 문」「소문의 벽」『자유의 문』「지관의 소」『인문주의자 무소작 씨의 종생기』 등 이청준 소설의 작가와 예술가들은 거의 예외 없이 실종되거나 죽는 방식으로 '자기 실종의 욕망'을 충족하거나 실현한다. 아이러니하게도 이청준의 소설은 그의 소설 속 작가와 예술가들이 죽거나 실종되는 그 지점에서 닫히고 완성된다고 할 수 있는데, 여기서 우리가 주목할 것은 문학(가)과 예술(가)을 억압하고 패퇴시키는 현실의 부정성 혹은 죽음으로써 그 부정한 현실과 갈등하고 대결하는 문학(가)과 예술(가)의 존재 방식이 아니라[4] 이러한 서사적 진행과 결말을 통해 반복적으로 표명되는 작가 이청준의 소설 미학, 소설론이다. 이야기는, 소설은 왜 쓰는가. 그 기원은 무엇인가. 소설을 통해 드러내야 할 사실, 진실이란 무엇이며 어떻게 그것을 구현할 수 있는가. 사실이 곧 진실이 될 수 있는가. 소설을 쓰는 작가 개인, 예술적 주체와 소설(허구)의 거리는 어떻게 봐야 할 것인가. 결국 소설은 어떤 지점에서 걸음을 멈추고 완성될 수 있는가. '자유로운 정신의 마당'이

---

[4] 김치수는 이청준 소설의 이러한 특징을 진실을 말할 수 없도록 금지하는 외부 세계의 압력이나 현실과의 대결 구도 속에서 해석하며, 김현은 부정적 세계를 부정하려는 부정성에서 기인하는 "비극적 현실주의"라 명명한다. 김치수, 「언어와 현실의 갈등」, 김치수 외, 『이청준론』, pp.120-122; 김현, 「떠남과 되돌아옴」, 김치수 외, 『이청준론』, p.124 참조.

어야 할 소설에게 그것이 가능한 것인가. 산만하지만 일종의 소설가소설, 예술가소설을 통해서 작가 이청준이 던지고 있는 소설 미학적 질문들은 대체로 이렇게 정리될 수 있을 것이다. 어찌 보면 이청준의 소설에 빈번하게 나타나는 작가, 예술가의 죽음(실종)은 그의 서사 미학의 틀 안에서 필연적인 것이라 할 수 있다. 그들 작중 예술가들의 죽음과 실종이라는 서사적 결말은 작가 이청준이 탐구하고 사유했던 소설(가)의 본질과 존재 방식에 대한 자성적 논리에 조응한다. 이상의 문제의식을 전제로 이 글은 이청준 소설에 나타난 소설 미학적 논리와 사유들을 살펴보고, 특히 그의 소설 속에 나타난 예술적 주체들의 죽음과 그의 소설론이 관련되는 방식을 분석해 보고자 한다.

2. 자기 구제의 형식, 글쓰기의 기원

이청준에게 문학이란 무엇보다 "자기 구제의 몸짓"에서 시작된, 일종의 자기 치유, 자기 구원의 형식이다. 그는 또 문학 안에서 스스로 구원받기를 원하는 "자기(自己)"와 어떤 "보편적 자기(自己)"가 만나는 지점을 소망하고 추구하는 것이 소설가로서 그가 스스로에게 요청하는 가장 소박하고 기초적인 "문학 윤리"임을 내세우기도 한다.[5] 여기서 이청준이 말하는 "자기 구제의 몸짓"으로서의 소설 쓰

---

5 "나는 나의 문학이 그러한 자기 구제의 몸짓에서 시작되었고, 또 계속해서 그것에 많은 노력이 바쳐지고 있다는 사실을 부끄럽게 생각하지 않는다. 그러한 사실에서 빚어진 어떤 오해나 비난이 따를 수 있다 하더라도 그것을 나의 문학 속에 서둘러 흡수하려고 하지도 않는다. 한 작가가 스스로 붓을 꺾지 않을 만큼은 자기의 작가임을 덜 부끄러워하고, 그러면서 한 시대의 작가로서 자기의 시대를 조금이라도 더 정직하게 살아 낼 수 있기를 원한다면 그는 동시에 그의 문학 안에서 스스로 구원받고자 했던 自己보다 보편적 自己로 돌아가 그것과 만나지기를 바랄 것이기

기란 단순히 작가로서의 문학적 성취를 통한 자기 위안이나 욕망의 실현만을 의미하지 않는다. 그것은 아마도 소설의 밖에서 소설을 쓰는 작가가 소설의 안으로 직접 들어가는 방식, 말하자면 이청준 스스로가 소설을 쓰는 주체이면서 동시에 그 소설의 주체(인물)가 됨으로써 소설의 안과 밖에 동시에 간여하고 존재하는 그러한 차원의 소설 쓰기라 할 수 있다. 이는 비유하자면 화가가 그의 눈앞에 펼쳐진 풍경을 그리는 것이 아니라 그 풍경 속의 화가 즉 풍경을 그리는 화가 자신을 화폭에 담고자 하는 욕망과 유사한 것으로 설명할 수 있다. 결국 이청준의 문학, 이청준의 소설 쓰기에서 중요한 것은 재현하고 묘사하고 그려 내야 할 외부의 어떤 대상, 오브제가 아니라 우선은 글을 쓰는 '나', 작가 자신의 내면이고 의식이며 그의 얼굴을 대면하는 것이다. 소설 안에서 자신의 얼굴을 보고자 하는 작가 이청준의 욕망은 그러나 수면 위에 비치는 자신의 얼굴에 매혹당하는 나르시스의 그것과는 다르다. 이청준이 주장하는 "자기 구제의 몸짓"으로서의 소설 쓰기는 나르시스적 도취의 자기애(自己愛)가 아니라, 작가는 마땅히 진실해야 하고 문학은 또한 정직해야 한다는 작가적 윤리 의식과 관련된다. 소설 「지배와 해방」에서 작중인물인 소설가 이정훈의 다음과 같은 발언에서 이를 확인할 수 있다.

개인적인 욕망을 은폐하고 무시하려 드는 것은 적어도 그 자신의 진실을 속이거나 독자들의 삶을 함께 속이는 행위가 될 수도 있습니다. (중략) 제 이야기는 아무리 한 사회에 대한 공인으로서의 그것이라 하

때문이다. 그것은 가장 소박하고 기초적인 문학 윤리에 속한다." 이청준, 『소문의 벽』, 민음사, 1972의 후기.

더라도, 작가의 책임은 아무래도 그가 최초로 글을 생각하고 그것을 써 보고 싶어 하게 된 개인적인 동기와 깊이 관련되고 있는 그의 삶의 욕망을 배반할 수 없다는 것입니다. 그만큼 허심탄회한 정직성의 전제 위에서라야 작가의 책임이라는 것도 비교적 정직한 모습이 드러날 수 있을 거라는 말입니다. 정직하지 못한 것은 문학의 세계에선 무엇보다 타기해야 할 부도덕이기 때문입니다. 파괴적인 악덕이기 때문입니다.[6]

당위적으로 본질적으로 문학은 정직해야 하고, 정직한 문학이 되기 위해서는 글을 쓰는 개인, 작가의 욕망이 은폐되거나 무시되어서는 안 된다. 자기 자신의 진실, 자기 자신의 욕망을 직시하고 드러내지 못한다면 글쓰기는 불가능하거나 가능하다 하더라도 작가적 윤리성을 상실한 부도덕한 문학, 파괴적인 악덕으로서의 문학으로 결과할 뿐이다. 자기 구제, 자기 구원을 의도하는 이청준의 소설 쓰기는 대체로 이상의 논리를 전제로 하고 있으며, 그의 소설들이 유독 작가나 예술가를 주인공으로 한 자기 반영적 서사의 경향을 드러내는 것은 이런 측면에서 이해할 수 있다. 요컨대 이청준의 글쓰기는 아마도 어떤 상처와 장애로 인해 웅크리고 억압되고 감춰져 있는 개인의 내부, 그 환부를 밖으로 드러내고 치유하고자 하는 의지와 욕망이 작동하는 지점에서 비로소 가능한 행위이며, 그런 의미에서 소설 쓰기는 작가 자신의 얼굴 혹은 그의 존재론적 상처와 진실을 비추는 하나의 '거울'로 기능한다고 할 수 있다.

이를 잘 보여 주는 작품이 그의 등단작인 「퇴원」과 이른바 예술가

---

6 이청준, 「지배와 해방—언어사회학서설 ③」, 『자서전들 쓰십시다』, 열림원, 2000, p.117.

소설의 걸작 가운데 하나로 평가받는 「병신과 머저리」이다. 이청준의 작가 노트에 따르면 「퇴원」은 "생성을 정지당한 황량한 젊음의 회복"[7]에 관한 소설인데, 주목되는 것은 그가 "황량한 젊음의 회복"이라는 문제를 잃어버린 언어 혹은 이야기의 소생이라는 측면에서 다루고 있다는 점이다. 소설 「퇴원」은 위궤양을 앓고 있는 주인공의 치료와 퇴원이라는 서사적 외피를 띠고 있지만, 기실 서사의 중심은 삶의 정향 없이 일종의 '자아 망실증 환자'로 살아가는 무기력한 청춘의 자기 극복, 회생의 내력에 놓여 있다. 여기서 중요한 것은 주인공이 앓고 있는 '자아 망실증'의 증상이다. 주인공에게 자꾸 이야기를 종용하는 병실의 여인과 간호원 미스 윤은, 그가 자기 망각의 상태에 빠져 '말'과 '이야기'를 잃어버렸음을 우회적으로 보여 준다. 병실의 여인이 보기에 그는 "아주 귀중한 얘기"를 가지고 있음이 분명하나 말이 없이 "늘 무엇을 생각하고 있는" 사람이다. 간호원 미스 윤 또한 그가 분명 "내력 깊은 이야기가 있으실 분인데, 그 이야기가 너무 깊이 숨어 버린 것" 같다고 말한다. 그녀들이 주인공에게 요구하는 '이야기'란 단순한 일상의 대화, 소통이 아니라, 그가 살아온 삶의 시간, 기억의 문제와 관련된다고 할 수 있다. 주인공이 병실 창밖으로 내다보는 풍경에는 바늘 없이 멈춰 버린 시계탑의 고장 난 시계가 있고, 변화 없이 단조로운 건물과 거리만이 정지된 '무성영화'의 한 장면처럼 잡힌다. 소설의 서두에 등장하는 이러한 창밖의 이미지는 '자아 망실증'을 앓는 주인공의 내면에 그대로 조응한다. 그는 멈춰 버린 시계처럼 흐르는 삶의 시간으로부터 튕겨져 나와 과거도 현재도 미래도 존재하지 않는 기억의 진공 지대에 살고 있다. 간

---

7 이청준, 「황폐한 젊음의 회복을 꿈꾼 〈퇴원〉」, 『소문의 벽』, 열림원, 1998, p.40.

호원 미스 윤은 그런 그에게 시계탑의 고장 난 "저 시계가 꼭 선생님을 닮았거든요"라고 지적하기도 한다. 소설의 결미에서 주인공은 그가 보았던 창밖의 이미지가 언어가 완전히 소멸되고 슬프도록 강한 행동의 욕망과 향수만이 꿈틀거리는 '무언극'과 닮아 있으며, 자신은 그러한 모든 욕망마저도 죽어 버린 "완전한 자기 망각"의 상태에서 '시체'처럼 누워 있음을 자각한다.[8] 시간은 멈춰 있고 기억은 부재하며, 언어는 소멸되고 어떤 표현과 행동에의 욕망도 없는 무언(無言)과 무욕(無慾), 무위(無爲)의 지대에서 이야기는 생성되지 않는다. 이것이 주인공이 앓고 있는 '자아 망실증'의 실체이다. 그렇다면 주인공에게 필요한 것은 위궤양의 치료가 아니라, 죽어 버린 그의 '언어'를 살려 내고 깊이 숨어 버린 '이야기'를 끄집어내는 일이다. 그러므로 이 소설에서 가장 중요한 대목은 그가 미스 윤이 건네준 거울을 통해 자신의 얼굴을 들여다보고 "깜짝 놀라 하마터면 소리를 지를 뻔"하며 "비수처럼 가슴을 후비고 들어오는" 이야기 하나를 떠올리는 장면이다. 마침내 그가 떠올린 이야기가 하필 군대에서의 뱀잡이 경험이라는 사실은 별다른 의미가 없다. 주인공이 '거울'을 보는 자기 응시의 순간에 망각의 틀이 걷히고 이야기가 생성되며, 그로써 '자아 망실증'이라는 병증의 치유 가능성이 비로소 열린다는 그 장면의 상징성이 무엇보다 중요하다. 바로 이 지점에서 이청준이 말하는 "생성을 정지당한 황량한 젊음의 회복"이라는 작의(作意)가 분명하게 드러나는데, 요컨대 이 소설은 문학이 "자기 구제의 몸짓"이며 자기 치유와 구원의 형식이라는 이청준의 소설 미학이 그대로 투영된 작품으로 해석할 수 있다.[9]

---

8 이청준, 「퇴원」, 『소문의 벽』, p.34 참조.

이처럼 이야기 혹은 글쓰기의 기원을 자기 치유와 구원의 방식으로 보는 이청준의 논리는 소설 「병신과 머저리」에서도 유사하게 반복된다. 「병신과 머저리」는 작중의 인물들이 한 편의 소설을 완성해 가는 과정의 서사로, 그 자체로 소설 혹은 소설 쓰기의 의미를 추적하는 하나의 소설로 쓴 소설론으로 읽힌다. 의사인 형이 병원 일마저 접고 어느 날 갑자기 소설을 쓰기 시작한다. 화가인 동생은 형의 소설을 훔쳐 읽으며 그 소설이 완성되기 전에는 그림을 그릴 수 없으리라는 이상한 예감에 초조해진다. 전문적인 작가도 아닌 그들이 이처럼 한 편의 소설 집필에 몰두하고 그것의 완성에 집착하는 이유는 무엇인가. 이청준은 그들 모두를 어떤 '환부'를 지닌 인물로 묘사함으로써, 그들의 소설 쓰기가 '환부'를 드러내고 치유하는 행위와 관련되어 있음을 시사한다. 이러한 설정은 문학의 연원을 "자기 구제의 몸짓"으로 설명하는 작가 이청준의 논리에 상응하는데, 이 소설에서 특히 주목되는 것은 소설 쓰기가 자기 구제와 치유의 형식이 되는 맥락이다. 그들 형제는 위선도 위악도 불가능한, 작중의 표현에 따르면 "연극기"를 싫어하는 "참새가슴"의 소유자들이며, 그런 의미에서 그들은 서로가 서로를 "병신과 머저리"라고 생각한다.[10]

---

9 이 소설은 자주 1960년대의 억압적 정치·사회적 현실을 살아가는 상처받은 개인의 서사로 해석된다. 이청준 소설의 많은 인물들이 보여 주는 병적이고 비정상적인 질환들이 이른바 '전짓불의 공포'로 상징되는 정치·사회적 억압과 폭력에서 기인하며, 이 소설에도 주인공이 경험한 '전짓불의 공포'가 묘사된다. 그러나 이청준의 관심은 주인공의 질환을 야기시킨 병인(病因), 즉 억압적 현실의 비판이나 폭로에 있다기보다는 글쓰기를 통한 그러한 질환, 자기 치유의 방법 모색에 있다. 그런 의미에서 소설 「퇴원」은 작가 이청준이 생각하는 이야기 혹은 글쓰기의 기원에 관한 서사로 읽어야 한다.

10 형이 쓰는 소설 속의 삽화에서, 형은 노루 사냥에 적극적으로 가담하지 못하지만 그것을 그만두지도 못한다. 김 일병을 괴롭히고 죽이는 오관모의 악행을 돕지도 막

서사의 끝에서 소설을 완성한 형은 자신의 갈등과 방황을 접고 다시 일상으로 복귀하지만, 동생은 여전히 그림을 그리지 못한다. 작중에서 이는 6.25 전상자로서 보이는 환부를 지닌 형과 아픔만 있고 아픔의 연원을 모르는, 환부 없는 환부를 지닌 동생의 차이로 암시되어 있다. 그러나 이는 그들이 살아온 삶의 내력이나 경험적·직업적 차이에서 비롯되는 '환부'의 상이성만으로는 설명될 수 없다.[11] 보다도 그것은 '소설'이라는 장르가 갖고 있는 본질적인 속성 즉 허구성과 관련되어 있다. "참새가슴"의 비겁한 방관자였던 형은 자신이 쓰는 소설 속에서 악의 전형으로 묘사된 오관모를 살해함으로써 현실에서는 불가능했던 위선 혹은 위악을 실현한다.[12] 말하자면 형에게 소설 쓰기는 자신의 내적 욕망과 진실을 들여다보는 일종의 '거울'로써 기능한다. 「퇴원」의 주인공이 거울을 통해 자신의 '얼굴'과 대면한다면, 「병신과 머저리」의 형은 소설 쓰기를 통해 그의 '얼굴'을 만난다. "오래전부터 나와 익숙했던, 어머니의 배 속에도 있기 이전부터 알고 있었던 것 같은 그리운 얼굴",[13] 그러나 생각이 나지 않는 어

지도 못한다. 현재의 형은 거지 소녀의 발을 밟는 위악을 가장해 보기도 하지만 실지로 그것은 시늉에 불과하다. 동생은 사랑하는 여자를 붙잡지도 이별의 인사를 건네지도 못한다. 카인과 아벨처럼 분별되는 선과 악, 형제는 그 어느 쪽에도 서지 못한다. 그들은 그런 자신들의 모습이 서로가 불편하고 못마땅하다. 그것이 그들이 서로를 "병신과 머저리"라고 칭하는 내막이다.

11 황현산은 형은 치유되고 동생은 치유되지 못하는 소설의 결말을 책임 소재가 분명한 의사라는 직업과 무책임과 무한책임 사이에 서 있는 화가라는 직업의 차이로 해석하기도 한다. 황현산, 「장인의 희망」, 이청준, 『병신과 머저리』, 열림원, 2001, pp.306-307 참조.

12 김 일병을 죽인 오관모를 죽였다는 점에서는 일종의 선이며, 사람을 죽였다는 측면에서는 악인데, 중요한 것은 형이 그의 내적 욕망을 분명하게 드러내 표출했다는 것이다.

떤 얼굴, 그 얼굴을 만나고자 하는 욕망이 애초에 형이 소설을 쓰기 시작한 이유라면, 소설은 마침내 피투성이로 웃고 있는 자신의 얼굴을 만나는 형의 모습을 보여 줌으로써 완결된다.[14] 자신의 '얼굴'을 만나는 행위로서의 소설 쓰기, 그것이 형의 환부를 치유했다면, 동생은 여전히 자신의 얼굴을 찾아가는 과정에 있다. 여기서 중요한 것은 형의 살인 행위가 허구(fiction)로 표출된 그의 내적 욕망, 말하자면 소설적 진실일 뿐, 사실(fact)이 아니라는 점이다. 이는 형이 살아 있는 오관모를 만났다고 동생에게 고백하면서 자신의 소설을 불태우는 장면에서 확인할 수 있다.

요컨대 「퇴원」이나 「병신과 머저리」에서 드러나는 이청준의 소설 미학은 소설이란 글 쓰는 주체 자신의 내적 진실 혹은 자아 탐구에 다름 아니라는 논리로 귀착된다. 문학을 창작 주체의 정신적·심적 외화의 형식으로 본다면 이는 지극히 보편적이고 본질적인 문학의 속성으로 수긍할 수 있는 것이지만, 소설은 또한 거리에 세워 둔 거울처럼 현실 사회를 비춰야 한다는 반영론적 역할이 간과된다는 점에서 문제적이라 할 수 있다. 「병신과 머저리」에서 형이 자신의 소설을 불태우는 행위는 어쩌면 이러한 소설 미학적 딜레마의 서사적 표현으로 해석할 수도 있다. 예술적 주체의 내부 혹은 진실만 있고 외부가 없는 작품, 그것은 미술에서는 추상으로 나타나고 소설에서는 현실과 무관하게 구축되는 내적 독백과 관념의 서사로 귀결된다. 앞서 보았듯 이청준의 "문학 윤리"는 글 쓰는 주체의 내적 진실이 "보

---

13 이청준, 「병신과 머저리」, 『병신과 머저리』, p.89.

14 「퇴원」 「병신과 머저리」에 등장하는 '거울'과 '얼굴'은 모두 '자아'의 상징적 이미지라 할 수 있으며, 이는 작가 이청준이 소설 쓰기를 통해 구현하고자 하는 근원적 욕망의 지향점을 시사한다.

편적 자기"와 합치되는 지점을 향해 있다. "보편적 자기"는 분명 현실 외부를 통하지 않고는 만날 수 없는 어떤 것이고, 소설이 담아내야 할 외부와 그 외부의 진실성에 관한 탐구는 이청준 소설의 또 다른 한 축을 형성한다.

3. 현세적 사실 증거의 욕망과 예술적 주체의 죽음

원상에의 모방, 미메시스의 추구는 예술의 오랜 욕망이지만, 여기에는 반드시 예술적 주체의 '전유'라는 중요한 작용이 개입된다. 미적인 것은 원본을 있는 그대로 다시 보여 주는 것이 아니라 질적으로 새로운 어떤 것으로 변형되는 과정에서 발생한다.[15] 유사한 맥락에서, 소설은 어차피 허구의 양식이고 실재(real) 그대로의 정확한 재현과 진술을 전제하지 않는다. 이 말은 현실(예술적 대상, 객체)과의 유사성 혹은 동일성이 소설의 리얼리티를 결정하는 준거일 수 없다는 뜻이기도 하다. 이청준은 그러나 글 쓰는 주체에 의해 사실 혹은 실재와 다르게 변형된 진술을 미학적 전유의 방식으로 이해하지 않고 진실의 훼손이라는 측면에서 파악한다. 이청준은 문학이 리얼리티를 추구해야 한다고 말하지 않고, 문학은 진실해야 하고 정직해야 하며, 그것이 최소한의 "문학 윤리"라고 말한다. 그렇다면 무엇이 문학의 진실성 혹은 정직성을 보증할 수 있는가. 이는 이청준의 예술가소설이 천착하는 중요한 소설론적 주제이다.

문학의 진실성, 정직성과 관련하여 이청준이 가장 경계하는 것이 바로 '소문'이다. 「언어사회학서설」 연작이나 「소문의 벽」은 문학이

---

15 이주영, 「재현의 관점에서 본 예술과 실재의 관계」, 『미학·예술학 연구』 22, 한국미학예술학회, 2005, pp.13-14 참조.

파기해야 할 '말'의 형식으로서의 '소문'에 대한 탐구와 비판의 서사라 할 만하다. 소문이란 "사실이나 현장과는 상관이 없이" 떠도는 말들이며,[16] 정처를 잃고 "지쳐 죽은 말들의 유령"[17]이다. 그러나 "문학은 적어도 소문 속에 태어난 또 하나의 소문이 될 수는 없다"[18]는 것이 이들 작품에서 표명되는 논리의 요체이다. 이청준에 의하면 문학이 실체 없는 하나의 소문 거리로 전락하는 전형적인 예가 바로 자서전 대필이다. 자서전 대필은 '너의 말과 삶'이 '나의 말과 삶'으로 왜곡되고 변형되는 형식이라는 점에서 "정직한 생의 궤적과는 아무 상관없는 말의 허구", 거짓된 말의 기록에 불과하다.[19]

선생님의 과거를 한번 저의 것으로 몸을 던져 살아 보고 싶습니다. 선생님의 가슴으로 세상을 느끼고 선생님의 눈으로 세상을 보고 선생님의 머리로 세상일을 생각할 수 있도록 선생님의 모든 것을 제 자신의 것으로 살아 볼 수 있게 되기를 바라고 있습니다. 그것이 남의 생애만을 대필해 온 자서전 청부업자로서의 마지막 소망이었으니까요.[20]

전 어차피 남의 이야기를 듣고 그것을 베끼는 것으로 소설을 쓸 수 있는 위인은 못 되니까요. 저는 바로 제 소설 속에 자신을 던져 넣어서 그 소설을 살고 그것을 써내 온 위인이거든요. 전 이 산을 찾아올 때 이미 각오가 되어 있었습니다. 제 자신이 직접 사건을 맡게 되는 한이

---

16 이청준, 「가위잠꼬대—언어사회학서설 ④」, 『자서전들 쓰십시다』, p.146.

17 이청준, 「떠도는 말들—언어사회학서설 ①」, 『자서전들 쓰십시다』, p.31.

18 이청준, 「소문의 벽」, 『소문의 벽』, p.141.

19 이청준, 「자서전들 쓰십시다」, 『자서전들 쓰십시다』, pp.56-57 참조.

20 이청준, 「자서전들 쓰십시다」, pp.79-80.

있더라도 전 기어코 제 소설을 여기서 어르신과 함께 끝내고 말 겁니다.[21]

「자서전들 쓰십시다」의 윤지욱은 자서전을 의뢰한 사람의 삶을 자신이 직접 재체험하는 방식으로, '너의 말'과 '나의 말' 사이에 놓여 있는 이러한 허구의 간극을 극복하고 '말'의 실체, 진실에 도달하고자 한다. 그의 소망은 그러나 '너의 말과 삶과 이야기'를 '나의 말과 삶과 이야기'로 다시 살아 낼 수 없다는 점에서 원천적으로 불가능한 욕망이다. 『자유의 문』에서 소설가 주영섭은 "남의 이야기를 듣고 그것을 베끼는 것으로 소설을 쓸 수 없는 위인"으로 자처하면서 자신이 쓰고 있는 소설의 인물과 현장을 찾아 들어가 스스로 소설 속의 인물이 됨으로써 소설을 완성한다. 주영섭은 이를 "제 소설 속에 자신을 던져 넣어서 그 소설을 살고 그것을 써내는" 방식으로 설명하고 있다. 「자서전들 쓰십시다」의 윤지욱이나 『자유의 문』의 주영섭은 모두 글 쓰는 주체의 '말과 삶'이 일치되는 지점에서, 글쓰기의 진실성 혹은 도덕성이 생성될 수 있다는 동일한 논리를 보여 준다.

작가 자신의 삶을 통하지 않은 남에게 들은 이야기, 시중을 떠도는 이야기, 수집된 이야기는 글로 쓸 수 없다는 이들의 주장은, 말과 글이 사실과 어긋나고 실체에서 유리되도록 조장하거나 강요하는 억압적이고 폭력적인 어떤 권력, 현실, 상황, 시선들에 대한 불신과 비판을 전제한다. 이청준의 소설에서 그것은 '전짓불의 공포'라는 하나의 라이트모티브로 상징화되는데, 여기서 '전짓불'은 '나'의 진위 판단을 방해하고 사실 진술을 억압하는 모든 보이지 않는 익명의

---

21 이청준, 『자유의 문』, 열림원, 1998, pp.135-136.

'얼굴'을 통칭하는 것으로 이해할 수 있다. '전짓불의 공포'는 대개 주체의 자유로운 판단과 진술을 가로막고 감시하는 외부적 상황의 폭력이나 억압으로 설명되지만,[22] 더불어 사실을 감추고 진실을 가장하는 주체 내부의 내적 욕망과의 관련성 또한 해명되어야 한다. 「병신과 머저리」에서 자신의 소설을 불태우는 형의 행위는 사실과 부합하지 않는 소설의 허구성에 대한 부정이며, 글 쓰는 주체 자신의 내부에 존재하면서 사실 진술을 억압하는 또 하나의 익명의 얼굴에 대한 반성적 자기부정의 의미 또한 내포한다. 문학을 한낱 소문 거리로 만드는 '전짓불의 공포'는 글 쓰는 주체의 안과 밖에 동시에 편재하면서, 문학의 진실성과 도덕성을 위협한다고 할 수 있다. 이런 맥락에서 "소설이 거짓과 참 진실을 증거하기 위해선 사람들의 삶이나 세상일뿐 아니라 소설 자체의 계율에 대한 고백이나 검증도 함께 이루어져야 한다"[23]고 주장하는 이청준의 서사 미학적 논리가 도출된다. 어떤 의미에서 이청준은 소설이 현실을 전유하는 방식 자체를 회의하고 있으며, 허구(fiction)로서의 소설이 사실(fact), 실재(real)가 되는 지점을 향해 투신한다고 할 수 있다.[24] 이청준의 예술가소설에

---

22 '전짓불의 공포'에 대한 해석은 주로 4.19 세대로서 작가 이청준이 경험한 한국전쟁을 비롯한 1960년대적 현실, 자유를 억압하고 양자택일식 이데올로기를 심문하는 정치·사회적 맥락과 결합하며, 때로 문학에 대한 특정 입장과 지향을 강박하는 문단 혹은 독자 권력의 문제로 연결되기도 한다. 김주언, 「타자의 시선 앞에 놓인 문학의 운명과 자유」, 『어문연구』 40권 3호, 한국어문교육연구회, 2012, pp.325-328 참조.

23 이청준, 『자유의 문』, p.261.

24 굿맨(Nelson Goodman)에 의하면 대상의 총체적 실재, 대상의 참모습의 구현은 불가능하다. 대상의 실재를 포착할 수 있다고 믿는 것은 우리 눈의 순수함을 믿을 때에 가능하다. 그러나 시선은 선택하고 거부하고 조직하고 식별하고 연결하고 분류하고 분석하고 구성한다. 결국 예술은 대상의 부분적 진실을 표현할 뿐이다. 대

빈번하게 나타나는 작가나 예술가의 죽음(실종)은 이러한 사실 증거에의 강박과 관련하여 해석될 수 있다.

「소문의 벽」이나 「시간의 문」『자유의 문』 등의 작품에서 특징적으로 드러나듯, 그들 예술가의 죽음이나 실종은 자발적이며 작가적 태도나 의식에 연결되어 있다는 점에서 미학적인 것이기도 하다. "작가는 누가 뭐래도 진술을 끊임없이 계속하지 않고는 살아갈 수가 없는 족속"[25]이지만, 도처에서 번쩍이는 '전짓불'이 그 진술의 정직성을 억압하거나 신뢰하지 않을 때, "내가 직접 보고 겪은 일이라도 입을 열어 말을 하는 순간 그것은 금방 소문으로 변해"[26] 버릴 때, 이청준 소설의 작가들은 자신의 소설을 현실 속에 스스로 구현함으로써 그 진술의 사실성과 진실성을 입증하고자 한다. 「소문의 벽」의 박준은 소설을 써 놓고 "자신이 직접 주인공이 되어 현실 속에서 그 소설의 사건들을 연출해 나가는"[27] 방식으로 허구로서의 소설의 경계를 허물고 그것을 사실화시킨다. 『자유의 문』의 소설가 주영섭은 그가 쓰고 있는 소설 속의 현장과 사건에 개입하고 실제 자신의 삶과 소설 속의 삶을 결합시킴으로써, "그의 소설을 자신의 삶으로 직접 살고 간 자의 무덤"[28]으로 만든다. 이청준은 이들 소설가의 실종과 죽음을 "도저한 현세적 삶의 증거주의자의 죽음"으로 묘사하고 있지

상의 부분적 진실이란 작가, 예술가의 시선에 의해 포착되고 해석된 어떤 무엇이다. 이주영, 「시각적 재현에 있어서 유사성과 실재의 관계」, 『미학·예술학 연구』 24, 한국미학예술학회, 2006, pp.277-278 참조.

[25] 이청준, 「소문의 벽」, p.143.

[26] 이청준, 「가위잠꼬대―언어사회학서설 ④」, p.171.

[27] 이청준, 「소문의 벽」, p.133.

[28] 이청준, 『자유의 문』, p.273.

만, 기실 그들의 증거 욕망은 자신의 외부·현실이 아니라, 작가로서의 자신의 삶과 예술의 진실성이라는 자기 존재 증명을 향해 있다. 「소문의 벽」의 박준은 그가 쓴 소설의 인물처럼 광인을 연기하고 '전 짓불의 공포'를 재연하며 스스로 실종된다. 이로써 그의 소설은 허구가 아닌 사실이 되고 현실이 된다. 박준의 소설은 그러므로 현실의 미메시스가 아니라 자기 존재의 미메시스를 의도하며, 그의 실종은 자신의 삶과 문학 혹은 예술을 일치시키려는 작가적 욕망의 구현이다.

『자유의 문』의 소설가 주영섭이나 「지관의 소」의 화가 지관, 『인문주의자 무소작 씨의 종생기』의 무소작 등, 이청준 소설의 예술가들은 대개 「소문의 벽」의 박준과 마찬가지로 예술적 주체와 대상의 거리를 지우고 스스로 예술(작품)이 되는 방식으로 그들의 삶과 예술을 사유하고 구축한다. 여기서 주목할 것은 예술 주체가 예술의 객체로 전이되는 순간이 예술 주체의 죽음 혹은 소멸로 연결된다는 점이다. 『자유의 문』에서 소설가 주영섭은 자신의 죽음으로써 그가 쓰고 있는 소설의 결말을 완성하며, 「지관의 소」에서 화가 지관은 자신의 유작에서 '소'의 얼굴로 현현한다. 『인문주의자 무소작 씨의 종생기』의 무소작은 이야기 속으로 실종됨으로써 다시 이야기가 되어 돌아온다.[29] 예술 혹은 문학의 진실성, 사실성을 강조하는 이청준의 문학 윤리는 이처럼 예술적 주체와 예술 작품의 간극을 부정하고, 예술적

---

[29] 남진우는 「인문주의자 무소작 씨의 종생기」를 분석하면서 이야기-소설은 작가에게 영원의 연인, 불멸의 추구 대상이며 그 사랑은 그가 스스로 사랑의 대상이 됨으로써, 즉 이야기꾼이 이야기 속으로 사라짐으로써 다시 이야기로 돌아온다고 설명한다(남진우, 「이야기의 시원, 시원의 이야기」, p.155). 요컨대 이청준 소설의 예술가들은 대개 '무소작'과 유사한 방식으로 그들의 예술가적 삶을 구축한다.

주체가 곧 예술 작품으로 화신(化身)하는 차원에서 실현되고 완성된다. 단적으로 이청준의 예술가 인물들이 보여 주는 죽음(실종)은 자신의 소설 미학 혹은 예술론의 진실성을 거증하는 방식이라고 할 수 있다.

그러나 문제는 그 치열한 현세적 사실 증거의 욕망에도 불구하고 그들 예술가들의 삶과 죽음은 다만 자족적 자기 증명, 자기 초월의 형식일 뿐, 여전히 거기에 떠도는 말, 시체처럼 죽어 버린 유령의 말, 소문에서 소문으로 이어지는 문학을 구원할 어떤 보편의 통로, 출구는 부재한다는 것이다.[30] 어쩌면 이청준 소설의 예술가들은 '전짓불의 공포'에 의해서 이미 대상을 향한 시선을 차단당한 존재들이라 할 수 있다. 그들은 자신의 외부·현실을 보고자 하지만, 그들이 증거하는 것은 자기의 존재 증명, 자기 삶과 예술의 개인적 진실일 뿐이다. 사실을 사실로써 말해야 한다는 강박은 그들이 스스로에게 부과한 예술의 도덕적 준거이며, 이는 물론 타락한 말, 그릇된 현실 질서에 대한 도저한 부정과 비판적 시선을 내포한 것이기도 하다. 염결한 사실 증거주의자로서, 그들이 볼 수 있고 신뢰할 수 있는 사실이란 그러므로 '나'를 통해서만 가능한 무엇이다. 이청준 소설의 예술가들이 스스로 자신의 그림이 되고 소설이 되고 사진의 피사체가 되는, 일종의 자기 미메시스의 예술로 나아가는 것은 이런 맥락

---

30 황현산은 이를 이청준 소설의 알레고리가 보여 주는 한계로 해석한다. 그에 의하면 알레고리는 결코 변화하지 않는다. 그것은 이미 계율화되고 절대화된 세계이며 정지된 세계이다. 요컨대 이청준 소설의 예술가들은 이미 하나의 서사 미학적 계율에 의해 움직인다고 할 수 있으며 그 계율에 조응하고 실현하는 것이 그들이 소설 안에서 서사화되는 방식이라 할 수 있다. 황현산, 「정지된 세계의 알레고리」, pp.314-316 참조.

에서 이해할 수 있다.

4. 허구와 현실 사이의 미망, 소설의 운명

예술적 주체와 대상의 거리를 지우고자 하는 이청준 소설의 욕망은 한편으로 예술의 재현성에 관한 회의와도 관련되어 있다. 재현적 예술이 갖고 있는 속성의 하나는 대상의 정지이다. 소설이든 사진이든 그림이든 예술적 객체, 대상은 작품화되는 동시에 과거 시제로 굳어진다. 「시간의 문」에서, 사진작가 유종열은 사진이 담아내는 절망적 현실, 그 재현의 무력성을 고민한다. 카메라는 월남전과 같은 참혹한 전장과 삶의 현장마저도 하나의 피사체로 정지시켜 기계적으로 기록할 뿐, 그 "살아 있는 현실 앞"에 그저 무력하다. 사진을 찍는 예술적 주체는 "그 시간의 벽을 뚫고 대상 안으로 들어가 함께 흐를 수 없다"는 점에서 또한 언제나 예술적 객체, 대상의 외부로 존재한다. 유종열의 이러한 회의는 "카메라의 절망적 숙명"에서 기인하는 것이지만, 보다 본질적으로는 문학 혹은 예술이 자기 구제, 자기 존재 증명의 차원을 넘어 타자와 만나고, 이청준의 표현을 빌면 "보편적 자기"를 구원하는 문제와도 연결되어 있다. 유종열이 "자신이 살고 있는 시대와 그 시대의 사람들"을 외면하고 바다와 산과 하늘과 안개 따위의 풍경만을 카메라에 담는 이유는 그 처참한 "현실로부터의 압살을 모면하기" 위함이며, "사람을 지우는 것이 아니라 절망을 지우는 것"이다. 말하자면 그의 절망은 현실의 고통과 타자의 아픔을 하나의 피사체로 바라볼 수밖에 없다는 사실에서 비롯되며, 카메라가 찍어 내는 대상의 "죽어 굳어진 시간"을 걷어 내고 그 대상의 시간과 공간 속에 공존하고자 하는 그의 열망은 고통받는 타자를 향한 연민과 윤리 의식의 발현으로 해석될 수 있다.[31] 문제는 사진에 대한 그의 이러한 관념 혹은 지향 의식과 카메라의 본질적 속성이 서로 배치된다는 것이다.

  찍히는 사람과 찍는 사람, 대상과 나, 언제나 둘은 그런 관계지. 둘
  사이엔 엄청난 거리의 벽이 있거든. 그래, 바로 그 거리의 벽이에요.
  그 두꺼운 거리의 벽을 뚫고 들어갈 수가 없어요. 참으로 엄청난 카메
  라의 숙명이지. 그 거리가 사라져 주지 않는 한 우린 서로 다른 차원의
  세계에 따로따로 떨어져 있을 수밖에 없어요. 벽을 뚫고 넘어가 함께
  있거나 같은 시간의 흐름을 탈 수는 없어요. 그런 때 대상을 찍는다는
  것은 그저 그 시간을 정지시키는 것 이외에 아무것도 아니에요. 문제
  는 결국 이놈의 지워지지 않는 거리와 공간인데……[32]

  유종열은 찍히는 사람과 찍는 사람, 대상과 '나' 사이에 놓여 있는
엄청난 거리의 벽, 그것은 참으로 엄청난 카메라의 숙명이며, 그 거
리가 사라져 주지 않는 한 대상과 '나'는 서로 다른 차원의 세계에 따
로따로 떨어져 있을 수밖에 없다고 말한다. 예술적 주체와 객체, 대
상을 가르는 카메라의 이러한 속성은 소설이나 회화에도 마찬가지
로 적용되며 어떤 의미에서 이것은 재현을 의도하는 모든 예술의 본
질적 특성이라 할 수 있다. 예술적 객체, 대상에 대한 재현적 사실은
예술적 주체의 교섭과 소통을 허용하지 않는 이미 굳어진 사실, 정
지된 사실로 결과한다. 그런 의미에서, 자신이 찍고 있는 바다의 난

---

31 레비나스에 의하면 고통받는 타자의 얼굴은 곧 '나'의 윤리 의식의 원천이다. 고통
  받는 자의 얼굴은 나보다 높은 곳에 있는 나의 주인처럼 내가 윤리적으로 행위하
  기를 명한다. 서동욱, 『차이와 타자』, 문학과지성사, 2000, p.269 참조.
32 이청준, 「시간의 문」, 『시간의 문』, 열림원, 2000, p.209.

민선으로 스스로 실종되는 유종열의 선택과 행위는 과거형으로 닫혀 어쩌면 이미 소문이 되어 버린 사실을 부정하고 살아 있는 "참 진실"을 만나려는 치열한 작가 의식의 표출이라 할 수 있다. 그는 죽음을 무릅쓰는 극적인 선택을 통해 스스로 카메라의 피사체가 되어 한 장의 사진으로 돌아오는 방식으로 카메라의 숙명, 그 계율 자체를 부정한다.[33] 중요한 것은 그가 예술적 주체와 객체의 거리를 지우고 도달한 곳이 '난민선'으로 상징되는 타자의 시공간이며, 고통의 현실이라는 점이다. 여기서 이청준 소설의 예술가는 비로소 "자기 구제의 몸짓"을 넘어 "보편적 자기"와 만나는 지점을 보여 준다고 할 수 있으며,「소문의 벽」이나『자유의 문』에서 자기 미메시스로 결과했던 '사실 증거'에의 욕망 또한 새로운 의미 맥락을 형성한다. 요컨대 유종열은 예술적 주체와 대상 사이에 놓여 있는 "엄청난 거리의 벽"을 죽음으로 파기함으로써, 예술 혹은 소설이 거증해야 할 "참 진실"은 고통받는 타자와 외부 현실에 대한 윤리적이고 실천적인 공감과 공존의 차원에 놓여 있다는 전향적 인식을 보여 준다. 이청준은 그러나 그의 이러한 태도와 논리가 현실을 넘어서는 보편적 구원, 초월의 형식이 될 수 있다고는 말하지 않는다. 유종열이 열어젖힌 "시간의 문"은 그의 사라짐과 함께 닫혔으며, 하나의 커다란 "맹점(盲點)의 동공(洞空)"으로 남았을 뿐이라는 서사의 결론은, 그의 죽음이 던진 메타포가 예술가 개인의 내적 진실이 될 수 있을지언정 분명한 현실이 될 수 없다는 작가 이청준의 전언을 함축하고 있다. 요컨대

33『자유의 문』에서 소설가 주영섭은 소설이 거짓과 참 진실을 증거하기 위해서는 소설 자체의 계율에 대한 검증도 함께 이루어져야 한다고 주장하고 있다. 유종열의 죽음은 카메라의 숙명 자체에 대한 부정이라는 점에서 이와 유사한 맥락을 보여 준다.

유종열의 사진이 보여 주는 것은 이미 현장성을 상실한 허구이고 그의 실종은 허구를 넘어선 사실(현실)에의 투신이라 한다면, 종국에는 그 현실(사실)마저도 닫혀 버림으로써 또 하나의 과거, 또 하나의 허구가 되는 기막힌 딜레마를 노정한다. 이청준은 그의 소설적 탐색을 '미학과 사회학' 사이의 균형 잡기의 문제로 사유하고 있으며,[34] 「시간의 문」은 소설(예술)과 현실, 허구와 사실, 미학과 사회학의 경계를 넘어 어떤 합치의 지점을 모색해 온 이청준 소설 미학의 딜레마와 갈등 지점을 분명하게 보여 준다. 앞서 분석한 일련의 예술가소설에서 이청준은 문학의 진실성과 윤리성의 준거를 줄곧 소설(허구)이 현실(사실)로 거증되는 자리에서 찾고 있다. 그러나 그 거증의 끝은 예술가의 죽음이며, 이는 어떤 의미에서 예술의 죽음, 소설의 죽음이라고도 말할 수 있다.

소설 「이어도」가 문제적인 것은 그가 다시 소설의 본래 자리로 돌아와서, 소설의 허구성, 문학의 내적 진실을 질문하고 있기 때문이다. 이 작품은 파랑도 수색 작전에 나섰던 신문기자 천남석의 죽음에 얽힌 이야기를 다루고 있지만, 작가의 의도는 명백히 '사실'과 '허구'의 관련성이라는 소설론적 주제 탐구에 놓여 있다.[35]

---

34 이청준은 「소문의 벽」의 후기에서, 지나친 미학에의 탐닉은 허망한 패배주의나 폐쇄적 정신주의로 빠질 위험이 있고 지나친 사회학에의 경도는 이미 문학의 자리를 떠난 삭막한 자기 알리바이로 전락할 가능성이 높다고 주장하고 있다. 이러한 미학과 사회학 사이에서의 균형 잡기는 그의 소설에서 소설과 현실, 허구와 사실 사이의 대립과 갈등, 접점 탐색의 문제로 표출되고 사유된다. 이청준, 『소문의 벽』, p.246 참조.

35 「이어도」에는 네 명의 인물이 등장한다. 신문기자 천남석, 선우 중위, 편집국장 양주호, '이어도'라는 술집의 여자. 이들에게는 각자의 역할과 의미가 있다. 그러나 소설론적 구도에서 이 작품을 읽을 때 중요한 인물은 선우 중위와 천남석이다. 선우 중위는 철저하게 사실 그 자체를 중시하고 그에 봉사하는, 현실(사실)에 충실한

사람들은 때로 사실에서보다는 허구 쪽에서 진실을 만나게 될 때가
있지요. 그런 때 사람들은 그 허구의 진실을 사기 위해 쉽사리 사실을
포기하는 수가 있습니다. 꿈이라고 해도 아마 상관없겠지요. 천남석이
이어도를 만난 것도 아마 그 사실이라는 것을 포기했을 때 비로소 가
능했을 것입니다. 그가 주변의 가시적 현실을 모두 포기해 버렸을 때
그에게 섬이 보이기 시작했단 말입니다.[36]

천남석의 죽음의 이유를 설명하는 위의 인용은 어쩌면 미학과 사
회학, 소설과 현실, 허구와 사실의 문제를 천착해 온 이청준의 소설
미학의 핵심적 전언에 값한다. 파랑도는 없다, 이어도는 실재하지
않는다, 그것은 부정할 수 없는 명백한 하나의 사실이다. 그렇다면
"이어도를 꿈꾸면서, 그 이어도 갈 날만 기다리며 살아온 이곳 섬사
람들"에게는 희망도 구원도 없다. 허구가 요청되는 것은 바로 이 지
점이다. '이어도'는 실재하지 않음으로써 실재한다. 이어도가 하나의
분명한 실체로, 사실로서 존재한다면, 이어도는 더 이상 이어도가
아닌 것이 된다. 이어도는 모든 고통받는 이들, 출구 없는 현실(사실)
에 직면하고 있는 자들의 꿈이고 일종의 낙원이기 때문이다. 천남
석의 자살은 그러므로 현실(사실)을 넘어서는 인간의 내적 진실, 욕
망의 희구를 증언하며, 허구인 '이어도'는 그의 죽음에 의해 '사실'로
서의 실재가 된다. 아마도 이청준은 여기서 '이어도'라는 환상의 섬
을 빌려 허구로서의 소설의 가치를, 그 본질과 의미를 반추하고 있
다. 소설의 가치, 소설의 의미는 플라톤적 원상의 모방과 재현에 있

인물이다. 천남석은 '사실'에 맞서 '허구'를 증언하는 인물로 형상화된다.
36 이청준, 「이어도」, 『이어도』, 열림원, 1998, p.121.

는 것이 아니라, 가시적 현실(사실)을 넘어서 새롭게 실재를 꿈꾸고 창조하는 데서 구현될 수 있다. 이것이 사실과 맞서는 허구, 현실에 대응하는 소설의 진실이며, 곰브리치가 말하는 환영이 예술에 필요한 이유라 할 수 있을 것이다. 그러나 예술가소설에서 예술가소설로 이어지는 이청준의 서사 미학적 질문과 탐구가 「이어도」에서 종결되었다고 말할 수는 없다. 예컨대 「병신과 머저리」와 「이어도」 사이에는 소설과 현실, 허구와 사실을 사유하는 작가 이청준의 시각과 주장의 편차가 분명 존재하지만, 이를 단선적인 논리의 변전 과정으로 해석할 수는 없다.[37] 「이어도」의 천남석은 '허구의 진실'을 따라 바다로 떠났지만, 파도에 밀려 홀연히 다시 섬으로 돌아온다. 그리고 그의 육신은 해변가에 누운 채로 "아직도 무엇을 기다리고 있는 사람처럼" 다시 섬을 떠나지 않는다. 이것이 소설 「이어도」의 결말인데, 사족처럼 보이는 이 장면은 그러나 매우 상징적인 의미를 내포하는 것으로 분석된다. 우선 그것은 개인의 내적 진실로서의 허구가 현실(사실)에 패퇴하는 대목으로 읽을 수 있다. 현실의 눈으로 보면 천남석의 죽음은 그저 죽음일 뿐, 현실 변화에 대한 어떠한 영향력으로도 작용하지 않는다. '이어도'는 언제나 그것을 본 자들에게만 존재하는 환영이기 때문이다. 이는 소설 또는 허구는 자기 구원의 형식, 자기 미메시스의 양식일 뿐 어떤 보편적인 진실을 구현하기 어렵다는 이청준의 일관된 서사 미학적 논리의 반복이다. 그러나 중요한 것은 그 실패와 패배의 자리로 돌아와 여전히 무언인가를 기다리고

---

[37] 이 글은 또한 이청준의 이른바 소설가소설이나 예술가소설을 연대적 배열에 의한 소설론적 사유와 논리의 변화라는 관점에서 분석하지도 않았다. 소설을 통해 소설론을 모색하고 탐구하는 이청준의 궤적들을 따라 그 논리와 사유의 핵심적 중추를 살펴보았을 뿐이다.

있는 천남석의 주검, '허구적 진실'의 모습이다. 이를테면 소설은 허구로서 환영으로서 늘 고통스런 혹은 부정한 현실을 떠나 다른 곳을 꿈꾸지만 언제나 돌아와야 하는 곳은 현실이다. 그 현실의 자리를 벗어난 허구, 소설, 예술은 값싼 위안으로써의 판타지이거나 통속이거나, 완벽한 추상의 차원으로 옮겨 간다. 소설은 현실에 끝없이 패배할지라도 다시 그 자리에서 또 다른 허구적 진실을 욕망해야 한다. 그 끝없는 부정의 연쇄가 소설이, 문학이 현실(사실)과 맞서는 방법이며, 소설의 운명이다. 김현은 이를 이청준의 "비극적 현실주의"라 명명하고 있거니와, 이는 또한 소설과 현실, 허구와 사실, 미학과 사회학의 경계에서 치열하게 소설의 길을 탐색하는 이청준의 서사 미학이 하나의 단일한 소설론적 계율로서 파악될 수 없는 이유이기도 하다.

5. 맺음말

예술의 자율성과 완전성에 대한 추구는 어쩌면 모든 예술가의 욕망이다. 그런 의미에서 예술(가)은 태생적으로 현실과 불화하며, 예술(美)의 완성은 때로 예술가의 목숨을 요구하기도 한다. 토마스 만의 「베니스에서의 죽음」이나 서머싯 몸의 「달과 6펜스」가 보여 주는 예술가의 죽음은 이러한 의미의 죽음이다. 이청준의 소설 「줄광대」도 이와 유사한 예술가의 죽음을 묘사한다. 현실을 향한 눈과 귀가 닫히고 생각이 땅에 머무르지 않아야만 비로소 만나는 예술의 경지, 그것이 「줄광대」가 보여 주는 예술의 세계이다. 그러나 이청준의 소설 미학은 현실과 유리되는 절대적 미에의 경도를 추수하지 않는다. 그가 생각하는 문학의 자리는 '미학과 사회학' 사이, 그 경계의 어름에 있는 것으로 보인다. '소설로 쓴 소설론'으로 읽을 수 있는 이청준의 많은 작품들은 소설과 현실, 허구와 사실, 예술적 주체와 대상이 관계하고 길항하는 방식에 대해서 치열하게 탐문한다. 그리고 문학(가)의 진실성, 정직성이 그 준거로써 소환된다. 대개의 한국 예술가 소설이 그러하듯, 예술 혹은 문학이란 무엇인가를 궁구하는 이청준 소설의 문제의식은 문학의 윤리성과 연관되어 있다. 이는 예술(가)과 삶의 일치라는 논리로 표출되며, 이청준 소설의 예술가들은 때로 예술적 주체와 예술적 객체의 거리를 지우고 예술과 현실 사이에 놓여 있는 그 불화의 거리를 뛰어넘어, 그들의 작가적 진실성과 윤리성을 증거하고자 한다. 이것이 이청준 소설의 예술가들이 스스로 죽음(실종)을 자초하는 맥락이라 할 수 있다.

무숙자의 상상력과 육체의 서사
—김훈론

1. 머리말

김훈 문학을 움직이는 핵심 원리는 외부성이다. 이는 무리의 밖에서 무리의 안쪽을 사유하는 방식으로, 김훈과 그의 소설 속 인물들이 공동으로 거처하는 장소이다. 김훈에 의하면, 그의 소설 쓰기는 "무리의 아늑함"과 "쉽게 버려지지 않는 연민"을 떨쳐 내고 "정의로운 자들의 세상과 작별"하는 지점에서 이루어진다. 그의 이러한 자발적 유폐는, 이미 무리의 안쪽을 경험한 자의 시선과 논리에 의해 정당화된다. 말하자면 그의 문학은 세상을 향한 긴 여행에서 돌아온 자의 글쓰기이며, 환멸과 냉소로써 스스로 세상 밖에 선 자의 글쓰기이다.[1]

---

[1] 김훈 소설의 자서(自序)들은 그의 소설들에 대한 아주 간명한 주해처럼 읽힌다. 첫 소설인 『빗살무늬토기의 추억』의 첫머리에 김훈은, "나는 인간으로부터 역사를 밀쳐 내 버릴 것을 도모하였는데"라고 적고 있다. 『칼의 노래』의 자서는 "나는 정의로운 자들의 세상과 작별하였다. 나는 내 당대의 어떠한 가치도 긍정할 수 없었다. 제

이와 관련하여 흥미로운 것은 그의 소설이 새로운 이야기의 조형보다는, 이야기를 해석하는 관점과 사유의 구축에 의존한다는 사실이다. 그의 대표작이라 할 수 있는 『칼의 노래』와 『현의 노래』가 특히 그러한데, 이 소설들은 우리가 익히 알고 있는 역사적 이야기를 김훈의 논리로 재해석한 것이다. 『칼의 노래』의 이순신과 『현의 노래』의 우륵은 당대의 문맥에서 재현되는 것이 아니라, 김훈의 사유 안에서 철저하게 재창조된다. 그러므로 이들 소설에서 중요한 것은 이순신과 우륵에게 덧씌워진 김훈의 관념이지, 역사적 사실이나 이야기의 진위 여부가 아니다. 그의 데뷔작인 『빗살무늬토기의 추억』에서도 소설의 중심은 장철민이라는 소방관의 극적인 이야기에 있지 않다. 여기서도 서사를 구성하는 핵심은 장철민의 삶과 죽음을 해석하는 '나'의 논리와 사유이며, 이는 그대로 소설의 안으로 직접 들어간 작가 김훈의 목소리로 보아 무방하다.

물론 모든 소설에는 작가의 관념과 사유와 논리가 어떤 형식으로든 내재되어 있기 마련이다. 이야기는 그냥 이야기가 아니라, 어떤 의미를 향하여 움직이고 모아지기 때문이다. 그럼에도 불구하고 김훈의 소설이 특별하다면, 그것은 그의 소설이 하나의 일관된 입장과 사유의 표명으로 집중되며 구조화된다는 사실에 있다. 달리 말해, 김훈의 소설은 이야기를 보여 주는 소설이 아니라, 어떤 주장과 깨달음을 설파하는 소설의 징후가 농후하다. 단적으로 『빗살무늬토

군들은 희망의 힘으로 살아 있는가. 그대들과 나누어 가질 희망이나 믿음이 나에게는 없다. 그러므로 그대들과 나는 영원한 남으로서 복되다. 나는 나 자신의 절박한 오류들과 더불어 혼자서 살 것이다"라는 자발적인 고립 선언으로 시작된다. 그의 자서들이 말하듯, 이를테면 그의 소설들은 환멸과 냉소의 시선으로 세상의 밖에 선 자 혹은 서고자 하는 자들의 논리와 사유를 반복적으로 그려 낸다.

기의 추억』이나 『칼의 노래』『현의 노래』는 모두 다르지만, 주제 의식
은 동일한 이야기로 읽을 수 있다. 이들 소설의 인물들은 작가 김훈
과 마찬가지로 무리의 안쪽으로 편입되지 못하고 무리의 밖에 서는
자로서, 소설 안에 존재하는 또 하나의 외부성을 실현한다. 그렇다
면 김훈 소설의 올바른 독법은 소설의 안과 밖에 자리한 외부성, 그
논리와 사유의 본질을 추적하는 방식으로 진행되어야 한다. '한국문
학에 벼락처럼 쏟아진 축복'이라는 찬사를 받으면서 등장한 김훈 소
설에 대해서는 이미 여러 논의들이 진행되었고, 그의 소설이 대체로
현실과 역사에 대한 냉소와 허무주의에 기반하고 있다는 지적이 있
어 왔다.[2] 한편으로 김훈 소설의 그러한 허무주의는 현실 사회의 부
정과 위선을 향한 예리한 통찰에서 비롯된 것이지만, 현실 도피로
귀결될 가능성이 높다는 점에서 그의 문학적 한계로 평가되기도 한
다. 그간의 논의를 수용하면서 이 글은 그의 데뷔작인 『빗살무늬토
기의 추억』『칼의 노래』『현의 노래』 등의 작품을 중심으로 김훈 소설
의 핵심 논리와 사유를 재구한다.[3] 특히 김훈 소설이 역사와 보편이
라는 이름의 모든 가치와 이데올로기를 밀어내면서 인간 존재와 그
들의 사회를 하나의 생물적 자연성으로 전치시켜 나가는 논리의 맥

2 다음의 글들을 참조할 수 있다. 고명철, 「개별화의 마성(魔性)은 공허하다」, 『한국
평화문화』 2집, 2005; 서영채, 「장인의 기율과 냉소의 미학」, 『문학동네』, 2004.여
름; 이경재, 「2000년대 역사소설의 새로운 모습」, 『문학수첩』, 2007.봄; 김영찬, 「김
훈 소설이 묻는 것과 묻지 않는 것」, 『창작과 비평』, 2007.가을; 장성규, 「재현 너머
의 흔적을 복원시키는 소설의 욕망―2000년대 역사소설에 대한 성찰과 전망」, 『문
학수첩』, 2007.여름; 김주언, 「김훈 소설의 자연주의적 맥락―장편역사소설을 중심
으로」, 『한국문학이론과 비평』 49집, 한국문학이론과비평학회, 2010.
3 김훈, 『빗살무늬토기의 추억』, 문학동네, 2005; 『칼의 노래』, 생각의 나무, 2004;
『현의 노래』, 생각의 나무, 2004; 『개』, 푸른숲, 2005; 『강산무진』, 문학동네, 2006.
이상이 이 글에서 언급하는 김훈의 텍스트들이다.

락에 주목하고자 한다.

2. '서늘한 중심'―역사의 외부 혹은 허무주의

무리의 외부에서 무리의 진정성을 회의하는 김훈 문학의 논리는 세상에 통용되는 모든 진리는 허위라는 니체적 명제를 전제한다.[4] 김훈의 소설은 끊임없이 그 진리의 '중심'과 대적하고 중심을 비워냄으로써 채워진다. 그 중심에는 시대와 보편의 이름으로 또는 관습의 이름으로 묶이고 굳어진, 이념과 가치와 도덕이 자리하고 있다. 이를테면 『칼의 노래』에서 이순신이 임금의 '면사첩'을 끌어내려 불에 태우는 장면은 김훈 문학의 본질에 육박한다. 여기서 '면사첩'은 곧 임금이고 나라이며, 이순신의 표현대로 "집중된 중심"으로서, 그 시대의 거역할 수 없는 절대 이데올로기를 상징한다. 이순신은 그 '면사첩'을 "불 아궁이"에 던져 넣음으로써, 당대의 보편 질서와 규율로부터 스스로 이탈한다.

> 그날 저녁에 나는 내 숙사 토방에 걸려 있던 면사첩을 끌어내려 불 아궁이에 던졌다. 나는 집중된 중심을 비웠다. 중심은 가볍고 소슬했다. 나는 결국 자연사 이외의 방법으로는 죽을 수 없다. 적탄에 쓰러져 죽는 나의 죽음까지도 결국은 자연사일 것이었다.[5]

---

4 니체에 의하면, 본원적이고 궁극적인 진리, 객관, 물자체 등은 존재하지 않는다. 니체는 '사실이 아니라 단지 해석만이 있다'고 주장한다. 그렇다면 니체에게 진리란 무엇이고, 무엇에 의해 증명되는가. 진리라 할 수 있다면 그것은 다만 힘과 유용성, 이익의 측도에 따라서 각기 다르고 다양하게 해석되고 수용될 수 있을 뿐이고, 어떤 하나의 중심을 형성하는 절대적 진리란 존재하지 않는다는 것, 그것이 니체의 진리에 대한 해석이다. 다케다 세이지, 『니체 다시 읽기』, 윤성진 역, 서광사, 2001, pp.118-122 참조.

크고 확실한 것들은 보이지 않았다. 보이지 않았으므로, 헛것인지 실체인지 알 수가 없었다. 모든 헛것들은 실체의 옷을 입고, 모든 실체들은 헛것의 옷을 입고 있는 모양이었다. (중략) 내 칼은 보이지 않는 적을 벨 수는 없었다. 나는 맑은 청정수를 들이켜고 싶었다. 이 세상과의 싸움은 불가능한 것처럼 느껴졌다. 헛것은 칼을 받지 않는다. 헛것은 베어지지 않는다.[6]

인간이 신의 금기를 어기는 반역을 통해 자유의지의 주체로서 탄생한다면, 김훈의 이순신은 이처럼 "집중된 중심"을 비움으로써 반시대적인 자율적 개인으로 변모한다. 그는 이제 더 이상 우리가 알고 있는, 충(忠)과 우국(憂國)의 명분 앞에 목숨을 바치는 역사적인 구국의 영웅이 아니다. 그는 오히려 '충'과 '우국'의 논리를 "실체 없는 헛것"으로 부정하면서, 자신의 "무인된 운명을 깊이 시름"하는 고독한 개별자에 지나지 않는다.[7] 그가 맞서 싸워야 하는 것은 왜적이라는 구체적 대상이 아니라 "적의의 근원"도 알 수 없고 벨 수도 조준할 수도 없는 무정형의 적, 자신의 운명 자체이다.

말하자면 김훈의 『칼의 노래』는 부패하고 모순된 현실을 향한 저항의 서사, 이순신을 소재로 한 또 하나의 구국영웅담을 의도하지 않는다. 작가는 철저하게 역사주의적 원근법을 배제한 지점에서 『칼의 노래』를 창출한다. 단적으로 작가의 관심은 이순신이라는 인물을

---

5 김훈, 『칼의 노래』, p.201.

6 김훈, 『칼의 노래』, pp.41-44.

7 "나는 나의 충(忠)을 임금의 칼이 닿지 않는 자리에 세우고 싶었다. 적의 적으로서 죽는 내 죽음의 자리에서 내 무(武)와 충(忠)이 소멸해 주기를 나는 바랐다." 김훈, 『칼의 노래』, p.68.

부조해 낸 역사와 시대의 모순된 현실에 있지 않다. 그는 보다 본질적이고 존재론적인 층위에서, 진리의 중심 혹은 전체성의 사유, 그 외부의 존재 방식을 문제 삼는다.

그런 의미에서『칼의 노래』에 붙인 "이순신―그 한없는 단순성과 순결한 칼에 대하여"라는 부제는 함축적이다. 김훈이 말하는 이순신의 "한없는 단순성"과 '칼의 순결함'은 완벽하게 무가치적인 이념의 진공 지대에서 비로소 구현 가능한 무엇이다. 이순신의 '단순성'은 세상에 통용되는 모든 가치와 이념들의 무게를 털어 냄으로써 획득된다. 이는 "임금의 몸과 적의 몸이 포개진 내 몸"[8]의 상태를 벗어나 순수한 "내 몸"으로 돌아가는 것이며, "옷을 입은 존재"로서 부여되는 공동의 정체성을 던져 버리는 것이다.[9] '칼의 순결함' 또한 이와 유사한 맥락에서 도출된다. 칼의 '불순한' 욕망은 언제나 살육과 쟁투, 반목으로 이어지는 인간 삶의 역장(力場)에서 생성된다. 무기로써의 칼의 논리는 칼로서 지키고 거두어야 할 어떤 이념과 욕망의 테두리 안에서만 정당화되는 것이다. 이순신의 칼은 그 가치 지향적인 욕망이 부재하는, 무기(無機)의 칼이며 광물(鑛物)의 칼로서 '순결함'을 얻는다. 그러므로 이순신의 칼은 적을 향하지 않고 적의 몸을 향하여 작동하며, 칼의 "공업적인" 즉물성으로만 존재한다.[10]

---

8 김훈,『칼의 노래』, p.166.
9 레비나스는 이데올로기나 국가 등과 같은 공동의 항을 매개로 해서 만나는 타자를 가리켜 "옷을 입은 존재들"이라 부른다. 이는 타자 자체로서의 타자가 아니라 이데올로기, 특정 가치 등의 옷이 입혀진 존재로서의 타자라는 뜻에서 붙여진 말이다. 그에 의하면 "세계 안에서 타인은 그가 입은 옷 자체에 지배되어 있는 대상"이며, 모든 맥락에서 떠나 타자 자체로서 고려되는 타자의 성격은 "벌거벗음"이라고 일컫는다. 서동욱,『차이와 타자』, 문학과지성사, 2002, pp.317-318 참조.
10 이순신의 싸움은 힘의 문제, 의지의 문제다. 그 싸움에는 어떠한 중심, 이데올로

김훈은 이의 대척점에 '히데요시'와 '이사부'의 칼을 세움으로써, 하나의 질서로 집중되는 전체성의 사유를 부정한다. 이순신이 "집중된 중심"을 해체하는 자라면 히데요시와 『현의 노래』의 이사부는 중심을 만들고 그 중심에서 세계를 구성하고자 하는 자들로서 서로 대비된다. 특히 『현의 노래』의 이사부는 단순히 가야 정벌의 전쟁을 수행한 역사적 인물로 그려지지 않는다. 김훈은 그에게 "광대하고 길들여지지 않은 광막한" 바다를 향해 정복의 의지를 키우는, 파우스트적 욕망이라는 근대적 의장을 덧씌워 놓는다. 괴테의 파우스트가 인식의 힘을 통해 "나의 자아를 온 인류로 확대시키는" 방식의 전체성을 지향한다면,[11] 이사부는 칼과 무(武)의 힘으로 "거칠고 피 흘리는 세상"을 정돈하고 통합하는 "하나의 질서"를 추구한다. 그들은 모두 멀고 아득하며 거칠고 위태로운 "풍문의 바다"를 명료한 눈앞의 실체로서 인식하고, 개별과 전체의 심연을 넘어 하나의 바벨탑을 세우려는 형이상학적 욕망의 소유자이다.[12] 이사부가 길고 긴 "한 생애"를 잔혹한 살육의 전쟁터에서 보내는 것은, "아수라"를 지나면 "여래의 나라에 닿을 수 있다"는 그만의 논리와 믿음이 있기 때문이

기, 선악이 개입하지 않는다. 그는 오직 무인(武人)이기 때문에 싸운다. 그의 칼이 베는 것은 그러므로 악이 아니라, 선명하게 그려지는 물질성, 육체로서의 '몸'이다. 전장에서의 싸움이 "몸의 일"이라는 논리는 이런 맥락에서 제출된다. "싸움은 세상과 맞서는 몸의 일이다. 몸이 물에 포개져야만 나아가고 물러서고 돌아서고 펼치고 오므릴 수가 있고, 몸이 칼에 포개져야만 베고 찌를 수가 있다. 배와 몸과 칼과 생선이 다르지 않다." 김훈, 『칼의 노래』, p.131.

11 요한 볼프강 폰 괴테, 『파우스트 1』, 정서웅 역, 민음사, 2003, pp.251-264 참조.

12 이사부는 풍문과 전설로만 떠도는 어둠의 땅과 바다, 날것과 물컹, 빛과 어둠의 순환이 착종되어 있는 카오스의 세계를 "하나의 정돈된 질서" 아래 명료한 실체로서 드러내고 구획하고 계몽하는 정복자 혹은 선각자의 이미지로 형상화된다. 김훈, 『현의 노래』, pp.124-128 참조.

다.[13] 그는 마치 문명의 빛으로 어둠을 잠재우고, 이성과 계몽의 힘으로 역사를 완성할 수 있다고 믿었던, 오만한 근대인의 얼굴과 닮아 있다. 김훈은 이사부의 이러한 욕망이 발전과 진보의 신화에 사로잡힌 인간의 헛된 미망이며 가상일 뿐이라고 진단한다. 이는 '흥륜사'의 종에 새겨진, "종은 둥글고 비어 있으니 진리의 모습이 이와 같아라"라는 '종명(鐘銘)'의 문구에 당혹하고 또 그 종소리에 전율하는 이사부의 모습을 통해서도 간접적으로 드러난다.[14] 그렇다면 진리는 비어 있고, 빈 것이 곧 진리이다. 이사부의 "집중된 중심"은 이처럼 "모든 것을 부정하는 정신"에 의해 흔들리고 해체된다.

전체로서 작동하는 이념의 도식성과 폭력성에 대한 비판적 사유는 데뷔작인 『빗살무늬토기의 추억』에서 가장 직접적으로 제시된다. 이 소설의 주 인물인 소방관 장철민은 문명의 역사를 따라 진화하지 못하고 그 무리의 외부에서 떠도는, 시원적(始原的) 인간의 표상이

---

13 "다시 젊은 날의 영일만이 이사부의 눈앞에 떠올랐다. 얼마나 많은 아수라를 건너가야 이 세상은 하나의 정돈된 질서로 아늑할 수 있으랴. 아아, 나는 너무 늙었구나 ……."(김훈, 『현의 노래』, p.172.) "살생을 모두 거치면 아마도 살생은 사라질 것이다. 그렇다기보다는, 그렇기를 바란다. 아수라를 지나지 않고서 어찌 여래의 나라에 닿을 수 있겠느냐. 사람은 날아서 갈 수 있는 것이 아니다. 아마도 우리 선왕의 뜻이 그러한 것이었을 게다."(김훈, 『현의 노래』, p.174.)

14 흥륜사의 종명(鐘銘)은 피 흘리는 전쟁과 정복을 통해 세상을 하나의 질서로 통어하는 방식으로 아수라를 건너고자 했던 이사부의 생애가 미망이었음을 드러낸다. 종명에 의하면 아수라의 땅에 꽃을 피우는 것은 세상을 정복하는 병장기의 힘이 아니라 비어 있으나 그 비어 있는 힘으로 세상을 향해 퍼져 나가는 사찰의 종소리와 같은, 중심이 부재하는 기구(祈求)이며 원망(願望)이다. 종명은 다음과 같다. "산과 강은 곱게 뻗어 누리에 가득 차고 들에 박힌 백성들은 별과 같구나. 진리는 넘치되 보이지 않고 지극한 소리는 들리지 않으니 이 둥근 종소리가 누리에 퍼져 아수라의 땅에 꽃이 피리라. 종은 둥글고 비어 있으니 진리의 모습이 이와 같아라." 김훈, 『현의 노래』, p.182.

다. 포클레인 기사나 소방수로 떠돌면서 그 어디에도 안착하지 못하던 그의 삶이, 문명의 시발점이라 할 수 있는 프로메테우스의 '불'과의 싸움으로 마감된다는 사실은 매우 상징적이다. 최초의 발화점을 찾아 끝내 목숨을 건 사투를 감행하는 그의 행위는, '면사첩'을 태우고 '중심'을 해체하는 이순신의 내적 논리에 그대로 상응한다. 작가는 서술자인 '나'의 입을 통해 직접적으로 장철민의 삶과 죽음을 주해한다. 그에 따르면 장철민의 의도적인 죽음은 모든 것을 균질화하는 "세상의 질서와 문법"에 대한 항명이며, 인간의 '노동'이 '노임'이 되는 세상의 "수락할 수 없는 변별 작용"에 대한 부정이다.[15]

자신의 손바닥과 발바닥을 통해 몸속을 드나들던 삶과 시간의 그 공유할 수 없는 직접성과 그것을 밥으로 치환시키는 이 세상의 질서 사이에서 두 발로 설 자리를 잃었거나, 아니면 그 안개 같았을 직접성의 바다 위에서 세상의 질서를 수락할 수 없었기 때문에 인간이 세상에 대하여 가하는 그 수락할 수 없는 변별 작용을 부수려는 그런 어처구니없는 항명을 자신의 내부에서 이무기처럼 키우게 된 것이나 아니었을까.[16]

자본주의와 해수관음상의 논리가 뒤섞인 세상의 문법은, 오로지

---

15 '나'의 눈에 장철민은 포클레인이나 불도저로 땅을 파고 흙을 미는 노동의 직접성으로 생존하는, 신석기 시대의 인간과 유사한 존재이다. 그러기에 그는 "노동에서 노임으로 건너갈 수가 없었던 것"이고 "노임이라는 추상성을 밟고 나갈 수도 없었고 그 추상성 속으로 자신의 생명을 들이밀 수도 없었다"고 설명한다. 김훈, 『빗살무늬토기의 추억』, p.185 참조.
16 김훈, 『빗살무늬토기의 추억』, p.128.

손으로 전해지는 연장과 기계의 '직접성'만을 수락하는 신석기인에게 영원히 낯설고 불가해한 것이다. 수천 년의 시간을 거슬러 빗살무늬토기 시대의 인간을 차출하는 작가의 의도는, 단지 자본주의 문명에 대한 비판에 있지 않다. 신석기인 장철민은 언제나 "어떤 필연성"과 전체성으로 전화(轉化)하는 거대 이념과 체제의 외부로서 소명된다. 이런 맥락에서 수억 년의 진화와 유전의 단계를 거치면서도 그 종족의 문양으로 편입되지 않고 "차폐된 만다라의 문양"을 간직한 '청거북'의 삽화는 작가의 핵심적인 전언에 값한다.[17] "차폐된 만다라의 문양"은 곧 김훈 소설의 주인공들이 공유하는 본질적인 표징이다. 그들은 개별성과 고유성으로 우뚝 서서 "집중된 중심"을 풀어헤치고 진리와 의미의 부재를 스스로 실현하는 자이며, 또한 "모든 것을 부정하는 정신"이다. 텅 빈 '몸', 완벽한 단독자, 공동체의 밖으로 나온 "초월론적 고향 상실자"로서 그들은 하나의 외부, 담장을 넘어선 탈옥수이다. 신을 거역한 인간이 낙원 추방의 운명을 피할 수 없는 것이라면, 정처 없이 떠도는 부랑아의 숙명은 그들이 자초한 삶의 방식이다. 무내용과 무의미로 뒤엉킨 세상에 그들이 거처할 장소는 없다.[18] 그들은 언제나 "물 위에 뜬" 인간이며, 그 부랑과 무숙

---

[17] "그 문양은 파충류 수억만 년의 피가 새로 생식되는 한 마리의 청거북의 배에 내리찍는 종족의 문양이었고, 닿을 수 없는 시원성(始原性)의 문양이었지만, 청거북마다 배 위의 문양은 제가끔 다른 것이어서, 그 문양은 그것이 새겨진 한 마리의 개별적인 청거북에게만 혹시라도 어떤 의미를 지닐, 차폐된 만다라의 문양이었다."(김훈, 『빗살무늬토기의 추억』, p.36.) '나'는 장철민의 모습에서 "그 자신에게만 유효하거나 그 자신에게만 어떤 의미를 지닐" "청거북의 배에 각인된 문양" 같은 것을 보거니와, 그런 맥락에서 균질화된 세상에 흡수되지 못하는 소방관 장철민의 죽음은 피할 수 없는 그의 숙명으로 읽힌다.

[18] "이 끝없는 전쟁은 결국은 무의미한 장난이며, 이 세계도 마침내 무의미한 것인가."(김훈, 『칼의 노래』, p.21.) "세상은 뒤엉켜 있었다. 그 뒤엉킴은 말을 걸어 볼

(無宿)의 운명은 죽음으로써만 종결된다. 죽음은 그들이 수락해야 할 유일한 진리이며 거처이다. "목숨을 벨 수는 있지만 죽음을 벨 수는 없다"는 자명한 사실만이 그들이 궁극적으로 마주한 진실이며 필연성인 것이다. 김훈 소설의 전체를 감도는 육체와 감각의 논리가 여기서 배태된다. 절대로 부정할 수 없는 죽음의 필연성 앞에서, "나는 생물적 목숨의 끝장이 두려웠다. 나는 견딜 수 없는 세상에서, 견딜 수 없을 만큼 오래오래 살고 싶었다"[19]로 집약되는 삼엄한 생존의 논리가 출현한다.

말하자면, 김훈은 그가 스스로 비워 낸 진리의 진공 지대에 자연적이고 본원적인 인간의 육체성을 명료한 실체로서 정초한다. 보고 듣고 만지는 것, 먹고 마시고 배설하는 것, 몸에서 몸으로 흐르고 섞이는 것, 늙고 병들고 죽는 것, 그 분명한 실감에 의해서 획득되는 육체의 실존만이 누구도 부인할 수 없는 진리이며 실재라는 사유 위에서, 김훈의 "잔혹한 리얼리즘"과 그의 소설이 작동한다.[20] 그의 소설 속에서 인간은 하나의 자연이고, 삶과 죽음을 둘러싼 모든 일들은 원초적 자연성의 토대 위에서 해석된다. 이른바 '자연사(自然死)'를 향한 작가 김훈의 집요한 추구와 욕망이 그의 문학의 "집중된 중심"을 형성하는 것이다.

3. '집중된 중심'─생의 직접성과 자연사의 욕망

수 없이 무내용했다."(김훈, 『칼의 노래』, p.165.)

19 김훈, 『칼의 노래』, p.203.

20 김훈은 그의 소설이 인간의 운명에 대한 연민을 배제한 "잔혹한 리얼리스트"의 글 쓰기라고 자평한다. 김훈·신수정(대담), 「아수라 지옥을 건너가는 잔혹한 리얼리스트」, 『문학동네』, 2004.여름, p.318 참조.

허공중의 망루는 텅 비었고, 더 이상 아무도 인간의 마을을 정찰하지 않는다. 집은 불탔고 어둠 속의 먼 바다는 막막하다. 달은 하늘 위에 차갑게 빛나지만, 고독과 공포는 사라지지 않는다. 김훈 문학의 첫 장면은 아마도 이렇게 시작된다.[21] 그것은 감각할 수 있는 풍경이지 명료하게 인식 가능한 세계는 아니다. 그래서 그는 때로 "내 인식 기능을 핀셋으로 뽑아내서 화염 속에 던져 버리고 싶었다"[22]고 말한다. 인식의 주체로서 인간은 미네르바의 주피터를 열망하지만, 그것은 언제나 불가능한 꿈이다. 자기 꼬리를 물고 있는 우로보로스처럼, 사유는 사유를 낳을 뿐 명증한 실체를 보여 주지 못한다. 그런 의미에서 "애초부터 뒤섞여서 분별해서 말할 수 있는 것은 없다"는 김훈의 통찰은 설득력을 얻는다. "모호한 것과 명석한 것, 몽롱한 것과 확실한 것, 희부연 것과 뚜렷한 것"의 경계는 살아갈수록 흐려지고 뒤섞인다.[23] 인식의 언어로 경계를 세우고 개념화된 언어로 전체성을 구현하고자 하는, 초월에의 욕망은 끝없지만 또한 허망한 것이다. 김훈이 보기에 그것은 속된 말로 "개수작"이며, 문학적으로 반리얼리즘이다.[24] 때문에 그는 인식보다는 감각을, 무형의 거대 담론

---

21 『빗살무늬토기의 추억』은 김훈의 데뷔작이고, 이 소설의 서두에는 "유년의 녹슨 망루"로 표상되는 하나의 삽화가 등장한다. 피난지 부산 영도에서 소설의 화자인 어린 '나'가 보았던 인간사는, 전쟁의 혼돈 속에서 도시 전체가 파도에 실려 표류하고 세상의 재난을 정찰하는 소방대의 철제 망루는 텅 비어 버린, 공포와 고독의 세계이다. 김훈 소설의 일종의 원체험이라 할 이 삽화는 삶에 대한 "치매한 두려움"과 가위눌림으로 "내 유년의 마음속"에 각인되어 있다. 김훈, 『빗살무늬토기의 추억』, pp.23-26 참조.

22 김훈, 『빗살무늬토기의 추억』, p.12.

23 김훈, 『빗살무늬토기의 추억』, p.79.

24 이를테면 김훈에게 '거대 담론'을 논하는 것은 일종의 "개수작"이다. 이는 아마도 그의 논리를 따르면 "현실 속에서 우리 인간이 구현할 수 있는 것"과 무관하다는

보다는 명징한 감각적 사실에 기반하는, "잔혹한 리얼리스트"를 자처한다. 데카르트는 감각을 오류와 타락의 원천으로 철학에서 배제했지만, 김훈은 그 버려진 감각을 우리 생의 판명한 리얼리즘의 차원으로 복권시킨다. 감각적 사실에 강박된 자로서 그는 예수의 부활을 의심했던 도마의 모습과 닮아 있다. 도마에게 신성은 피 흘리고 찢긴 상처의 구멍, 그 육체성에 의해서 비로소 실재한다. 김훈 또한 "내 육신으로 확인할 수 있는 것들", "오줌이 마렵듯이 확실한 생"의 사태와 흔적만을 분명한 사실로 수락한다. 희망과 안위의 이름으로 쌓아 올린 가치와 이념의 체계들, 그 모든 진리의 중심에 대한 부정은 그런 맥락에서 진행된다.

육체와 그 몸에 새겨지는 감각적 사실성에 대한 믿음은 김훈 문학이 딛고 있는 가장 확실한 지표이다. 이성 우위의 역사로 전개되는 문명화의 과정이 감각의 퇴화와 축소를 불러온다면, 김훈 소설의 인물들은 여전히 그 감각의 세계에서 살고 있거나, 그 육체의 직접성으로 세상과 대면하고 세상을 해석한다. 동물적인 감각과 몸의 기억은 그들이 대상과 세계를 전유하는 방식이며, 삶의 사태는 특히 예민한 후각을 통해서 인지된다. 때문에 그의 소설에는 시취(屍臭)와 누린내, 비린내와 젖내, 햇빛과 화약의 냄새 등 온갖 냄새와 감각적 풍경이 산재한다. 말하자면 김훈의 소설은 그 직접적인 냄새와 몸과 몸으로 이루어지는 감각적인 소통만이 엄연한 실재이며, 실존을 보증한다는 입장 위에 구축된다. 그의 소설에는 포클레인이나 칼, 악기 따위의 연장이나 도구에 대한 세밀한 묘사가 빈번한데, 이 또한

점에서 그러하다. 김훈·신수정(대담), 「아수라 지옥을 건너가는 잔혹한 리얼리스트」, pp.302-303 참조.

몸의 직접성에 대한 천착과 관련된다.

『빗살무늬토기의 추억』『칼의 노래』와 『현의 노래』「화장」으로 이어지는 그의 소설들은 모두 감각적 실존이라는 원근법에 의해 직조된다. 여기서 '몸'은 이성의 논리로 구성된, 이른바 '헛것'을 부정하고 해체하는 대항 기제이며, 삶이 모호하고 불투명한 것으로 느껴질수록 몸의 감각적 확실성에 대한 집착은 증대된다. 『빗살무늬토기의 추억』에서 장철민은 몸의 직접성으로 전해 오는 노동과 삶의 방식만을 고집한다. 작가는 상징적으로 장철민의 죽음과 "이 세계의 물리적 전체와 발생론적 근본"을 상징하는 '관태루(觀太樓)'라는 거대한 건물을 연결시킴으로써,[25] 그의 죽음이 '헛것'과 결별하는 생의 직접성을 향한 투신이라는 점을 상기시킨다. 『칼의 노래』에서도 이순신의 싸움과 죽음은 순전하게 몸의 싸움이며 몸의 죽음인 것으로 묘사된다. 이순신에게 "싸움은 세상과 맞서는 몸의 일"이며, 충과 우국, '천하포무(天下布武)'의 깃발 아래 진행되는 이념적 전쟁이 아니다. 차라리 그는 "여진의 몸을 안는 힘"으로, 몸과 몸이 겹치고 흐르고 합쳐지는 그러한 싸움을 갈망한다. '헛것'의 이념으로 진행되는 전쟁은 그에게 끝내 수락할 수 없는 것이다. 작가는 장철민과 이순신의 죽음은 모두 어떤 이념과 무관한 자리, 순수한 몸의 죽음이라는 의미에서 '자연사'라고 말한다.[26] '자연사'는 "비가 내리고 바람이 불어 나뭇잎이 지는 풍경"과 같은 죽음이며, "본래 그러한 것"으로서의 죽

---

25 김훈, 『빗살무늬토기의 추억』, p.175 참조.

26 "그러므로 내가 지는 어느 날, 내 몸이 적의 창검에 베어지더라도 나의 죽음은 결국은 자연사일 것이었다. 비가 내리고 바람이 불어 나뭇잎이 지는 풍경처럼, 애도될 일이 아닐 것이었다. 나는 다만 임금의 칼에 죽기는 싫었다. 나는 임금의 칼에 죽는 죽음의 무의미를 감당해 낼 수 없었다." 김훈, 『칼의 노래』, p.65.

음이다. '자연사'는 또한 "본래 그러한 것"의 죽음이기에 미화되거나 애도될 필요가 없는 죽음이다. '자연사'를 둘러싼 김훈의 논리는, 인간은 사회적 존재 이전에 생멸의 순환적 고리를 타고 도는 생물학적이고 자연적인 존재라는 인식에 기반한다. 그는 어쩌면 인간은 자연적 존재라는 논리로써 '이념적 코기토'(데카르트)에 기반하는 근대성의 사유 전체와 맞서려는 야심찬 전략을 구사하고 있는지도 모른다.

이성적으로 사유하고 계획하고 경계 짓는 인간 존재를 하나의 생물적 자연성으로 전치시키는 그의 논리는 『현의 노래』에서 특히 분명하게 드러난다. 이 소설의 중심인물은 악사 '우륵'이지만, 작가는 미분화된 존재로서 그 자체가 자연이라 할 수 있는 인물들을 조형하고 배치해 놓는다. '아라'와 '비화'와 '니문'은 모두 오로지 자연적 육체성으로만 존재하는, 숲과 바람과 강의 자식들이다. 그들은 그저 "오줌 누는 여자"이고 계절의 변화와 달의 시간에 따라 몸의 냄새가 바뀌는 암컷이며, 쥐나 새처럼 근본도 없고 아비도 없는 남자이고 무엇보다 까치와 물고기, 흰 왜가리와 소통하는 자연의 사람들이다.[27] 그들은 자기만의 고향과 영토를 구축하지 않으며, "옮겨 사는 모든 고을의 비바람과 더불어 아늑하고"[28] 어디서나 평안한, 그 생명으로서 자족한 존재들이다. 자연과 자연으로서의 삶은 인간의 마을에 고착되어 있는 모든 이념과 가치 중심들을 부정하고 김훈 문학이 궁극적으로 발견한, 세계의 실체이자 본질에 해당한다. 김훈이 보기에 자연은 언제나 무의지적이고 무지향적이며 다만 영원히 순환하는 생명성으로 부단히 새롭다.

---

27 김훈, 『현의 노래』, pp.66-70 참조.
28 김훈, 『현의 노래』, p.66.

고을들은 왜 젊은 시녀들의 젖봉우리 두 개처럼 스스로 자족하며 살아가지 못하며, 백성들은 왜 새 떼처럼 아늑한 숲을 찾아 이리저리 날아다니며 살지 못하는가. 어째서 나라는 쇠붙이로 막아 내야 하며 나라마다 대장간을 짓고 쇠붙이를 두드려 날을 세우는가. 저 위태로운 고을들을 쇠붙이의 세상에 남겨 두고 어찌 죽을 것이며, 저 고을들을 다 죽여서 데리고 가야 하는 것인가. 그러나 아마도, 빼앗긴 고을이 무너진 것은 아니리라. 고을들은 왕의 것도 아니고 나라의 것도 아니어서 뉘 땅이 된들 고을은 살아갈 것이다. 그러므로 고을은 무너지지 않는다.[29]

전쟁으로 "버려진 섬에도 꽃은 피고", 역질(疫疾)의 죽음들이 번져 가는 동토에도 "무싹"은 솟아오른다. "적의 멱통 앞에서도 넓은 들은 기름지고 여름의 논밭은 푸르다." "일월(日月)은 본래 태평해서 바람 부는 들에는 숲이 서걱일 뿐 아무 일도 없으며", 송장으로 뒤덮여도 "바다는 언제나 낯선 태초의 바다"로서 여일하다. 또한 그 자연 안에서 "스스로 살아가는 백성들의 생명은 모질고도 신기"해서 "송장더미 옆에서도 백성들의 오일장은 평화롭다." 그렇다면, 김훈은 묻는다. "고을들은 왜 젊은 시녀들의 젖봉우리 두 개처럼 스스로 자족하며 살아가지 못하며, 백성들은 왜 새 떼처럼 아늑한 숲을 찾아 이리저리 날아다니며 살지 못하는가"라고. 죽어 가는 가실 왕의 이런 의문은 작가 김훈이 스스로에게 던진 물음이며, 이는 본질적으로 동일화와 영토화의 원리로 작동되는 근대 이성과 문명의 존재 방식에 대한 우회적인 질문으로 제출된다. 세계가 그대로 하나의 자연이

---

29 김훈, 『현의 노래』, p.39.

고 인간은 그 자연의 일부라면, 그 자연의 땅에 쇠와 칼의 유동하는 흐름을 따라 나라를 세우고 둥지를 트는 것은 임의적이고 우연적인 사태에 불과하다.

그런 의미에서, 김훈은 답한다. "강은 어느 나라의 강도 아니며, 강은 다만 저녁의 강이고 노을의 강"[30]일 뿐이고, "빼앗긴 고을"은 "무너진 것은 아니"고 "고을들은 왕의 것도 아니고 나라의 것도 아니어서 뉘 땅이 된들 고을은 살아갈 것"이라고. 그는 또 말한다. 나라들은 "산맥이 갈라지는 틈새마다 강과 강 사이마다" 풀이 돋듯 돋아나고 물고기가 살 듯 서식하는 것이라고.[31] 이제 김훈의 사유 안에서, 모든 것은 자연성이라는 하나의 소실점으로 집중된다. 자연은 더 이상 문명화의 관점에서 조망되는 금지와 정복의 대상이 아니며, 인간의 마을 밖에 존재하는 무감한 풍경도 아니다. 그것은 차라리 모든 것의 기원이며 궁극이다. 인간도 고을도 나라도 모두 그 자연 안에서 서식하고 생장하고 소멸하는, 금수나 초목과 같은 "본디 그러함"의 자연 순환성으로 번역되고 통합된다.[32] 중심은 해체되고 경계는 무너진다. 생멸하는 자연적 순환성의 자장 안에서 '주인'은 어디에도 없고, '고향'은 어디에나 있다. 이런 논리에서, 악사 '우륵'의 존재 방식과 그의 예술론이 탄생한다.

---

30 김훈, 『현의 노래』, p.84.

31 김훈의 논리 속에서 '나라'는 제도적이고 역사적인 차원의 산물이 아니라, 인간의 의지와는 무관하게 서식하고 생장하는 자연적인 것이다.

32 이러한 논리는 그의 또 다른 소설 『남한산성』에서도 그대로 이어진다. "왕조가 쓰러지고 세상이 무너져도 삶은 영원하고 삶의 영원성만이 치욕을 덜어서 위로할 수 있는 것이라고, 최명길은 차거운 땅에 이마를 대고 생각했다. 그러므로 치욕이 기다리는 넓은 세상을 향해 성문을 열고 나가야 할 것이었다." 김훈, 『남한산성』, p.236.

4. 무숙자의 상상력과 예술의 존재 방식

일종의 예술가소설인『현의 노래』는 김훈 문학의 미학적 입지와 사유를 분명하게 보여 준다. 몸의 직접성과 감각적 사실로써 세상을 전유하고자 하는 김훈 문학의 일관된 관점은 악사 우륵에게도 그대로 투영된다.『칼의 노래』의 이순신이 싸움을 오직 모든 이념에서 벗어난 "몸의 일"로써 수행하고자 한다면, 악사 우륵 또한 '소리'를 순수한 '육신'의 일로써 인식한다. 소리 혹은 예술은 '육신'을 떠나서는 존재하지 않으며, "살아서 들릴 때만이 소리"이고 예술일 수 있다는 것인데, 이는 "소리의 근본은 물(物)을 넘어서지 못한다"[33]는 함축적인 명제로 반복적으로 표명된다.

니문아, 이 산골에 주저앉아 죽을 수야 있겠느냐. 죽으면 육신이 없어지고 마음도 없어진다. 소리는 육신의 일이고 마음의 일이다. 살아서, 들릴 때만이 소리이다.[34]

니문아, 봐라, 가야는 무너지는구나, 라고 말할 때 우륵의 목소리는 낮았고 흔들림이 없었다. 니문은 스승의 그 조용한 말투에 무서움을 느꼈다. 스승의 말투는 해가 뜨는구나, 바람이 부는구나, 라는 말투처럼 들렸다. 스승의 말투에서는 무너지는 나라에 대한 비애가 느껴지지 않았다. 가야는 무너지는구나, 라고 말할 때, 스승의 마음속에 무엇이 들어 있는 것인지, 니문은 난감했다.[35]

---

33 김훈,『현의 노래』, p.21.
34 김훈,『현의 노래』, pp.43-44.
35 김훈,『현의 노래』, p.49.

우륵의 서사를 통해 김훈이 주장하는 핵심 논리는 예술 혹은 예술가는 철저히 개별적인 주관성으로 존재할 뿐, 그 밖의 어떤 장소에도 귀속되지 않는다는 것이다. 우륵은 망해 가는 나라를 등지고 적국을 향하면서도 아무런 자책이나 비애를 느끼지 않는다. 그에게 망국의 현실은 해가 뜨고 바람이 부는 일과 다를 바 없는 자연적 현상에 불과하다. 말하자면 우륵은 애초에 나라의 밖에 서 있는 자, 중심을 비워 버린 자이다. 그런 의미에서 예술은 또한 어떠한 이념이나 가치로부터도 자유로운 텅 빈 몸으로서 존재한다. 때문에 작가는 우륵의 예술적 망명을 망명이 아니라, 예술의 본래 그러함의 숙명을 따르는 행위로서 조망한다.

예술을 이처럼 무귀속적이고 탈이념적인 것으로 보는 김훈의 논리는 악공 우륵이 악기를 만드는 과정을 통해 비유적으로 표현되기도 한다. 우륵이 악기를 만드는 일은 나무를 자르고 그 자른 나무로 널판을 만들어 대숲에 넣어 말리는 긴 기다림의 시간을 지나야 비로소 시작된다. 널판은 겨우내 얼고 또 녹는 단련의 시간을 거쳐 "육기(肉氣)가 빠져 재료의 뼈대만으로 마르는 날", 악기가 될 널판의 자격을 얻는다.[36] 널판이 제 몸의 소리에 잠겨 있으면 남의 소리를 울려 내지 못하고 소리를 흡수하거나 튕겨 내기 때문이다. 마찬가지로 김훈에게 예술은 텅 빈 몸의 자리에서 "세상의 온갖 구석구석을 몸뚱이로 부딪치고 뒹굴면서 그 느낌을 자기의 것으로 받아 내는"[37] 방식으로 존재한다. "소리가 물(物)의 근본을 넘어서지 못한다"는 명제는 그러므로, 예술이 본질적으로 아나키적이며 경험론적이고 감

---

36 김훈, 『현의 노래』, pp.85-86.
37 김훈, 『개』, p.24.

각적인 수취의 형식이라는 이중적 함의를 지닌다. 김훈은 이러한 예술, 이러한 문학의 존재 방식을 리얼리즘이라 부른다. 김훈의 리얼리즘은 근대의 균질화된 경험과 시간을 거스르는 개별적이고 주관적인 감각적 실존의 방식을 지향한다. 이런 맥락에서 김훈은 형이상학적이고 우주론적인 차원으로 상승되는 관념적이고 추상적인 문학에 대해서는 매우 비판적인 시선을 보낸다. 그가 보기에 그러한 문학은 "인간의 일들을 인간의 바깥쪽으로 끌어내는" 현실 초월의 언어들이며, 반리얼리즘의 영역에 속하기 때문이다. 반면에 김훈의 리얼리즘은 철저하게 아나키적인 토대에서 예술을 사적인 경험론의 층위로 끌어감으로써, 상대주의적이고 탈역사주의적인 공동(空洞)의 지대로 나아간다. 그 문학적 공동의 지대에서 그의 문학은 자칫하면 사적인 독백이나 독단의 언어로 떨어질지도 모른다. 그의 소설이 주로 일인칭의 형식을 고수하거나, 어떤 하나의 강박적이고 동일한 사유로 채워지는 것도 이와 무관하지 않다.

우륵은 그의 제자 니문에게 "악기는 아수라의 것"이라고 말한다. 예술의 신 오르페우스가 지하 세계로 내려가는 것은 그의 아내와 함께하는 보다 완전한 부상(浮上)을 예감하기 때문이다. 우륵의 말처럼 예술의 자리가 아수라에 있다면, 그것은 언젠가 그 아수라를 통과할 수 있다는 구원의 희망으로 가능한 것이다. 부정하는 정신은 또한 그 부정을 딛고 어떤 긍정의 힘을 창출하기 위한 부정일 때, 의미와 가치를 얻는다. 희망 부재의 자리에서 그럼에도 불구하고 희망을 말하는 것은, 우리는 그 희망의 힘으로만 "한순간이나마 숨을 쉴 수 있기" 때문이다.[38] 그러나 김훈의 "모든 것을 부정하는 정신"으로서

---

38 아도르노, 『미니마 모랄리아』, 김유동 역, 도서출판 길, 2005, p.18.

의 아나키는 그 희망과 구원을 배제한 지점에서 움직인다. 그의 부정은 부정이 곧 목적인, 부정을 위한 부정이라는 강박적이고 고착적인 방식으로 작동한다. 자라고 죽고 다시 나는, 생성과 소멸만을 부단히 되풀이하는 순환적인 자연의 세계에 발전이란 존재하지 않는다. 김훈이 꿈꾸는 것은 이러한 자연성으로서의 인간이고 삶이며 예술이다. 그곳에 인간이 걸어야 할 미래는 없다. 봄이 가고 여름이 가고 가을, 겨울이 오듯, "시간의 빛들은 끝없이 태어나서 이어지고 또 흩어질 것이지만"³⁹ 그 시간은 늘 새로운 시간이되 진전이 없는 시간이다. 그렇다면 아수라는 결국 언제나 아수라이며, 예술은 그 부정의 쳇바퀴로부터 헤어 나올 수 없다. "잔혹한 리얼리스트"는『개』의 주인공 진돗개 보리처럼 죽을힘을 다해 아수라의 세상을 온몸으로 받아 내지만, 그것은 "내 가난한 발바닥의 기록"에 불과할 뿐, 감각적 리얼리즘의 차원을 벗어나지 못한다. 그는 다만 사물이 존재하는 대로 사물을 바라보는 미메시스적 리얼리스트에 불과하다. 이제, 생로병사의 순환 고리를 끊어 버릴 수 없는 인간의 생물학적 육체성만이 명료하고 어두운 얼굴을 하고 작가 김훈의 소설 안으로 걸어들어온다. 「화장」과 「언니의 폐경」은 모두 그런 소설들이다.

5. 맺음말

김훈의 소설 쓰기는 여전히 진행 중이고 그의 문학적 항로 또한 변경될지도 모르지만, 애초에 그의 문학이 무리의 외부에서 무숙(無宿)의 운명을 자처하면서 탈역사의 방향으로 나아간 것은 분명해 보인다. 그 배면에는 "강산은 무진하다"로 집약되는 순환적 자연성에

---

39 김훈, 『현의 노래』, p.86.

강박된 김훈 문학의 본질적 사유와 논리가 놓여 있다. 역사의 밖에 선 김훈 소설의 인물들에게 남겨진 유일한 진실은 태어나고 늙고 병들고 죽어야 한다는 남루하고 누추한 사실뿐이다. 「화장」은 그 삼엄한 육체의 운명을 치밀하게 그려 낸다. 암으로 죽어 가는 여자와 전립선염을 앓고 있는 남자는 그러나, 같으면서 다르다. 여자는 죽음의 순간에도 자신의 개 '보리'의 비어 있을 밥그릇을 걱정하지만, 남자는 젊은 연인 '추은주'의 생명, 그 몸을 떠올린다. 김훈은 여자와 남자의 이러한 대비를 통해, 죽음은 언제나 확실한 사건일 뿐 그 이상의 배면은 없다는 사실을 다시 한 번 상기시킨다. '보리'는 불교적 깨달음의 경지, 니르바나의 상징이다. 끊임없이 '보리'를 염려하는 여자의 마음은 어떤 내세와 구원에 대한 희망과 관련된다. 남자에게 삶은 언제나 "살아 있는 것은 저렇게 확실하고 가득 찬 것"임을 입증하는 '추은주'의 푸르고 싱싱한 육체를 통해서만 의미 있고 "자족(自足)"한 것이다.[40] 작가는 소설의 말미에서 '보리'를 안락사시킴으로써, 삶과 죽음의 문제를 생물학적 육체성의 차원으로 분명하게 끌어들인다. 그 자명한 자연적 삶의 논리 앞에서, 인간의 관념적이고 정신적인 "내면 여행"은 허망한 것으로 치부된다. 그곳에는 선악도 연민도 사랑도 끼어들 자리가 없다.

김훈 문학의 일관된 특징 중의 하나는 삶과 죽음의 문제를 다루면서도 죽음에 대한 비극적 인식도 통탄도 보이지 않는다는 점이다. 그의 문학은 오히려 삶의 자연성에 대한 수락과 순응을 통해 어떤 달관과 체관의 경지로 나아간 것처럼 보인다. 화택(火宅) 앞에서 두려움에 떨던 어린 소년은 노회한 '견자(見者)'의 음성으로 삶과 죽음

---

40 김훈, 「화장」, 『강산무진』, p.55, p.63.

의 '본래 그러함'을 얘기한다. 그러나 깨달음은 소설의 몫이 아니다. "연못 속에 뿌리를 내리고 수백 년을 피고 지는 왕버들"[41]의 수동적인 자연성은 또한 우리 인간의 것이 아니다. 강인한 턱 선과 젖니와 걸음걸이로 유전되는, 피할 수 없는 인간의 "생물학적 씨내림의 법칙"이 지속되는 한, 우리는 안쓰러운 시선으로 과거와 현재와 미래를 더듬고 방황하고 되짚어 보며, 새로운 꿈을 꾸지 않을 수 없다. 어쩌면 인간 운명의 비극성은 생로병사의 자명성에 있는 것이 아니라, 그 자명성을 뚫고 나아가려는 인간의 부단한 욕망과 행위로부터 솟아난다. 세상의 끝을 보아 버린 자의 시선으로 "모든 것이 원래 그러하다"고 말한다면, 소설은 이제 박물관의 유리장 안으로 들어가 "맹렬한 적막" 속에 침전해야 하는 것인지도 모른다. 그러므로 "현의 노래"는 그 불가항력적인 인간 운명의 계선 위에서, 그 무모한 싸움과 모험의 길 위에서, 비로소 아름답게 울려야 옳다. 이를테면, 절도 스승도 인간으로 지키고 거둬야 할 도덕과 윤리의 선도, 그 모두를 뒤로한 채 야만적인 사각의 링 위에서 처참하게 쓰러지는 「머나먼 속세」의 복서처럼, 김훈의 문학은 이제 피 흘리고 다쳐 넘어지는 인간의 적나라한 속세로 내려와야 하지 않을까. 다시 거기서 삶과 죽음과 인간의 가치와 진리를 묻고, 그리고 피 흘려야 하지 않을까. 문학의 니르바나는 그 쾌락원칙에 몸을 떨며 쓰러지는 무지한 야만성과 어리석은, 처절한 속세의 일상 어딘가에서 그 좁은 문을 열어놓고 우리를 기다리고 있는 것은 아닐까. 그렇다면 김훈 소설은 이제 비로소 소설의 집으로 발을 들여놓기 시작했다고 말할 수 있을 것이다. 무숙자의 그 부랑한 짐을 내려놓으면서.

---

41 김훈, 「머나먼 속세」, 『문학동네』, 2004.겨울, p.289.

신성의 추구와 반역사주의의 논리
—정찬의 소설가소설

1. 머리말

정찬에게 소설 쓰기란 일종의 끊임없는 자기 탐구이며 자성의 형식이라 할 수 있다. 그의 문학적 이력에 대한 자전적 주석으로 읽히는 소설 「섬진강」에서, 정찬은 자신의 문학이 그 자신을 "유일한 독자"로 하는 오나니즘적 글쓰기의 산물임을 토로하고 있다.[1] 정찬의 많은 소설들이 작가나 예술가를 주인공으로 한 이른바 소설가소설 혹은 예술가소설이라는 사실은 이와 관련하여 이해할 수 있다. 첫

---

[1] 정찬의 네 번째 창작집인 『베니스에서 죽다』는 문학과 예술의 존재 방식에 대한 탐구라는 정찬 문학의 특징적 경향을 여실히 보여 준다는 점에서 주목된다. 여기에 실려 있는 거의 모든 작품들은 일종의 소설가소설 혹은 예술가소설로 읽을 수 있다. 특히 이 소설집 마지막에 수록되어 있는 「섬진강」은 정찬 문학의 내력을 보여 주는 자전적 고백의 서사이다. 그는 자신이 왜 "관념의 작가"가 되었는지를 분석하면서, 자신의 소설 쓰기가 "독자를 위한 공간이 들어갈 틈이 없는, 그 자신이 유일한 독자"인 차원에서 진행되었음을 토로하고 있다. 정찬, 「섬진강」, 『베니스에서 죽다』, 문학과지성사, 2003, p.309 참조.

창작집 『기억의 강』에서 『완전한 영혼』『아늑한 길』『베니스에서 죽다』[2]에 이르기까지, 정찬 소설의 중심 화두의 하나는 작가의 존재론적 위상과 문학과 예술의 존재 방식에 대한 탐문이라는 일관된 문제의식에 닿아 있다. 소설 안에서 문학(가)의 길을 사유하는 그의 이러한 글쓰기는 '언어의 감옥'에 갇힌 수인처럼 집요하게 반복되는 관념에의 강박과 유폐라는 특성을 보여 준다.[3] 때로 그것은 인간의 역사를 싸고도는 권력과 폭력과 훼손된 언어에 대한 탐구로 집중되거나 또는 그 모든 쟁투의 바깥에 존재하고 있을 신(神)과 종교, 우주적 자연성에 대한 사유로 확산되기도 한다.

중요한 것은 정찬 소설을 특징짓는 이 다기한 관념의 스펙트럼이 하나의 동심원을 그리며 같은 자리를 계속 맴돌고 있다는 사실이다. 단적으로 그의 소설들은 대개, 이미 사라져 버린 '신성(神性)의 세계'를 향한 탐색과 희구라는 유사한 맥락과 사유 안에서 구축된다. 이를테면 그것은 "신은 슬퍼할 줄 모르는 인간의 손을 놓아 버렸고, 꿈을 상실한 인간은 갈 바를 몰라 하고 있다. 영혼은 고갈되었고, 상처는 입을 벌리고 있다"[4]와 같은 진술에서 명시적으로 드러나듯, '신의

---

2 이들 작품집의 서지 정보는 다음과 같다. 『기억의 강』, 현암사, 1989; 『완전한 영혼』, 문학과지성사, 1992; 『아늑한 길』, 문학과지성사, 1995; 『베니스에서 죽다』, 문학과지성사, 2003. 앞으로 인용되는 작품의 경우 수록 작품집과 면수만 적는다.

3 정찬 소설의 관념성에 대해서는 여러 논자들이 지적한 바 있다. 대표적으로 송기섭, 「해명, 그 순결한 말들」, 『문예운동』 65, 문예운동사, 2000.5; 염무웅, 「세계의 타락에 맞선 작가적 고독」, 『창작과 비평』, 2003.여름; 진정석, 「고통의 환기와 구원의 모색─정찬의 『아늑한 길』을 중심으로」, 『문학과 사회』, 1996.봄. 정찬 또한 「길 속의 길」이나 「섬진강」 등의 작품에서 자신의 소설이 갖고 있는 관념성을 비판적으로 성찰하고 있다.

4 정찬, 「섬」, 『아늑한 길』, p.197. 신 혹은 신성의 부재와 상실에 대한 절망적 인식은 「신성한 집」 「황금빛 땅」 「섬」 「깊은 강」 「죽음의 질문」 「숨겨진 존재」를 비롯하여 여

결락'을 예민하게 감지한 자의 음울한 현실 인식에 그 뿌리를 두고 있다. 주지하듯 신이 떠나 버린 시대, 하늘의 별빛이 사라진 시대를 부유하고 있다는 현대인의 "불행한 의식"은 일찍이 서구 모더니티가 직면했던 공동의 운명이자 보편적 감각이기도 하다.[5] '신의 부재'라는 이 근원적 사태는 그 함의는 다르지만 정찬 문학의 사유와 논리가 비롯되는 출발점에 해당하며, 정찬 문학의 본질을 규정하는 핵심적 키워드라 할 수 있다. 분석을 통해 드러나겠지만 요컨대 정찬은 '신의 부재'라는 인식의 프리즘 안에서 작가로서 그의 언어와 문학이 감당해야 할 역할과 의미를 탐색하며, 나아가 우리 사회 현실과 역사의 제 문제를 사유하고 해석한다.

정찬의 소설은 "고통의 흔적이자, 동시에 고통의 실재성에 대한 환기"[6]라고 평가될 정도로 비극적 세계 인식을 보여 준다. 그가 보는 현실은 악과 폭력과 부단한 권력 싸움이 자행되는 타락의 공간이고, 운명의 고통과 슬픔과 울음이 그치지 않는 "차갑고 어둡고 불가해한"[7] 세계이다. 정찬이 반복적으로 신이 떠나 버린 세계, '신의 부재'를 강조하는 것은 이 모든 고통과 슬픔과 비극의 연원이 거기에 있다고 보기 때문이다. 이런 맥락 하에서 정찬의 문학은 "세계의 타락에 맞선 작가적 고독"[8]을 자임하며, 고통의 현실을 감지하고 환기

러 작품 속에 산재한다.

5 신이 떠나 버린 시대를 살아가는 현대인의 불안과 공포는 어떤 의미에서 현대문학과 예술의 기원이라고 할 수 있다. 호프만스탈, 니체, 카프카, 하이데거 등 서구 문학과 사상의 기저에는 '신의 결락'과 '세계 상실'의 두려움 속에서 밑바닥이 없는 현실을 살아가는 현대인의 비극적 인식이 깔려 있다. 이에 대해서는 특히 R. N 마이어의 『세계 상실의 문학』, 장남준 역, 홍성사, 1981을 참조할 수 있다.

6 진정석, 「고통의 환기와 구원의 모색─정찬의 『아늑한 길』을 중심으로」, p.329.

7 정찬, 「섬진강」, p.306.

하면서 신성의 회복을 통한 구원이라는 하나의 지향점을 향하여 나아간다. 정찬은 이를 "관념과 현실을 가르는 아득한 허공에 황금빛 다리를 놓는 일"로 비유하면서, 소설 쓰기는 "이 다리의 모습을 보여 주는 운동"에 다름 아니라고 설명하고 있다.[9] 정찬의 논리대로 신성의 회복과 그를 통한 구원이라는 명제가 문학을 통해 구현 가능한 것이라면, 작가 혹은 소설가는 이를 실현하는 매개자로서 그 존재 의의를 부여받게 된다. 그의 작품들이 대개 작가나 예술가를 주인공으로 한 소설가소설의 형식으로 서사화되는 것은 이런 측면과 연관되어 있다.

요컨대 정찬 소설은 문학(가)이 어떻게 신성 회복의 주체가 될 수 있는지에 대한 관념적 탐색의 서사라 할 수 있다. 어찌 보면 문학이라는 형식을 통해 떠나 버린 신을 호명하고 잃어버린 신성을 다시 일으킬 수 있다는 혹은 일으켜야 한다는 정찬 소설의 강한 열망은 다분히 낭만적인 문학적 이상에 가깝다.[10] 정찬은 그러나 그것이 문학의 소명이자 길이라고 주장하며, 특히 흥미로운 것은 신화와 종교, 광주 5.18과 동학을 비롯한 역사적 사건들을 불러들여 '신성 회복'이라는 단일한 틀 안에서 사유하고 있다는 점이다. 정찬 소설의 핵심적 주제로서 권력의 문제[11]나 기억과 시간의식,[12] 기독교 관

---

8 염무웅, 「세계의 타락에 맞선 작가적 고독」, p.377 참조.

9 정찬, 「길 속의 길」, 『완전한 영혼』, pp.118-119.

10 이와 유사한 맥락에서 염무웅은 정찬이 삶과 현상의 이면에 감추어져 있는 어떤 본질적인 것에 가닿으려는 욕망의 소유자로서는 드물게 보이는 "낭만주의적인 의지의 작가"라고 평가한다. 염무웅, 「세계의 타락에 맞선 작가적 고독」, p.378 참조.

11 정찬 소설을 권력의 문제로 접근한 연구로는 다음을 들 수 있다. 정과리, 「권력의 모든 것과 모든 것의 권력」, 『글숨의 광합성―한국소설의 내밀한 충동들』, 문학과지성사, 2009; 김종욱, 「권력은 어떻게 해체되는가」, 『소설 그 기억의 풍경』, 태학사,

련 사유들,[13] 생명과생태 의식[14] 등이 거론된 바 있지만, 그 전체적이고 본질적인 맥락을 규명하기 위해서는 문학을 통한 신성의 회복이라는 정찬 소설의 근본 논리와의 연관성이 해명되어야 한다. 이상의 시각과 문제의식을 전제로 이 글은 특히 정찬 소설이 당위적 명제로 요청하고 있는 '신 혹은 신성의 회복'이라는 논리가 내포하고 있는 함의를 살펴보고 그것이 문학(가)과 예술(가)의 문제와 이어지는 맥락을 분석한다. 이의 연장선에서 정찬 소설의 중심 주제로 평가되고 있는 권력과 시간의 문제, 광주 5.18 등의 역사적 사건 등이 서사화되는 관점과 논리를 규명함으로써, 정찬의 소설가소설이 보여 주는 특성과 경향을 종합적으로 고찰한다.

2001; 홍정선, 「권력과 인간에 대한 집요한 탐구」, 정찬, 『완전한 영혼』의 해설; 김훈, 「말과 권력의 싸움—정찬 소설집 『기억의 강』」, 『선택과 옹호』, 미학사, 1991.

12 기억과 시간의 문제는 정찬 소설의 주요 모티브의 하나이다. 이에 대해서는 장영우, 「기억과 벽관(壁觀)의 소설학」, 『한국어문학연구』 42집, 한국어문학연구회, 2004; 정과리, 「시간의 한 연구: 기억과 변신」, 『글숨의 광합성—한국소설의 내밀한 충동들」; 성민엽, 「지금-여기에서 존재 탐구가 뜻하는 것」, 『변하는 것과 변하지 않는 것」, 문학과지성사, 2004 등의 논의를 참고할 수 있다.

13 정찬은 기독교 관련 소설을 다수 발표했다. 대표적인 작품으로는 「수리부엉이」 「기억의 강」 「두 생애」 등의 단편, 『세상의 저녁』 『빌라도의 예수』 등의 장편이 있다. 정찬 소설에 나타난 기독교 문제에 관한 연구로는 이동하, 「정찬 소설과 기독교의 관련 양상」, 『현대소설연구』 43집, 한국현대소설학회, 2010; 이동하, 「정찬의 소설과 기독교」, 『한국소설과 예수 그리고 유다』, 역락, 2011을 참고할 수 있으며, 그 외에도 김기석, 「신을 외면한 인간 의지는 위험하다」, 『새 가정』 437호, 새가정사, 1993.7; 장수익, 「인간의 존재 방식에 대한 두 가지 탐구—이승우의 『목련정원』과 정찬의 『세상의 저녁』」, 『문학과 사회』, 1998.겨울 등이 있다.

14 구자회, 「정찬의 단편소설에 나타난 생태 의식 연구—〈깊은 강〉, 〈별들의 냄새〉, 〈산다화〉를 중심으로」, 『한국현대문학연구』 15집, 한국현대문학회, 2004; 오생근, 「폭력의 시대와 생명의 존엄성」, 『아늑한 길』의 해설; 전혜자, 『한국현대생태소설의 서사적 유형과 분석』, 새미, 2007.

2. 신성의 추구와 샤먼, 예술의 원형적 얼굴

정찬에 의하면 "모든 예술, 말 조형의 기원은 신성에의 갈망"이며 오늘날 "예술이라고 불리는 인간의 정신 활동은 신을 향한 욕망의 산물"[15]이다. 이처럼 예술과 문학의 근원을 신성에의 추구로 연결하는 그의 논리는 작가나 예술가를 신성의 매개자로서의 샤먼에 비견하는 것으로 이어진다.[16] '신성'과 '샤먼'은 정찬의 소설가소설에 나타나는 문학론 혹은 예술론을 해명하는 핵심적인 코드라 할 수 있거니와, 두 번째 창작집 『완전한 영혼』에 실려 있는 「신성한 집」이나 「황금빛 땅」은 특히 이에 대한 관념과 사유를 직접적으로 서사화한 소설로서 주목된다.[17] 통상적으로 샤먼이란 어떤 영적인 세계와 소통하는 자, 일반의 눈으로 볼 수 없는 신성의 영역을 감지하는 특별한 감각과 인지 능력을 지닌 존재라 할 수 있다. 그러나 탈주술화, 탈마법화의 방향으로 진행되어 온 근대 이성과 문명의 시선으로 보자면 샤먼은 비합리적이고 비현실적인 신화나 무속의 차원에

---

15 정찬, 「신성한 집」, 『완전한 영혼』, pp.103-104 참조.

16 예술을 신성과 연결시키는 논리는 정찬만의 독특한 시각은 아니다. 특히 M. 엘리아데는 여러 저서에서 예술과 신성이 맺고 있는 관련성을 깊이 있게 탐구했고, 그 또한 "원래 모든 예술은 성스러웠다"고 주장한다. 이에 대해서는 엘리아데의 여러 저서들 중에서도 『상징, 신성, 예술』(박규태 역, 서광사, 1991)이나 『성과 속』(이동하 역, 학민사, 1983) 등을 참조할 수 있다. 구체적으로 그 영향 관계를 따져 보아야 하겠지만 신성과 샤먼, 예술의 상관성에 관한 정찬의 사유는 엘리아데의 논리와 상통하는 측면이 다분하다.

17 「신성한 집」은 주인공 소설가의 문학에 대한 갈등과 고뇌를 그가 쓰고 있는 소설 '목자 마르샤스'의 이야기와 연계시켜 보여 주며, 「황금빛 땅」은 소설가 '나'가 동해안 오지로 일종의 취재 여행을 떠나 듣게 되는 늙은 무당의 이야기를 통해 신성과 샤먼의 의미를 탐색하고 있다. 이들 소설의 중심은 공히 내부 서사라 할 수 있는 '목자 마르샤스'와 '늙은 무당'의 이야기에 놓여 있으며, 여기서 중요한 것은 '샤먼'이라는 공통의 이름으로 이들을 소설 속으로 호명하는 작가 정찬의 의도와 논리이다.

서나 존재 가능한, 미신적인 것으로 배척된다. 신은 이 세계를 떠났고 사람들은 "신성의 빛에 대한 외경"을 상실했으며 샤먼은 이제 단지 "귀신을 섬기는 자, 악령을 부르는 자, 신의 빛을 찬탈한 자, 미친 자, 더럽고 비천한 자"[18]에 불과한 것으로 전락했다.

그럼에도 불구하고 정찬의 소설이 어찌 보면 시대착오적이라 할 수 있는 신성과 샤먼의 탐구에 끊임없이 천착하는 이유는 무엇인가. 이는 우선 무엇보다도 우리가 살고 있는 세상과 삶과 정신, 그 모든 것이 훼손되고 파괴되었다는 절망적이고 부정적인 현실 인식과 관련되어 있다. 그 파괴와 훼손의 정도는 이를테면 "하늘과 땅 사이에 악령이 가득 차 있다"고 단언할 만큼 경계 없이 전방위적이며, "이 악령의 씨앗, 이 악령의 뿌리, 이 악령의 밭"은 "사람들의 영육 속에" 있다는 진술에서 드러나듯 인간의 내면을 잠식한 본질적인 것으로 인식된다.[19] 이 악령들이 내외 없이 도처에 "무서운 독"을 뿜어대면서 "신의 자리"를 침범하고 "신의 거처"를 찬탈했으며, 그 결과로서 세계는 훼손되었다는 것이 정찬 소설에서 유추할 수 있는 대강의 논리이다. 문제는 신의 부재를 야기한 이 '악령'이라는 것의 정체인데, 그의 소설 곳곳에서 직접적으로 언급된 바에 따르면 이 악령의 실체는 다름 아닌 근대사회를 추동하는 "자본이라는 새로운 괴물", 끊임없이 증식하는 "자본의 아귀적 욕망"[20]이고, 자본을 향한 "물신적 관능"에 사로잡힌 인간의 "지칠 줄 모르는 욕망과 증오, 거짓과 타락, 살의와 광기"의 그 모든 것을 포함한다.[21]

---

18 정찬, 「황금빛 땅」, 『완전한 영혼』, p.311.

19 정찬, 「황금빛 땅」, p.294 참조.

20 정찬, 「슬픔의 노래」, 『완전한 영혼』, pp.254-255 참조. 자본주의와 현대 문명의 파괴성에 대한 비판은 이 밖에도 정찬의 소설 곳곳에 산재한다.

전일적인 자본의 물신성과 현대 문명의 파괴성에 대한 비판과 회의는 정찬 소설 곳곳에 산재하지만, 이를 소설화하는 그의 문학적 태도나 대응 방식은 여타의 리얼리즘 계열의 소설과는 구별된다. 카드뮴 중독으로 처참하게 죽어 가는 산업재해 노동자의 삶을 사실적으로 묘사한 소설 「산다화」를 제외한다면, 정찬의 반자본주의적·반문명적 사유는 대개 비판적 재현의 방식이 아니라, 대안적 관념의 탐구라는 방향으로 나아간다. 정찬은 분명 문학의 언어, 소설의 언어로써 그가 부정하는 이 훼손된 현실로부터 벗어나는 어떤 출구와 희망을 도모하고 있지만, "소설로써 세상을 변혁시키려는 민중적 관념론자들"의 "진보적 이념"에 대해서는 회의적이며,[22] 암흑한 현실을 비판적으로 묘파·묘사함으로써 현실의 부정성을 돌파할 수 있다는 리얼리즘적 문학론 또한 신뢰하지 않는 것으로 보인다.[23] 자본의 역사, 문명의 역사를 회의하는 정찬의 논리는 보다 근원적이고 본질적이며, 어떤 의미에서 그는 문학의 언어로써 그러한 부정적 현실과 사유 전체를 전복하고자 하는 혁명적 치열성을 보여 준다. 여기에 정찬 소설의 특이성이 있거니와, 단적으로 그가 찾아낸 대안적 관념이란 문명과 자본 이전의 시간, 원초적 신성과 신의 세계로의 회귀

---

21 정찬, 「황금빛 땅」, p.294.

22 정찬, 「신성한 집」, pp.110-111 참조.

23 이는 특히 정찬 소설이 보여 주는 시간 의식과 관련되어 해석할 수 있다. 정찬은 근대 문명이 구축하는 직선적 시간관을 부정하고 원초적 신성의 세계를 구성하는 '둥근 원의 시간'을 지향한다. 그의 소설이 기록하고자 하는 것은 분절된 직선의 시간이 아니라 자연적 순환성의 시간이다. 소설 「저문 시간」에서 정찬은 사진과 카메라가 담아내는 정지된 시간, 분절된 시간에 대한 부정 의식을 서사화한다. 이런 맥락에서 대상의 현재를 포착하고 기록하는 재현적 서사는 정찬 소설의 몫이 아니라 할 수 있다.

라 할 수 있다.

　소설 「섬」의 주인공 정섭이 사회주의의 종주국이었던 러시아에서 죽음을 선택하는 것은 마르크스의 혁명적 이데올로기가 자본주의에 패퇴했다는 절망감 때문이 아니라, 스스로 희생 제의가 됨으로써 단절되어 버린 신과 인간 사이에 소통의 통로를 뚫고자 하는 구원과 초월을 향한 기투이다. "사회주의의 패배는 자본주의의 승리가 아니라 도덕에 대한 인간의 패배다"[24]라는 정섭의 주장은 체제나 제도를 수정하거나 변혁하고자 하는 그 어떤 이데올로기로도 이 세상의 훼손된 질서를 근본적으로 회복할 수 없다는 작가 정찬의 논리를 대변한다. 요컨대 정섭의 자살은 그냥 죽음이 아니라, 현실 논리를 뛰어넘어 잃어버린 신에게로 돌아가려는 재생과 부활을 향한 일종의 정화적 죽음이며 제의적 죽음으로 해석할 수 있다. 「황금빛 땅」의 늙은 무당이 어린 딸을 무려 십여 년 동안 빛이 들지 않는 동굴 속에 가두는 비상식적인 행위 또한 신성 회복과 접신을 위한 희생적 통과 제의에 해당한다. 이 밖에도 「신성한 집」의 소설가, 「아늑한 길」의 김인철, 「깊은 강」의 하진우, 「숨겨진 존재」의 떠돌이 화가를 비롯하여 정찬 소설의 대부분의 인물들은 「황금빛 땅」의 늙은 무당이나 「섬」의 정섭과 마찬가지로 사라졌거나 숨어 있는, 그러나 어딘가에 존재하고 있을 신과 신성의 세계를 찾아 떠돌거나 현실 논리를 넘어서는 특이한 존재들이다. 그들이 좇는 신과 신성은 때로 기독교와 불교와 무속, 고대 신화의 세계를 넘나드는 다양한 형상으로 표출되지만,[25]

---

24 정찬, 「섬」, p.181.
25 이를테면 「신성한 집」과 「황금빛 땅」 「깊은 강」 등은 신화와 무속의 세계를 다루고, 「적멸」과 「숨겨진 존재」에서는 불교적 신성을 그리며, 「기억의 강」과 「아늑한 길」과 같은 작품에서는 기독교의 신이 호명된다.

궁극적으로 정찬이 그리는 "황금빛 땅"은 인류 역사가 근대 이성과 문명의 이름으로 퇴출시킨 원초적이고 우주적인 신화의 세계라 할 수 있다. 그 신성의 땅에서는 신과 인간과 자연이 생명의 순환 속에서 공존하며, 인간이 곰이 되고 새가 되고 물고기가 되며 또한 나무가 되는, 자연과 인간의 호환이 가능한 원초적 미분화의 세계이다. 또한 그곳은 그 어떤 것에 의해서도 훼손되거나 파괴되지 않은 "불멸의 풍경"을 간직하고 있는 본원적인 "최초의 세계", 모든 것의 시원으로 설명된다.

감성과 본능에 따라 끊임없이 변할 수 있는 인간의 얼굴이 이성과 관습과 질서의 틀 속에 갇혀 경직화를 강요당함으로써 표정을 상실한 가면으로 치닫고, 문명의 얼굴에서 거세당한 표정의 시체들이 거대한 빌딩 위에 혹은 회색빛 아스팔트 위에 싸늘히 뒹굴고, 그 위로 이성과 논리의 갑옷을 입고 뒤뚱뒤뚱 걸어가는 인간의 모습. 냉혹한 문명의 압축기 속에서 죽어 가는 본능들. 고통의 비명 소리. 이 가혹한 억압이 없는 세계가 신화의 땅인가. 나는 꿈속에서 그것을 보았다. 곰이 인간으로 변신하는 전율적 세계를. 짐승이 인간이 되고, 인간이 짐승이 될 수 있는 투명한 땅. 영혼이 너무나 가벼워 하늘로 오르면 새가 되고, 바다로 내려가면 물고기가 되고, 땅 위에 서면 나무가 되고 짐승이 되고 인간이 되는 변신의 땅. 샤먼이란 그 땅을 기억하는 인간을 말함인가.[26]

만월의 빛은 나를 깊은 산 깊은 곳까지 끌어들였다. 나는 평평한 바

---

26 정찬, 「황금빛 땅」, pp.296-297.

위 위에 앉았다. 아래는 움푹 파인 골짜기였다. 깊고 어두운 골짜기로 흘러내리는 은회색 달빛은 물결처럼 넘실거렸다. 그것은 불멸의 풍경이었다. 어떤 의지에 의해서도, 어떤 개별에 의해서도 훼손되지 않을 우주적 아름다움이었다. 그 아름다움 속에서 누군가 숨을 쉬고 있었다. 눈으로 볼 수가 없는, 무어라 말할 수 없는 어떤 존재가.[27]

이처럼 자연과 인간의 상호 변신과 투과성이 허용되는 신성의 땅, 신화의 세계는 배타적 동일화를 강요하는 가혹한 억압과 폭력이 아니라, 우주적 생명의 흐름에 자신을 순응시키는 상호 교감과 부드러운 융화의 원리 위에 구축된다는 점에서, 문명 세계가 상실한 원환적 총체성의 세계, 원초적 '낙원'의 모습과 겹쳐진다.[28] 정찬은 이와 같은 신성 체험, 신성 추구의 핵심적 주체로서 샤먼에 주목하고, 이들을 단순히 영적인 세계의 매개자가 아닌 훼손되고 변질된 지상의 질서에 맞서 이를 구원할 수 있는 "선택된 자"로 묘사하고 있다. 특히 중요한 것은 이들 샤먼이 현실의 그릇된 권력과 악에 맞서는 어떤 '진실'과 '정의'의 예술적 수호자로 형상화되고 있다는 점이다.

이를테면 정찬은 소설 「신성한 집」에서 아폴론과의 음악 연주 시합에서 패하고 참혹한 형벌을 받게 되는 '목자 마르샤스'의 이야기를 신성을 사칭하는 "지상의 권력자"에게 저항하는 샤먼의 서사이자

---

27 정찬, 「숨겨진 존재」, 『베니스에서 죽다』, p.264.

28 사람과 사람, 사람과 자연 만물의 융화를 넘어서 삶과 죽음까지도 하나인 이러한 원환적 총체성의 세계는 때로 안견의 「몽유도원도」에 그려진 무릉도원이나 신과 지상의 생명이 공존했던 원초적 공간을 형상화한 샤갈의 그림, 유년의 기억 속이나 죽음의 순간에 목도하는 "최초의 형상", "최초의 기억" 등을 통해서 정찬 소설의 인물들에게 현시되기도 한다.

"예술의 원형적 상징"이라는 관점에서 재해석한다. 문학(가)과 예술(가)의 본질은 세속화된 부와 명예와 권력 따위를 거부하고 "신성한 집"을 구축하는 데 있다. 그 결과가 설혹 살가죽이 벗겨지고 수족이 잘리는 처참한 고통과 죽음으로 이어진다 할지라도, 그것이 바로 세계의 본질을 꿰뚫어 보도록 선택된 자인 샤먼과 예술(가)의 역할이자 운명이다. 문학과 예술의 길은 그런 의미에서 "목자 마르샤스의 동굴 너머" 즉 훼손된 지상의 질서를 거부하고 끝끝내 신성을 향해 가는 그 모든 고통과 시련의 도정을 건너감으로써 비로소 가능하다. 샤먼과 작가 혹은 예술가를 등치시키는 작가 정찬의 논리는 대강 이렇게 요약될 수 있거니와, 여기에는 권력의 원형은 신의 자리에 있고, 신의 자리를 엿보는 모든 인간의 권력(욕)은 '그릇된 권력(욕)'이라는 정찬 특유의 절대적 권력론과 신성 추구의 문학관이 전제되어 있다. 결국 「신성한 집」을 통해 정찬이 강조하는 것은 문학(가) 혹은 예술(가)의 세속화되지 않은 엄격한 윤리성과 "얼음의 칼"로 상징화된 작가적 양심이다. 이처럼 그릇된 권력에 대한 저항과 신성의 추구라는 명제가 샤먼과 예술(가)이 공동으로 짊어져야 할 운명이고 윤리성이라면, 이와 관련하여 주목할 것이 정찬이 주장하는 '말의 순결성'이다.

왜냐하면 선생은 말을 구하는 사람이기 때문입니다. 진실된 말, 살아 있는 말의 주인이 바로 샤먼이었습니다. 샤먼은 지상을 향해 닫혀 있는 초월의 문을 두드리고, 그 문을 열어 내는 자입니다. 무엇으로 두드리고 무엇으로 신의 의지를 끌어냅니까? 말입니다. 지상의 욕망에 의해 비틀리고 잘리고 더럽혀지지 않는 말, 사악에 훼손되지 않는 말이 초월의 문을 두드릴 수 있는 것입니다.[29]

그러므로 훼손된 말이 훼손되지 않는 본래의 모습을 되찾을 때 세계 역시 본래의 모습을 되찾을 것입니다. 기울어진 세계를 본래의 모습으로 끌어올리는 일, 이것이야말로 노인에게는 혁명이지요. 후천개벽을 넘어서는 궁극적 혁명인 것입니다. 목적에서 도구로 전락된 말, 자유의 공간을 박탈당하고 감금된 틀 속에서 찍혀 나오는 말, 타락된 주술에 의해 뒤틀리고 변형된 말, 세계 도처에서 벌레처럼 우글거리는 이 말들에게 기억을 일깨우는 일, 기억을 일깨워 순결하고 아름다운 자유의 집을 그리워하게 하는 일, 그리움이 감금의 틀을 이겨 내고 마침내 자유의 집을 찾아가게 하는 일, 이것이 곧 혁명의 실천입니다.[30]

　‘언어의 원형 탐구’와 문학의 ‘말’에 대한 관심은 정찬 소설의 주요 테마 중의 하나라 할 수 있다. 소설 「황금빛 땅」에서, 정찬은 샤먼의 ‘말’에 대한 장황한 분석을 통해 문학의 ‘말’, 소설의 ‘말’에 대한 그의 논리를 간접적으로 표명하고 있다. 여기서 정찬은 샤먼이 신성의 세계와 소통할 수 있는 것은 그가 “진실된 말, 살아 있는 말의 주인”이기 때문이며, 이 ‘말’이야말로 그의 영혼이자 “사상의 등뼈”이고 “진보의 시간 위를 질주하는 인류사 속에서 검은 독초처럼 자란 모든 악을 거부하는 뜨겁고 치열한 열정의 집”이었다고 설명한다.[31] 이런 맥락에서 “말의 훼손과 전락”은 곧 “신성의 상실”이라는 논리가 성립되고, 지상의 욕망에 의해 비틀리고 잘리고 더럽혀진 말, 사악에 훼손된 말, 목적이 아니라 수단과 도구로 전락한 말, 그 거짓되고 고

29 정찬, 「황금빛 땅」, p.302.
30 정찬, 「황금빛 땅」, pp.329-330.
31 정찬, 「황금빛 땅」, pp.311-315 참조.

통스러운 말의 균열을 치유하고 잃어버린 '말의 순결성'을 회복하는 것이 문학(가)의 윤리이자 본질이라는 정찬 소설의 명제가 도출된다. 「기억의 강」에서 소설가 윤명수가 정신분열적 망상과 실어증에 시달리면서 살인자 아닌 살인자로 자신을 스스로 고발하는 행위는, 작가로서 '말의 순결성'을 망각했던 자신의 과거에 대한 통렬한 죄의식에서 비롯된다고 할 수 있다. 「황금빛 땅」의 결미에서 늙은 무당의 이야기를 찾아 나섰던 소설가 '나'는 "나의 운명적인 만남의 대상은 노인이 아니라 그의 말"이었다고 고백한다. 결국 정찬 소설이 보여주는 신성과 샤먼에 대한 관념적 탐구는 '문학의 말'과 그 '말'로써 구축해야 할 정찬 자신의 문학적 정향과 윤리성에 대한 치열한 자기성찰로 귀결된다고 할 수 있다.

3. 기억과 회귀의 형식, 예술적 초월의 방법론

정찬 소설의 소설가 혹은 예술가들은 회귀의 욕망에 사로잡혀 있다. 그들은 이곳이 아닌 저곳, 잃어버렸거나 망각되었거나 숨겨진 어떤 세계를 찾아 돌아가고자 하고 또 돌아가야 한다고 생각한다. 이러한 회귀의 욕망은 앞서 논의한 것처럼 반문명적·반자본주의적 현실 비판에서 비롯된 구원의 장소로서의 원초적이고 신화적인 세계, 신성의 추구와 관련되어 있다. 정찬의 논리에 의하면 잃어버린 신성의 추구와 회복이라는 명제는 문학(가)과 예술(가)에 부여된 본연의 운명이다. 그렇다면 문학과 예술의 형식으로 이를 어떻게 구현할 수 있는가. 소설 「슬픔의 노래」에서 정찬은 이를 "슬픔의 강을 건너는 법"이라는 은유적인 수사로써 자문하고 있다.

슬픔의 강은 사람과 사람 사이에서 끊임없이 흐르고 있지만 그 강이 있는지조차 모르는 사람들이 많다. 이 강이 있음을 일깨우는 사람이 바로 예술가다. 예술가는 볼 수 있는 자다. 그 눈은 강의 흐름을 본다. 예술가는 들을 수 있는 자다. 그 귀는 강물 흐르는 소리를 듣는다. (중략) 예술가는 어둠 속에서 빛을 찾는 사람이다. 그런데 그 빛은 슬픔의 강 너머에 있다. 이제 내가 당신들에게 질문하고 싶다. 슬픔의 강을 어떻게 건너는가?[32]

「슬픔의 노래」의 소설가 '나'는 학살의 현장 '아우슈비츠'에서, 인류 역사를 끊임없이 관통하고 있는 "슬픔의 강을 어떻게 건너는가?"라는 질문을 받는다. 여기서 "슬픔의 강"은 '아우슈비츠'의 학살이라는 하나의 참혹한 역사적 사건만을 지칭하는 것이 아니라, 끝없는 권력 쟁탈과 자본 증식의 욕망으로 얼룩진 인간의 역사 전체를 상징한다. 이 슬픔의 인간 역사를 예민하게 감지하고 일깨우며 되돌릴 수 있는 자가 바로 예술가라면, 그 "슬픔의 강"을 건너는 방식으로써 "배를 타는 것과 스스로 강이 되는 것"이라는 두 가지가 제시된다. 정찬은 작중인물 박윤형의 입을 통해 대부분의 작가들이 "작고 가볍고 날렵한 상상의 배"를 타고 그 강을 건너고자 하지만, 그들 작가들이 내세우는 문학적 진실이란 한낱 "바짝 마른 박제"에 불과하다고 비판한다.[33] 다소 모호하게 설명되어 있지만, '배를 타고 건너는 방식'이란 아마도 작가의 눈 혹은 상상력이라는 필터를 통해 바라보는 현실, 그 현실의 문학적 형상화를 의미한다고 할 수 있다. 여기에는 바라보고 해석하는 주체로서의 작가와 대상화된 현실 사이에 어

---

32 정찬, 「슬픔의 노래」, pp.243-244.
33 정찬, 「슬픔의 노래」, p.280.

떤 미학적 거리가 존재하게 되는데, 정찬은 이 거리를 지우고 작가 스스로 강이 됨으로써만 그 "슬픔의 강"을 건널 수 있다고 주장하고 있다. 요컨대 스스로 강이 되어 "슬픔의 강"을 건너는 것, 이것이 정찬이 제시한 예술적 초월의 형식이라 할 수 있거니와 이는 폴란드 실험연극의 선구자 예르지 그로토프스키가 추구하는 "가난한 연극"에 대한 설명을 통해 보다 분명하게 드러난다.

성서에서 가난, 궁핍이란 모든 외형적인 것의 버림을 뜻한다고 그로토프스키는 말했습니다. 영혼을 둘러싸고 있는 껍질을 벗겨 버리는 것, 살을 깎아 내고 뼈를 보여 주는 것, 그러므로 가난한 연극에서는 모든 것이 고백입니다. 고백이야말로 가난한 연극이 가지고 있는 보석입니다. 그는 배우에게 자신의 진정한 고통을 발견하라고 요구했습니다. 이 고통의 발견에서 비로소 관객과의 살아 있는 교류가 이루어진다고 했습니다.[34]

"가난한 연극"의 핵심은 외형을 둘러싸고 있는 모든 겉껍질과 포장을 벗겨 내고 그 속의 뼈를 보여 주는 것이며, 그런 의미에서 재현과 모방, 모사에 의한 연기가 아니라 배우 개개인의 내밀한 '고백'의 형식이자 "진정한 고통"의 발현으로써 관객과 소통한다는 것이다.[35]

---

[34] 정찬, 「슬픔의 노래」, pp.261-262.

[35] 연극배우 박윤형은 소설가 '나'에게 이렇게 주장한다. "연극이란 세계의 모방이 아닙니다. 세계를 뒤흔들고, 세계를 꿰뚫고, 세계를 초월함으로써 생명의 원천을 깨우는 것이 연극입니다. 따라서 배우에게 무대는 가공의 세계가 아닙니다. 혼의 황금 불빛이 타오르는, 움직이고 헐떡이고 격동하는 세계입니다. 배우는 이런 세계를 견뎌야 합니다. 견디지 못하면 세계는 입을 벌려 그를 삼킵니다." 정찬, 「슬픔의 노래」, p.271.

어떤 의미에서 그로토프스키의 "가난한 연극"은 재현적 서사나 비판적 이데올로기에 의해서 재구되는 현실 반영의 소설 쓰기를 부정하고, 작가 혹은 예술가를 주인공으로 한 소설가소설의 형식을 통한 자기 고백적 탐사에 주력해 온 정찬 소설의 문학적 방법론과 사유를 그대로 함축하고 있다고 볼 수 있다.[36] 특히 문명 세계가 덧씌운 옷을 벗고 억눌린 기억을 되살림으로써 자기 내면의 고통과 대면할 것을 요구하는 그로토프스키의 논리[37]는 "개인의 고통을 통해 세계를 구원할 수 있다"[38]는 일종의 순교자 의식과 상통하는데, 이는 정찬 소설의 소설가 혹은 예술가들이 '슬픔의 강을 건너는 방식'에도 동일하게 적용된다는 점에서 주목된다.

「기억의 강」에서 소설가 윤명수는 작가 혹은 예술가가 감당해야 하는 고통은 '말의 순결'을 박탈당한 인간의 '원죄'에서 비롯되며, "원죄를 고통의 실체로 인식하고 그 고통을 끊임없이 받아들임으로써 스스로 원죄를 짊어지는 인간이 존재의 참된 순례자"[39]라고 주장한다. 이 소설은 '원죄'의 고통을 짊어지고 "마태의 강"을 향해 걸어가는 소설가 윤명수의 모습을 예수의 형상을 빌린 책형자로 묘사하면서 끝난다. 여기서 "마태의 강"은 여타의 소설에서 "슬픔의 강"

---

36 정찬은 「길 속의 길」의 소설가를 통해 그의 소설이 "살은 없고 뼈만 앙상한 소설, 육체는 보이지 않고 정신으로만 가득 찬" 자기 고백적 서사임을 직접적으로 언급하고 있기도 하다. 정찬, 「길 속의 길」, p.119 참조.

37 박윤형은 소설가 '나'에게 다음과 같이 설명한다. "무대는 세계의 상징입니다. 그리고 배우는 그 상징을 몸을 통해 드러냅니다. 문명 세계는 인간을 고상하게 보이도록 온갖 옷을 다 입히지만, 무대는 그 옷을 벗기고 있습니다. 문명의 시선으로 보자면 배우란 저주받은 존재지요." 정찬, 「슬픔의 노래」, p.277.

38 정찬, 「슬픔의 노래」, p.267.

39 정찬, 「기억의 강」, 『기억의 강』, p.260.

"깊은 강" "빛의 우물" "물의 길" "아늑한 길" "길 속의 길" "섬" 등으로 명명되거나 변주되는데, 이는 모두 정찬 소설의 예술가들이 건너야 하고 건너고자 하는 "초월의 강"을 상징한다고 할 수 있다. 그 강 너머에 존재하고 있을 '빛' 혹은 '황금빛 길'은 또한 「황금빛 땅」의 늙은 무당이 훼손된 말의 복원을 통해서 도달하고자 했던 잃어버린 신의 성소, 신성의 세계를 의미한다. 요컨대 정찬 소설에 반복적으로 등장하는 숱한 '강'의 상징들은 속(俗)과 성(聖)을 가르는 대극적 경계를 의미하거니와, '스스로 강이 되는 방식'의 존재 전이를 거치지 않고서는 결코 건너갈 수 없는 초월의 장소라 할 수 있다.

예수의 부활과 구원이 십자가에 못이 박히는 모진 책형과 죽음의 시련을 통해서 이루어지듯, "초월의 강"을 건너고자 하는 정찬 소설의 예술가들 또한 존재 전이를 위한 일종의 통과제의를 경험한다. 그것은 무엇보다 "가난한 연극"의 그로토프스키가 주장하듯 문명이 덧씌워 온 기나긴 탈성화의 옷을 벗고 원초적 신성의 세계, 망각된 기억으로의 회귀를 통해 이루어진다. 정찬의 소설에서 기억과 시간이 중요한 모티브로 등장하는 것은 이와 관련하여 이해할 수 있다.

그리하여 놀랍게도 인간은 시간의 토막 속에서 살고 있습니다. 토막이란 분리이며 망각입니다. 그들은 어제의 시간을 잊고 있었습니다. 어제의 시간을 잊음으로써 그 시간 속에서 숨 쉬고 있는 어머니를 잊고 말았습니다. 어머니를 잊어버린 그들은 전율스럽게도 시간의 토막속에서 웅크리고 앉아 어머니의 살을 뜯어먹고 있었습니다. 이 비극적 상황을 일깨우는 유일한 길은 기억입니다. 기억은 토막 난 시간을 이어 주며, 더 나아가 영원을 보여 줍니다. 기억의 중요성은 여기에 있습니다. 모든 근원은 영원 속에서 숨 쉬고 있으니까요.[40]

방 안에 가만히 누워 강물이 흐르는 소리를 듣노라면 소리가 몸에
닿소. 눈을 감으면 강물은 어느덧 내 몸 위로 흘러가오. 몸은 강바닥
으로 천천히 가라앉고, 세상은 아득히 멀어지오. 세상이 사라지고, 강
바닥에 앉은 몸이 차갑게 식어 가면 길이 나타나오. 집으로 가는 길이
(중략) 그 길 끝에 내 유년의 집이 있소. 탱자나무 울타리가 있고, 새
하얀 수건으로 어린 아들의 몸을 닦아 주는 어머니가 보이오. 무명 저
고리를 입은 어머니는 노래를 흥얼거리며 아이의 몸을 닦고, 아이의
몸은 눈처럼 빛나고 있소. 내 깊은 잠은 눈처럼 깨끗한 유년의 몸을 보
러 가는 길고 긴 여행이오.[41]

이를테면 정찬은 분리와 망각의 비극적 상황을 야기하는 근대의
직선적 시간관을 비판하면서, 토막 난 시간을 이어 주고 더 나아가
'영원'을 보여 주는 과거의 기억 속으로 회귀할 것을 주장하고 있다.
「베니스에서 죽다」의 L 선배나 「깊은 강」의 하진우, 「은빛 동전」의 소
설가 '나'처럼 정찬 소설의 예술가들은 때로 자기만의 '정신'과 '영혼'
의 유폐적 공간으로 숨어 버림으로써 문밖의 직선적 시간을 차단하
고, 유년의 시간으로 돌아가는 기억 여행을 감행한다.[42] 그곳은 외
부로 향하는 문도 없고 창도 없는 "시간의 내부"이고, '진공'의 세계
이며, 문명의 손길이 닿지 않는 '섬'이거나, 또한 그들만의 창작의 공
간이기도 하다. 그들은 그곳에서 꿈을 꾸거나 동면하면서 기억의 지
층에 묻혀 있던 유년의 시간, 유년의 아이와 조우한다. 한편으로 그

---

40 정찬, 「죽음의 질문」, 『베니스에서 죽다』, p.179.

41 정찬, 「깊은 강」, 『베니스에서 죽다』, pp.62-63.

42 그들의 이러한 유폐와 기억으로의 회귀는 문명의 시간, 현재의 시간에 대한 부정이
면서 동시에 신성의 세계와 대극되는 속(俗)의 현실에 대한 부정이기도 하다.

'기억'의 끝에는 '어머니'로 표상되는 근원의 세계, 너와 나, 사람과 나비, 삶과 죽음이 부드럽게 융화하는 원초적 미분화의 초월적 공간이 자리하고 있다. 그곳은 또한 직선의 시간이 "둥근 원의 시간"으로 전환되는 공간이며, 죽음이 탄생으로 이어지고 '어른'에서 '아이'로의 존재 전이가 이루어지는 부활과 재생의 세계이다. 결국 정찬이 말하는 스스로 강이 됨으로써 강을 건너는 초월의 방식이란, 기억과 회귀의 형식을 통해 유년의 시간, 어린아이, 어머니 등으로 상징되는 어떤 기원, 시원으로 돌아가는 것을 의미한다고 할 수 있다.[43]

여기서 문제적인 것은 정찬이 제시하는 예술적 초월의 방식이 내포하고 있는 소멸과 죽음에의 욕망이다. 정찬 소설의 예술가들이 꿈꾸는 재생과 초월의 순간은 곧 그들의 죽음을 통해서만 완결 가능한 지점이라 할 수 있다.[44] 「섬」의 정섭이나 「깊은 강」의 하진우는 스스로 죽음을 선택함으로써 그들이 갈망하는 "초월의 강"을 건너가고자 하며, 「시인의 시간」의 강명원은 육신이 해체되는 죽음의 순간에야 비로소 "최초의 형상"을 목격한다. 이 밖에도 「신성한 집」의 목자 마르샤스, 「기억의 강」의 윤명수, 「슬픔의 노래」의 박윤형 등도 일종의 의사(擬死) 죽음에 해당하는 육체적·정신적 고통과 입사의 시련을 경험하거니와, 책형과 수난과 순교의 형식이야말로 정찬 소설의 예술가들이 취하는 "스스로 강이 되는" 초월의 방법론이라 할 수 있

---

43 그곳을 정찬은 "최초의 시간", "최초의 장면"이라 부르기도 하거니와, 이는 인류가 잃어버린 원초적 낙원, 우주적이고 신화적인 세계를 뜻한다고 할 수 있다. 한편으로 강, 어머니, 어린아이는 모두 신화적 조상으로서 '인류'의 시조 또는 새로운 시대의 기원, 시원을 상징한다. M. 엘리아데, 『상징, 신성, 예술』, pp.36-41 참조.
44 흔히 재생과 부활을 향한 입문식에는 죽음의 주제가 수반된다. 통과제의로서의 시련과 죽음에 대해서는 M. 엘리아데의 『상징, 신성, 예술』, pp.42-45를 참조할 수 있다.

다. 소설 「죽음의 질문」에서 정찬은 이러한 예술적 초월의 욕망이 고통에 대한 대가를 요구하지 않는 "무상성의 극치"이며, 죽음으로써만 마감되는 "죽음의 질문"임을 자인하고 있다.[45] 정찬 소설에 빈번하게 등장하는 죽음 혹은 소멸에의 욕망은 이런 측면에서 이해할 수 있다. 정찬의 논리에 의하면 "무상성의 순수"를 버리는 순간 작가는 신의 자리에서 추락하며, 이는 곧 작가이기를 포기하는 것과 같다. 요컨대 정찬은 작가 혹은 예술가에게 죽음으로 구현하는 무겁고 가혹한 초월의 윤리성을 요청하고 있다. 그러나 죽음은 어떤 의미에서든 모든 것의 끝이며, 결국 정찬이 추구하는 예술적 초월의 방식은 현실과의 단절, 현실 밖으로의 물러섬으로 귀착된다고 할 수 있다. 반문명적·반자본주의적 시각에서 진행된 정찬 소설의 치열한 현실 부정은 이처럼 성(聖)과 속(俗)을 가르는 이분법적 구도 속에서 현실과는 다른 차원으로 나아감으로써, 결과적으로 그의 문학이 의도했던 비극적 현실에 대한 비판적 인식과 대항의 책무에서 벗어난다고 볼 수 있다.

4. 권력의 본질에 대한 탐구와 반역사주의의 논리

정찬의 소설에서 역사는 극단적으로 소원화되지 못한다. 그는 끝없이 역사의 밖에 서고자 하면서 또다시 역사의 앞에서 서성거린다. 단적으로, 정찬의 역사 인식은 양가적이다. 그는 인류 역사를 발전

---

[45] 「죽음의 질문」에서 정찬은 작가란 바로 토막 난 직선의 시간을 넘어서 "영원을 응시하고 영원을 견디며" 망각을 걷어 내고 근원의 기억을 되살리는 "마술적 존재"여야 함을 역설하고, 그런 의미에서 작가는 인간이면서 또한 신이어야 한다는 논리를 다시 한 번 강조한다. 죽음은 그러므로 신이 되고자 하는 작가가 감당해야 하는 일종의 통과제의로서 숙명적인 것이다.

이나 진보의 관점에서 해석하는 논리에 대해서는 회의적이고 부정적이지만, 비극적 역사에 대한 책무와 윤리 의식으로부터는 자유롭지 못하다.[46] 그의 소설이 자주 역사와 문학, 현실과 허구(꿈)를 마주 세우고, 문학이 지닌 허구의 힘과 문학이 쌓아 올리는 순결한 "말의 탑"으로써 역사를 뛰어넘고자 하는 것은 역사를 바라보는 그의 이러한 이중적 시선에서 비롯된다. 정찬은 동학혁명, 광주 5.18, 군사독재의 한국 근대사, 아우슈비츠의 학살, 소련의 패퇴와 사회주의의 몰락 등 일련의 역사적 사건과 시대를 그의 소설 속으로 소환하고, 그에 대한 해석을 시도한다. 그가 소설 속으로 불러오는 역사는 변혁과 혁명의 역사, 피와 고난으로 점철된 쟁투의 역사이자 억압과 학살에 맞선 저항과 상처의 역사이다. 그러나 정찬은 이러한 역사적 국면에서 정의와 진실을 향한 대항과 진보의 동력을 읽어 내는 것이 아니라, 인간 내면에 도사리고 있는 무자비한 탐욕과 집요한 권력욕, 그 본성에 주목한다.

역사는 권력의 궤적이다. 따라서 언어의 궤적은 권력의 궤적이다. 그러니까 언어를 탐구한다는 것은 권력을 탐구한다는 뜻이다. 인간의 욕망 중 권력의 욕망만큼 깊고 뜨거운 것은 없다. (중략) 권력의 내장은 언제나 허기져 있다. 허기진 생명은 권태를 느낄 틈이 없다. 권태는 권력을 상실하는 순간 찾아온다. 역사는 이 놀라운 생명이 끌고 다녔

---

[46] 정찬은 역사의 비극성에 대한 통렬한 인지와 각성을 문학과 예술의 본질로 강조한다. 그것이 정찬 문학의 윤리성이며, 그는 특히 '광주 5.18'의 슬픈 역사를 통해 작가적 윤리와 역할을 반성적으로 성찰하고 있다. 광주 5.18이 직간접적으로 등장하는 작품으로는 「기억의 강」 「완전한 영혼」 「시인의 시간」 「슬픔의 노래」 「아득한 길」과 장편 『광야』를 들 수 있다.

던 수레의 다른 표현일 뿐이다.[47]

정찬에 의하면 역사란 권력을 향한 인간 욕망의 연쇄적 과정에 다름 아니다. 애초에 권력은 신 혹은 신성의 자리를 꿈꾸는 인간의 헛된 욕망에서 비롯되었으며, 그것은 또한 완결될 수 없는 불가능한 꿈이기에 언제나 허기질 수밖에 없다. 그런 맥락에서 권력의 본성은 만족도 없고 중단도 없는 전유와 증식의 욕망, 무저갱의 끔찍한 무한 욕망이다. 그의 소설 도처에 산재해 있는 권력의 본질에 대한 분석과 논리는 대략 이렇게 정리할 수 있거니와, 그는 절대왕권에서 중세의 신권을 거쳐 현대 자본의 역사에 이르기까지 인간의 역사를 추동해 온 핵심 동인을 "권력에의 욕망"이라는 이 단일한 키워드에 연결시키고 있다.[48] 문제는 '권력의 궤적이 곧 역사'라는 이러한 논리가 인간의 본성에 대한 냉소적 회의주의와 역사적 허무주의로 나타난다는 것이다. 이를테면 정찬은 강한 자가 약한 자를 삼키고 그 힘의 쟁투에서 살아남으려는 권력욕이 인간의 본성이라는 측면에서, 아우슈비츠의 학살은 "욕망의 비곗덩어리로 숨 쉬고 있는 인간의 문제"[49]로 해석하고, 5.18 광주의 학살 또한 인간의 내면 깊숙한 곳에서 꿈틀거리는 "원초적 쾌감과 희열"에의 욕망, 그 본능의 발현

---

47 정찬, 「섬진강」, p.309.

48 이는 「황금빛 땅」에서 역사학자 지영수와 소설가 '나'의 대화를 통해 집중적으로 드러난다. 여기서 정찬은 기독교의 창세관을 평등에 위배되는 사유로 비판하고 있어 흥미롭다. 자연과 인간과 신이 하나인 신화적 투과성의 세계가 진정한 평등사상을 보여 주는 것이며, 어느 하나를 배제하고 주도권을 잡고자 하는 모든 사유는 권력욕이 투사된 거짓 신성, 거짓 샤먼의 논리라는 것이 그의 주장이다. 정찬, 「황금빛 땅」, pp.313-329 참조.

49 정찬, 「슬픔의 노래」, p.243.

으로써 설명하기도 한다.[50] 여기서 학살의 역사는 시대적 문맥을 상실하고, 가해자와 피해자라는 선악의 구분과 단죄가 무의미한 인간의 파괴적 본성, 본능의 역사라는 층위에서 해명된다. 이러한 논리는 인간과 인간의 역사에 대한 지독한 불신과 냉소주의에 기반하고 있으며, 이는 사회주의의 실패와 몰락을 분석하는 시각에서도 그대로 드러난다. 그는 마르크스의 역사철학이 의도했던 혁명을 통한 역사의 완성이라는 관념이 지상에서는 영원히 실현 불가능한 하나의 허상임을 지적하면서, 마르크스가 저지른 최대의 오류는 인간의 도덕적 능력을 과대평가한 것이라고 주장한다.[51] 그의 논리대로 남의 목숨을 끊어 나의 목숨을 살리는 것이 권력의 속성이고 이의 외화된 형식이 폭력과 학살과 억압과 파괴라면, 모든 권력은 본질적으로 동질하고 악한 것이며 권력을 좇는 인간의 욕망 또한 도덕적일 수 없는 것이다.[52] 이런 맥락에서 정찬은 프롤레타리아트에 의한 권력의 종식, 이를 통한 역사의 완성을 지향하는 마르크스의 혁명 이론은 인간의 본성과 권력의 본질을 잘못 파악한 다분히 '순결한' 꿈에 불

---

50 정찬, 「슬픔의 노래」, pp.274-276 참조.

51 "마르크스가 저지른 최대의 오류는 인간의 도덕적 능력을 너무 높이 평가한 데 있었다. 그는 인간의 어깨 위에 감당하기에는 너무나 무거운 짐을 올려놓았다. 사회주의의 패배는 자본주의의 승리가 아니라 도덕에 대한 인간의 패배다. 고결한 꿈에 대한 물신적 관능의 승리며, 구원에 대한 천박한 욕망의 승리다. 사회주의의 허물어짐은 이데올로기의 패배가 아니라 인간의 패배며, 지상에서 영원한 혁명은 존재할 수 없다는 뼈저린 사실을 보여 주고 있다." 정찬, 「섬」, pp.180-181.

52 흥미롭게도 정찬의 권력에 대한 분석과 논리는 엘리아스 카네티의 권력론과 유사하다. 카네티는 그의 저서 『군중과 권력』에서 권력의 본질을 어떠한 역사 단계나 정치 체제와도 관계없는 초역사적인 범주로 설정하고 본질적으로 동질하고 악한 권력의 악순환이라는 맥락에서 다분히 비관적인 권력론을 제기하고 있다. 엘리아스 카네티, 「권력의 논리와 말의 양심」, 『말의 양심』, 반성완 역, 한길사, 1984, pp.21-22 참조.

과한 것이라고 평가한다.

이처럼 정찬은 무저갱의 권력욕을 인간의 본성과 역사의 추동력으로 끌어옴으로써 역사는 그 자체로 비극적인 것이며 역사적 갈등과 싸움 또한 인간 본성과 공존하는 본질적인 것이고 따라서 완전히 소멸될 수 없는 것이라는 비관적이고 허무주의적인 역사관을 도출하고 있다. 어떤 의미에서 정찬은 인간의 역사 전체를 부정하는 전복적 사유를 보여 주고 있거니와, 그의 논리를 따른다면 지금까지 인간이 만들어 온 모든 체제나 제도들은 권력의 또 다른 권력으로의 대체이거나 무한한 악순환일 뿐 진보와 발전이라는 가치로서 평가할 수 없는 것으로 치부된다. 역사적인 모든 단계와 인간의 쟁투는 "권력의 궤적"이라는 진위와 선악이 배제된 균질한 의미망 안으로 수렴되고, 역사의 진실이나 진리, 승리 따위는 원천적으로 존립 불가능하거나 무의미한 한낱 위안과 허상의 차원으로 전락하는 것이다.

이와 동일한 논리에서 정찬은 역사의 변혁을 도모하는 현실 참여적인 문학의 존재 방식에 대해서도 부정적인 입장을 견지한다. 소설 「시인의 시간」에서 정찬은 "시가 현실이 되고 현실이 시가 되는" 그런 형식의 문학이 과연 가치 있는 것인가라는 질문을 통해 문학의 현실 참여 문제를 직접적으로 서사화하고 있다. 이 소설의 실질적인 주인공 시인 강명원은 독재자의 시대와 광주 5.18의 역사적 현장을 변혁의 시로써 또한 목숨을 건 적극적인 실천 행위로써 넘어서고자 하는, 예컨대 현실 변혁에 복무하던 1980년대 한국 문인의 전형으로 그려져 있다. 여기서 정찬이 강조하는 것은 시가 현실이 되고 현실이 시가 되는 현실 참여적인 문학의 불가능성이라기보다는 그러한 현실을 판단하고 재단하며 또 다른 현실을 지향하는 '인간의 눈의 불완전함', 말하자면 인간의 이념과 사유가 구축하는 현실과 역사의 변혁 가능성 자체에 대한 부정이라고 할 수 있다. 시인 강명원이 '나'에게 들려주는 '카프카와 생쥐'의 서사는 "인간의 불완전한 눈"에 대한 하나의 예시로써 삽입된 것이며,[53] 인간은 본질적으로 불완전한 존재이고 그들이 만드는 역사 또한 어차피 불완전한 형상물에 불과하다는 정찬의 허무주의적 역사 인식이 이 작품에도 그대로 투영되어 있다.[54] 강명원이 젊은 날의 자신의 문학을 회고하면서 스스로를 "눈먼 시인"으로 비유하는 것 또한 이런 맥락에서이다. 소설의 결미에서 강명원이 목도하는 "최초의 형상"은 현실을 분별하는 모든 이념과 욕망이 사라진 지점에서 비로소 현시되는 원초적 미분화의 신화적 세계, 초역사적인 신성의 공간을 상징한다. 요컨대 정찬은 권력과 역사와 인간의 본성에 대한 집요한 관념적 탐색을 거쳐, 그의 문학이 대면해야 할 것은 역사도 아니고 현실도 아니라는 반역사주의적인 결론에 도달한다. 「기억의 강」에서 소설가 윤명수는 그가 증오한 것은 '광장' 자체가 아니라 광장의 모습을 왜곡시키는 타락하고 부패한 "거짓된 언어"였을 뿐이라고 고백하고 있거니와,[55] 이제 모든 것은 광장과 현실과 역사의 문제가 아니라 '말'이라는 하나의 지점을 향해 수렴된다. 훼손된 현실, 타락한 역사의 구원은 최초의 자리, 모든 것의 근원으로 돌아가서 '말의 순결한 원형'

---

[53] 카프카는 생쥐 한 마리를 꼬챙이에 찔러 눈높이만큼의 벽에 걸어 둔다. 인간의 불완전한 눈이 위에서 아래로 내려다볼 때 그 작은 짐승에 대해 잘못된 생각을 갖게 된다는 것을 카프카는 알고 있었기 때문이다. 이상이 강명원이 들려주는 카프카와 생쥐 이야기의 대강이다. 정찬, 「시인의 시간」, 『베니스에서 죽다』, p.244 참조.

[54] "역사란 불완전한 형상물입니다. 그것의 주체인 인간이 불완전한 존재이니까요. 이 불완전한 돌로써 어찌 완전한 탑을 만들 수 있겠습니까?" 정찬, 「황금빛 땅」, p.325.

[55] 정찬, 「기억의 강」, p.250 참조.

을 회복함으로써만 가능하다는 초역사주의적인 논리가 성립하는 것이다. 그 순결한 말의 원형을 찾아가는 길, 그것이 결국 역사를 부정하고 역사에 대한 책무는 짊어진 정찬 소설의 예술가들에게 부여된 숙명이자 윤리성이라 할 수 있다.

5. 맺음말

자성적 소설가소설의 형식으로 이어지는 정찬의 소설 쓰기는 우리 소설사에 유례가 없는, 문학의 말과 언어에 대한 집요한 통찰과 엄중한 윤리 의식을 보여 준다. 그의 소설은 도저한 완전주의자의 목소리로 "의로움의 탑은 오직 의로움의 돌로 쌓아졌을 때 이룩될 수 있다"[56]고 주장하며, 거짓된 언어, 훼손된 말이 아닌 절대적이고 무결한 '말의 원형'으로 회귀할 것을 요청한다. 이 과정에서 정찬 소설의 특징적 경향이라 할 수 있는 신성의 추구와 반역사주의의 논리가 제기되거니와, 끝없는 권력욕과 권력에의 연쇄로 파악되는 불완전한 인간, 불완전한 역사는 배제되고 모든 상대적인 가치와 진리, 이념 또한 부정된다. 정찬 소설이 추구하는 문학과 말의 윤리성은 신과 인간과 자연, 탄생과 소멸이 평등하고 조화롭게 융화하는 신화적이고 원초적인 세계의 가치를 수긍하고 수용함으로써만 획득 가능한 것으로 표명된다. 그러나 그곳은 잃어버린 낙원이고 탈성화된 문명의 인간이 되돌아갈 수 없는 시원의 장소이다. 정찬의 소설에서 기억과 회귀의 문제가 중요한 모티브로 등장하는 것은 이런 맥락에서이다.

요컨대 정찬은 현실을 부정하고 역사를 부정하는 방식으로 역사

---

56 정찬, 「기억의 강」, p.250.

적 진실과 선의 확실성에 대해 끊임없는 회의의 시선을 던지고 있지만, 신성의 세계라는 하나의 절대적 가치를 상정함으로써 일종의 논리적 모순을 드러낸다. 니체의 주장처럼 모든 진리는 환상이며 우리가 잃어버린 진리 또한 환상이라 한다면,[57] 예술적 초월의 자리에서 정찬이 목도하는 '말의 원형'은 어쩌면 텅 빈 심연, 또 하나의 불확실한 세계일지도 모른다. 그럼에도 불구하고 정찬 소설의 예술가들은 어떤 구원과 초월을 향한 희망과 기구를 멈추지 않는다. 정찬에 의하면 그것이 잃어버린 신성의 시대를 살아가는 문학(가) 혹은 예술(가)의 존재 방식이기 때문이다. 그런 의미에서 닫혀 있거나 숨어 있는 존재, 그 절대성의 세계를 찾아가는 정찬 소설의 관념적 탐색과 행보는 아마도 쉽게 끝나지 않을 종착 없는 긴 유랑의 과정처럼 보인다.

---

[57] 앨런 슈리프트, 『니체와 해석의 문제』, 박규현 역, 푸른 숲, 1997, p.232 참조.

1990년대 소설가소설의 윤리 의식 연구
―「숨은 꽃」「카프카를 읽는 밤」「우리 시대의 소설가」

1. 머리말

이 글은 1990년대에 발표된 일련의 소설가소설을 대상으로 그 특
징적 징후와 맥락을 분석한다. 1990년대 전반기에 소설가나 예술
가를 주인공으로 한 자성적 경향의 소설들이 하나의 유행처럼 창작
되었다는 사실에 대해서는 여러 논자들이 언급하였고, 이러한 현상
이 문학장 외부의 정치적이고 역사적인 변화와 무관하지 않다는 것
또한 이미 지적되었다.[1] 문학이란 언제나 본질적으로, 문학이란 무
엇인가를 묻는 존재론적 자기 성찰의 반영적 산물이라 할 수 있지
만, 1990년대의 한국소설은 특히 '문학이란 무엇이고 어디에 바쳐져

---

1 이에 대해서는 다음을 참조할 수 있다. 김현실, 「우리 시대 소설가소설의 지형도」,
『소설가소설 연구』, 국학자료원, 1999; 남송우, 「90년대 소설의 한 양상」, 『현대소설
연구』 15집, 한국현대소설학회, 2001; 박혜경, 「소설이 주체의 위기를 살아 내는 방
식―90년대 소설을 위한 밑그림」, 『문학과 사회』, 1998.봄; 서영채, 「소설, 모색과
모험의 도정」, 『소설의 운명』, 문학동네, 1995.

야 하는가'를 소설 안으로 끌어와서 직접적으로 탐문하는 이른바 '자기 반영성'을 두드러지게 드러낸다. 이러한 소설적 경향은 무엇보다도 거대 이데올로기의 퇴조와 후기 자본주의의 심화라는 문학장 외부의 변동과 관련되며, 문단 내적으로는 1980년대 문학을 지탱하던 주된 가치 체계가 망실된 지점에서 당대 문학이 직면했던 혼돈과 불안한 모색을 반영한다. 이를테면 1980년대 한국소설이 문학의 순정한 가치를 격동의 사회 현실과 맞서는 그 대결의 구도 안에서 찾았다면, 1990년대에 등장하는 소설들은 "겨냥할 과녁"이 사라진 현실에 절망하면서 폐색된 문학의 좌표와 출구를 고뇌하는 혼란한 자의식을 드러낸다.[2] 1990년대 소설의 특징적 경향으로 지목되는 이른바 '후일담 소설'과 '소설가소설'의 부상은 대개 이러한 시대적 상황의 소산이라 할 수 있을 것이다.[3] 한편으로 후일담 소설이 이미 지나 버린 과거를 회상하고 되짚는 것으로 혼돈의 현실에 대응했다면, 소설가소설은 문학의 위기와 소설의 죽음이 운위되는 환멸의 시대를 통과할 새로운 문학 논리를 고민하고 모색한다는 측면에서 보다 적극적인 행보를 보여 준다. 대표적으로 정찬의 「신성한 집」과 「슬픔의 노래」, 양귀자의 「숨은 꽃」, 조성기의 「우리 시대의 소설가」, 구효

---

2 서영채는 1980년대가 "시인과 소설가들의 입을 틀어막고 감옥에 보내는" "거대한 야만"의 시대였다면, 1990년대는 그 유형의 적과 억압의 구조가 "자본제적 근대라는, 보편사적 의미의 틀 속으로 편입"되어 버린 "교활한 야만의 시대"라고 말한다. 즉 1980년대 소설이 맞서 싸워야 할 적이 분명하던 시대의 서사라면, 1990년대 문학은 "어둠과 적이 부재"하고 다만 "후기 자본주의라는 저 노회하고 교활한 괴물"이 모든 것을 삼켜 버리는 시대의 피로와 방황, 출구 찾기의 서사라고 분석한다. 서영채, 「소설의 운명」, pp.17-21 참조.

3 1990년대 소설의 전반적 경향에 대해서는 김현실, 「우리 시대 소설가소설의 지형도」, pp.13-15를 참조할 수 있다.

서의 「카프카를 읽는 밤」 등의 소설에서 이러한 경향과 흐름을 읽어 낼 수 있다. 마르쿠제에 의하면 예술가소설은 태생적으로 분열과 불화의 양식이며,[4] 이들 1990년대 한국 소설가소설 또한 예외 없이 현실과 불화하는 예술적 주체들의 갈등과 변신, 새로운 길 찾기의 여정을 서사화한다. 주목되는 것은, 소설 쓰기에 대한 이들 소설가소설의 자기 모색이 한국소설의 오랜 정신사적 문맥의 한 지점을 공유하고 있다는 사실이다. 그간의 한국문학이 주로 현실에 대한 총체적인 재현의 욕망이나 문학이 지닌 계몽적 권능에 대한 믿음으로 스스로의 정체성을 구현하고자 했다면,[5] 1990년대 소설가소설은 이러한 문학 논리가 더 이상 불가능한 상황에서 가능한 소설의 길과 향방을 그들 나름의 방식으로 치열하게 탐구하고 있다. 멀리는 스스로 '전문적인 문사'보다는 '사회 교화자'의 역할을 자임했던 이광수의 문학에서부터 예술이나 문학을 현실 계몽 혹은 사회적 소명과 도덕의 표현 도구로 인식하는 것은 한국 근대문학을 관통하는 주도적 논리의 하나이며 일종의 관습이었다고도 말할 수 있다.[6] 이를 포괄적인 의미에서 한국문학의 윤리 의식이라 명명할 수 있다면, 이 글에서 논의하고자 하는 1990년대 소설가소설의 본질적인 문제의식 또한 대체로 이와 유사한 장 안에 놓여 있다고 할 수 있다. 단적으로 양귀자

---

4 마르쿠제는 예술과 생활이 분리되는 시점, 예술가가 하나의 고유한 주체로서 독자성과 주관성을 갖게 되고 전체의 생활 형식과 현실에서 분리됨으로써 비로소 예술가소설이 가능해진다고 설명한다. H. 마르쿠제, 「독일 예술가소설의 의의」, 『마르쿠제 미학사상』, 김문환 편역, 문예출판사, 1989, p.8 참조.

5 박혜경, 「소설이 주체의 위기를 살아 내는 방식―90년대 소설을 위한 밑그림」, p.155.

6 황경, 「한국 예술가소설의 맥락―예술과 현실의 길항 관계를 중심으로」, 『우리어문연구』 39호, 우리어문학회, 2011, p.494 참조.

의 소설 「숨은 꽃」은 "함께 살아가기 위해 만들었다는 한 제도적 장치로서의 도덕은 당분간 어느 곳에서도 얼굴을 내밀 것 같지 않았다"[7]는 도덕적 가치 부재의 절망적 현실 인식에서 출발하며, 작품에 따른 편차는 있지만 결국 1990년대 소설가소설이 보여 주는 사유의 중심에는 소설(가) 혹은 문학의 윤리에 대한 진지한 성찰이 깔려 있는 것으로 판단된다. 이 글의 일차적인 관심은 1990년대 소설가소설에 나타난 윤리 의식의 특징적 경향과 논리의 규명에 있다. 이를 통해 1990년대에 양산된 소설가소설들이 변화된 현실을 제대로 포착하지 못하고 나르시시즘적인 자기변명과 퇴행으로 나아갔다는 평가[8]와 달리, 야만적이고 폭력적인 현실 논리와 규범을 넘어서는 달라진 윤리 의식의 지평을 보여 준다는 사실에 주목하고자 한다. "집단이 희구하는 진보적 이념"[9]이 사라지고 공동의 집단 이데올로기가 더 이상 불가능하다고 판단되는 시대에 이들 소설가소설이 새삼 발견한 것은 그동안 경시되거나 간과되었던 본연의 육체성 혹은 자연적 감각에 대한 긍정과 재탐색이라 할 수 있다. 이는 어떤 의미에서 구획되고 강제되어진 근대의 합리주의적 이성에 대한 반발이며, 전일화된 자본주의적 도덕률과 그 배타적 폭력성에 대한 저항의 논리로 읽히기도 한다. 이런 관점에서 이 글은 특히 본능적 감각 혹은 육체에 대한 경사가 1990년대 소설가소설의 하나의 특징으로 드러나는 양상을 살펴보고, 그 서사화의 논리가 당대 문학의 윤리와 이어지는 맥락을 고찰한다.

---

7 양귀자, 「숨은 꽃」, 『이상문학상 수상 작품집』, 문학사상사, 1992, p.18.

8 김현실, 「우리 시대 소설가소설의 지형도」, p.15 참조.

9 정찬, 「신성한 집」, 『한국소설 100년』, 일송미디어, 2007, p.37.

2. 탈이데올로기의 시대와 소설(가)의 절망

1990년대에 양산된 대부분의 소설가소설에서 공통적으로 드러나는 주된 경향의 하나는 소설 쓰기의 괴로움과 고통에 대한 직접적인 토로이다.[10] 일반적으로 소설가소설은 소설가나 예술가를 주인공으로 한 우회적인 자기 성찰의 서사라 할 수 있지만, 1990년대 소설가소설은 특히 소설이 써지지 않는 상황에 대한 절망이나 작가적 삶에 대한 위기의식을 전면적으로 표출하고 있다는 점에서 특징적이다. 박범신의「그해 내린 눈 지금 어디에」나 양귀자의「숨은 꽃」, 구효서의「카프카를 읽는 밤」, 조성기의「우리 시대의 소설가」, 정찬의「신성한 집」 등이 대표적인데, 이들 작품은 대개 작가적 이력이 투영된 것으로 보이는 주인공을 등장시켜 창작 불능의 위기적 국면에 처한 소설가의 내면 심리와 성찰의 과정을 치열하게 묘사하고 있다. 창작의 고통이란 예술가 본연의 피할 수 없는 본질적 숙명 같은 것이라 하더라도 이들 작품의 주인공들이 느끼는 작가로서의 절망과 불안의식은 특히 1990년대 한국문학의 현실과 시대상을 반영한다는 점에서 문제적이다. 그렇다면 1990년대에 새삼 이러한 '소설가소설'이 부상하는 저간의 문맥은 무엇인가. 표면적으로 이들이 호소하는 소설(가)의 절망, 창작 불능의 고통은 예술적 창조력의 원천으로 의지해 온 상상력의 고갈이나 창작 방법의 망각, 언어 운용 능력의 상실 등 작가로서의 개인적인 자질 혹은 능력의 감퇴로 현상하지만, 여기

---

[10] 이 글의 분석 대상은 아니지만, 이를테면 함정임의「단편들」, 이남희의「세상 끝의 골목들」, 신경숙의「모여 있는 불빛」 등도 소설 쓰기에 관한 자성적인 고민을 토로한 소설가소설로 읽을 수 있다. 이에 대해서는 황도경의 두 편의 글「소설의 존재 방식—현실과 대결하는 두 가지 방식」,「말·발·삶—신경숙의〈모여 있는 불빛〉에 나타난 글쓰기의 기원」(『소설가소설 연구』, 국학자료원, 1999)을 참조할 수 있다.

에는 변화된 시대 현실과 갈등하고 충돌하면서 소설과 문학의 존립 방식을 재고하지 않을 수 없었던 1990년대 문학의 실존적 고뇌가 깔려 있다. 단적으로 1980년대의 '광장의 문학'에서 사인화(私人化)된 '밀실의 문학'으로 옮겨 간 것이 1990년대 문학의 특성이라 한다면,[11] 1990년대의 소설가소설은 이러한 이행의 접점에서 한국문학이 경험했던 갈등과 모색의 양상을 서사화하고 있다. 이를 극명하게 보여 주는 소설이 양귀자의 「숨은 꽃」이다.

소설가인 「숨은 꽃」의 주인공은 아무리 애를 써도 단편소설 하나 써지지 않는 상황에 지독한 피로와 절망을 느낀다. 오랜 세월 쉬지 않고 소설을 써 왔던 전업 작가로서 간단한 단편소설의 작법조차 기억나지 않는 상황은 '소설가'라는 호칭을 반납하고 흘러가 버린 다른 생애를 반환받고 싶을 정도의 충격이자 납득하기 힘든 낯선 경험이다. 문제는 그녀가 직면한 이 혼돈이 '소련과 동구권의 대변혁'이 몰고 온 사회적 파장과 세상의 변화에 대한 우려에서 기인한 것이며, 그녀의 문학을 지금껏 지탱해 온 나름의 창작 논리와 사유가 이러한 현실 변화와 충돌하면서 흔들린다는 사실에 있다.

문제는 〈슬픔도 힘이 된다〉는 진술이 아무런 감동도 주지 못하는 세상의 변화에 있었다. 세상이 갑자기 텅 비어 버린 듯했다. 써야 할 것이 우글대던 머릿속도 세상을 따라 멍한 혼돈에 빠져 버렸다. (중략) 소련과 동구권의 대변혁이 몰고 온 파장은 그나마 모색되어 오던 이 사회의 새로운 물결, 상식적인 삶의 예감까지 붕괴시키는 데 단단

---

11 김미현, 「1990년대 소설에 나타난 동물성」, 『이화어문논집』 21집, 이화어문학회, 2003, p.167.

한 몫을 하려는 듯이 보여졌다. (중략) 함께 살아가기 위해 만들었다는 한 제도적 장치로서의 도덕은 당분간 어느 곳에서도 얼굴을 내밀지 않을 것 같았다. 이제는 맹목적인 질주만 남았는가. 그렇다면, 그렇다면, 나는 늘 그렇다면, 에서 멈추었다. 누가 뭐라 말하든, 나로서는, 단편이란 양식의 소설이란 작가의 고백에 다름 아니라고 생각해 왔었다. 어떤 내용을 담았건 그것은 작가의 고백이거나 기도 같은 것이었다. 멈춘 기도를 잇고 싶은 마음이야 간절했지만, 그 일을 시작하는 일은 너무 버거웠다. 그때부터 나의 피로는 누적되기 시작했다.[12]

「숨은 꽃」의 주인공은 사회주의 체제의 몰락이라는 역사적 사건을 지켜보면서 문학의 위기를 감지하거니와, 이는 그녀가 문학, 특히 단편소설의 형식이란 어떤 공동의 삶의 가치와 이상을 추구하고 표현하는 일종의 작가의 '고백'이나 '기도'와 같은 것이라는 문학적 논리를 전제하고 있기 때문이다. 이를테면 그녀는 "어떻게 얼굴을 화끈거리지 않고 나의 일을 노동이라고 말할 수 있을까"라고 자문하면서, 소설 쓰기를 '노동'이라 칭하기 위해서는 문학이 한 시대의 "진정한 동반자"가 되어야 하는 것인데, 그러나 "이 노동이 목숨 걸고 살아가는 우리 모두에게 제대로 '일용할 양식'이 되어 본 적이 있었던가 하는 경계심" 때문에 "이 뼛골이 빠지는 노동을 감히 노동이라고 부를 수 없는 것이다"라고 토로한다.[13] 문학의 사회적 책무와 역할에 대한 이 엄격한 자의식을 이해하지 않고는 그녀가 직면한 작가적 고통과 갈등을 공감하기 쉽지 않다. 그녀의 절망은 결국 더 이상 우

---

12 양귀자, 「숨은 꽃」, pp.17-18.
13 양귀자, 「숨은 꽃」, p.29 참조.

리 사회가 "전교조 원년의 그 치열한 투쟁의 한 자락"을 그렸던 단편 「슬픔도 힘이 된다」와 같은 소설에 공명하지 않으리라는 비판적 현실 인식, 달리 말해 1980년대적 '광장의 문학'을 지탱하던 이념과 좌표가 사라졌다는 상실감에서 기인하는 것이다. 맞서야 할 적과 싸움이 있고 또 그 싸움의 정당성을 지지해 주는 공공의 명분과 이데올로기가 주어졌던 시대가 1980년대였다고 한다면, 양귀자의 「숨은 꽃」은 그러한 현실에 편승하여 문학이 "운 좋게 부산물을 획득하던 시대"는 끝났으며 그러므로 이제 이데올로기적 정향 없는 "맹목적인 질주"만이 남았다는, 1990년대 문학의 불안한 자기의식과 두려움을 직설법으로 토로하고 있다.

여기서 주목되는 것은 그녀가 우려하는 "맹목적인 질주"만 남은 시대의 문학 혹은 문학인의 정체인데, 이는 소설의 서두에 삽입되어 있는 "뜸부기 시인"의 삽화를 통해 유추해 볼 수 있다. 시인이란 어떤 존재인가. 「숨은 꽃」의 화자에게 시인이란 애초에 "깨어진 언어"에 절망하는 자이며, 비유컨대 새가 새답게 울지 못할 때 의연히 삶의 자리를 떠날 수 있는 자이다. 이는 녹음기가 내장된 커다란 앵무새 인형이 "난 너를 사랑해"라는 말을 온전히 따라하지 못하고 분절할 때 분노하는 시인의 이야기를 통해 드러나는데, 흥미로운 것은 이런 시인의 시인다움마저도 흡입해 버리는 강력한 현실의 메커니즘이다. 시인은 도시를 떠나 뜸부기를 키우며 새가 새답게 우는 시인의 삶을 살고자 하지만, 아이러니하게도 시인의 뜸부기는 통통하게 살이 올랐을 때 "호텔 식당의 우아한 바로크식 식탁"으로 팔려 나간다. 시인은 새를 팔고, 뜸부기의 노래는 노래가 되지 못하고, 사람들은 돈으로 시인의 뜸부기를, 뜸부기의 노래를 사고 먹어 치운다. "아침저녁으로 먹히고, 아침저녁으로 노래하는 뜸부기"와 시인의 서사에서 「숨은 꽃」의 화자가 읽어 내는 것은 질주하는 자본의 시대에 흡입되고 소모되는 문학(인)의 참혹하고 슬픈 운명의 모습이다. 「숨은 꽃」의 화자는 뜸부기 시인이 그러하듯 자신도 "이 거대한 모순"의 현실 속으로 빨려 들어가 "한순간 포말이 되어 공중으로 흩뿌려지는" 것은 아닐까 하는 두려움 앞에 자유롭지 못하다. 문학의 길을 밝혀 주던 이념과 가치의 빛은 사라졌고 창백하고 연약한 시인의 삶을 흡입하는 시대의 광포함만이 블랙홀처럼 그 앞에 놓여 있다. 그렇다면 문학은, 소설의 자리는 어디에 있는 것인가. 이를 1990년대 문학이 갇힌 미로라 한다면 양귀자의 「숨은 꽃」은 소설의 제목이 상징하듯 그 미로 속에 숨어 있는 새로운 문학의 윤리와 방향에 대한 탐색의 서사라 할 수 있다. 정찬의 「신성한 집」이나 구효서의 「카프카를 읽는 밤」 또한 이데올로기가 퇴조하고 물신적 상업주의가 만연한 시대의 소설 쓰기를 사유하고 있다는 점에서 양귀자의 「숨은 꽃」과 유사한 문제의식을 공유하고 있다.

정찬의 「신성한 집」은 마르샤스와 아폴론에 얽힌 신화를 재해석하면서 신성과 외경이 사라진 시대의 소설(가)의 존재 방식을 반성적으로 탐구한다. 정찬에 의하면 문학 혹은 예술이란 "신성을 향한 욕망의 산물"이며 예술가는 신과 인간을 매개하는 일종의 '샤먼'이다. 또한 샤먼으로서의 참된 예술가는 목자 마르샤스가 그러하듯 목숨을 바쳐서라도 신성을 가장하는 그릇된 권력에 대항하는 자이다. 그런 맥락에서 소설 쓰기는 타락한 권력과 타락한 현실에 맞서 "신성한 집"을 짓는 행위로 비유되며, 이러한 작가적 태도야말로 "예술의 원형적 얼굴"에 값하는 것으로 설명된다. 문제는 문학과 예술이 의당 지켜야 할 그러한 위의가 점점 훼손되고 있다는 사실이며, 이는 마르샤스와 아폴론의 이야기를 소설로 쓰고 있는 '나'와 부도덕한 방식으로 재개발 아파트의 분양권을 매매하는 '나'의 괴리에서 단적으로 드러난다. 이 지점에서 소설가 '나'의 삶과 문학이 분리되고, 그의 문학이 추구하는 마르샤스와 같은 예술가의 삶 즉 "예술의 원형적 얼굴"은 하나의 거짓 관념으로 변질된다. 이처럼 '나'는 자신이 쓰는 소설이 한낱 "거짓의 집"에 불과하다는 사실에 절망하고 "왜 글을 쓰는가"라는 통렬한 회의에 빠지지만, 선배 소설가 K가 토로하는 글쓰기의 괴로움은 그것이 단지 '나' 개인의 문제가 아니라 훼손된 시대를 살아가는 문학과 예술 전반의 현실이자 위기임을 보여 준다.

내가 이데올로기 소설을 쓰지 않는다고 해서 그것의 퇴조와 전혀 상관이 없다고 생각한다면 착각이야. 집단이 희구하는 진보적 이념은 어떤 경향의 소설가든 알게 모르게 연결되어 있거든. 보이지 않는 끈이라고나 할까. 비록 내가 그 끈을 사용하지 않았다 하더라도 끈의 존재는 소중해. 인간을 상승시키는 끈이기 때문이지. 인간은 아무리 상승해도 지나치지 않아. 현실의 삶은 언제나 잔인하니까. (중략) 소설이 점점 왜소해지는 걸 느껴. 신비감이 사라져 간다고나 할까. 지금도 그렇지만, 옛날에도 나에게 문학이 없으면 죽은 삶이라는 생각이 들었지. 외경도 빼놓을 수 없어. 문학이 스스로 발하고 있는 황홀한 빛에 대한 외경이라고 할까. 옛날에는 많은 사람들이 황홀한 빛에 취해 있었어. 지금은 그런 사람들이 몇이나 될까? 소설이 상품으로 전락된 지는 오래지만, 상품의 물신성이 점점 노골화되어가는 느낌이 드니.[14]

흥미로운 것은 1990년대의 시점에서 지난 시대의 한국 문단을 바

---

14 정찬, 「신성한 집」, p.37.

라보는 작가 정찬의 시선이다. 이를테면 '나'는 "정신만으로 세상을 앓는" 일종의 관념소설을 쓰는 작가라면, 선배 K는 "구체적인 생활에 바탕을 두고" "육체의 앓음을 동반"하면서 "삶의 부대낌 속에서 우러나오는" 그런 소설을 쓰는 리얼리스트로 그려진다. 그들은 모두 "소설로써 세상을 변혁시키려는 민중적 관념주의자"나 "머리로써 세상을 바꾸고자 하는" "존재론적 상상주의자"를 배척하고 부정하면서, 예컨대 1980년대적 민중문학이나 민족문학의 대척점에서 문학을 사유했던 작가들이라 할 수 있다. 그럼에도 불구하고 소설가 K는 "집단이 희구하는 진보적 이념"과 이데올로기가 퇴조한 현실을 허망해하면서 소설을 쓸 '신명'을 잃어버렸음을 고백하며, 소설이 점점 왜소해지고 한낱 상품으로 전락해 버린 시대를 한탄한다. 소설가 K의 이러한 양가적 태도는 문학은 언제나 인간의 삶과 정신의 상승을 위해 고투하는 "신성한 세계"여야 한다는 엄숙한 작가 의식과 치열한 문학 윤리에서 비롯된 것으로 이해할 수 있다.[15]

여기서 주목되는 것은, 1990년대 소설가소설이 문학의 타락과 훼손을 우려하면서 치열한 문학의 윤리와 작가 의식을 스스로에게 각인하고자 하는, 일종의 자기 검열과 깨달음의 형식으로 요청되었다는 사실이다. 문학을 사유하는 관점의 차이에도 불구하고 양귀자의 「숨은 꽃」이나 정찬의 「신성한 집」의 소설가들은 그들의 문학이 훼손되고 타락한 현실에 흡수되어서는 안 된다는 동일한 의지를 드러내거니와, 이는 이데올로기의 쇠퇴와 물신적 상업주의의 만연이라는

---

15 정찬의 소설관은 일반적인 의미에서의 리얼리즘 소설과는 정면으로 대립하는 것으로 평가되기도 한다. 작가를 신이라 호칭하고 존재의 근원과 본질을 추구하는 그의 소설 미학은 낭만주의적 예술관에 뿌리를 둔 것으로 해석된다. 장영우, 「기억과 벽관(壁觀)의 소설학」, 『한국어문학연구』 42집, 한국어문학연구회, 2004, p.278 참조.

부정적 현실 인식에 의해 추인된다. 그들은 새삼 그들의 문학을 돌아보고, 문학과 예술의 본질과 사회적 의미를 성찰하며, 문학과 소설의 자리는 마르샤스의 예술적 죽음이 자리한 곳 즉 "어둠에서 어둠으로 가는 통로" 어딘가, "와해된 세상의 폐허" 속에 있음을 자각한다. 소설가는 그 어둠의 자리에서 세상의 상처를 보고, 그 폐허에 갇힌 "숨은 꽃"들과 "꽃말"들을 읽어 내는 자이며, 질주하는 자본의 욕망에 맞서 경계하고 저항하는 존재라는 사실 또한 재인식한다. 문학의 윤리와 존재 방식에 대한 재확인, 이것이 양귀자의 「숨은 꽃」이나 정찬의 「신성한 집」의 소설가들이 변화된 시대 현실에 대응하는 방식이라면, 구효서의 「카프카를 읽는 밤」과 조성기의 「우리 시대의 소설가」는 이와는 조금 다른 각도에서 소설 쓰기의 문제를 서사화한다.

3. 문학의 물신화와 소설(가)의 존재 방식

1990년대 소설가소설의 중심 화두의 하나는 문학의 상업화와 물신화에 대한 문제이다. 문학의 윤리를 지탱해 주던 거대 이념이 퇴조하고 문학이 자본주의적 상품으로 전락할 것이라는 비관적 우려와 전망은 앞서 살펴본 양귀자의 「숨은 꽃」이나 정찬의 「신성한 집」에서도 직접적으로 표출되고 있지만, 이를 보다 예각적으로 서사화한 소설로는 구효서의 「카프카를 읽는 밤」과 조성기의 「우리 시대의 소설가」를 들 수 있다. 이 작품들은 특히 문학의 상업주의화와 작가적 윤리 사이의 갈등과 충돌의 문제를 중심으로 문학의 물신화가 전면화되는 시대의 소설(가)의 존재 방식을 탐문하고 있다.

구효서의 「카프카를 읽는 밤」의 주인공은 연재소설을 쓰고 있는 작가로 글쓰기의 고통이 극에 달하자 소설의 배경 무대인 해남으로 도망치듯 여행을 떠난다. 그는 쓰고 있는 연재소설이 재미없다는 이유로 연거푸 반송을 당하자, 더 이상 글을 쓸 수 없는 최악의 상황에 놓이게 된다. 연재를 계속하는 데 문제가 생긴 이후로 주부와 술부의 기본적인 언어 운용조차 불가능해지고 언술 체계가 무너지면서 "언어를 몽땅 잊어버릴 것만 같은" 극도의 불안에 시달리게 되는 것이다. 써지지 않는 소설에 대한 심리적 압박감은 이처럼 언어의 공포, 자신의 감각과 기억에 대한 불신으로 나타나고 급기야 '중이염'이라는 신체적 증상으로 이어지기도 한다. 자신의 목소리가 누구의 것인지 알 수 없을 정도로 낯설어지고 시선에도 장애가 생겨 운전조차 힘들어지는 현상, 그는 이를 중이염 때문이라 생각하지만 의사는 아무 이상이 없다고 진단한다. 소설 연재는 이미 반 넘어 진행된 상태이고 더 이상 진척이 없으면 연재를 끊을 수도 있다는 압력이 들어온다. 물러설 수도 나아갈 수도 없는 상황, 그들의 요구대로 소설을 재미있게 써 주기만 한다면 모든 문제는 해결되는 셈인데, 그는 중이염을 앓으며 문장과 단어가 하얗게 지워지고 "내 입에서 소설 어쩌구 하는 말이 더 이상 나오는 걸 참을 수 없는" 자괴감에 빠진다.[16] 여기서 중이염은 작가로서 자신의 정체성을 위협하는 현실에 대한 일종의 방어 기제로써 작동된, 하나의 심리적 저항의 메타포로 해석할 수 있을 것이다. 요컨대 작가로서 그가 느끼는 갈등과 절망의 핵심은 재미있는 소설을 쓰지 못한다는 사실에 있지 않다. 그가 견딜 수 없는 것은 문학작품을 재미있는 소설과 재미없는 소설이라는 단순 논리로 가르고, 재미없는 소설을 쓰는 작가는 돌연 연재 중단을 당할 수도 있다는 폭력적인 문학 판의 현실이다. 결국 그의 소설 쓰기를 옥죄는 것은 철저하게 상업적인 문학의 논리인데, 그는

---

16 구효서, 「카프카를 읽는 밤」, 『깡통따개가 없는 마을』, 세계사, 1995, p.12.

이러한 문학 현실에 대해 중이염이라는 심리적 질환을 앓는 방식으로 무의식적인 거부와 저항의 태도를 드러낸다. 이처럼 작가로서의 '평형감각'이 위협받는 상업적 대중문화의 시대에 소설을 쓴다는 행위, 자기 문학의 존엄성을 어떻게 지킬 것이냐의 문제는 이 소설이 던지고 있는 근본적인 질문이라 할 수 있거니와, 이는 여행지 해남에서 만난 재일 조선인 작가 김유미의 이야기를 통해서 보다 분명하게 표명된다.

> 수상식장에서 저는 말했어요. 이제 재일 한국인 얘기는 더 이상 쓰지 않겠다고. 재일 소수민족에 대한 일본인들의 천박한 호기심과 흥미를 충족시키는 존재로서의 작가는 되지 않겠다고. 그때부터 글이 써지지 않더군요. 무슨 글을 어떻게 써야 할지 막막했어요. 그러나 보다 더 본질적인 문제는 제가 구사하고 있는 언어에서 발견됐어요. 식민지 시대 한민족의 언어를 혹독하게 지배했던 원수의 언어, 지금은 제 의식과 재일 소수민족들의 삶을 속속들이 지배하고 있는 지배자의 언어를 가지고 과연 무엇을 쓸 수 있을까. 문장이 뒤틀리고 얘기가 빗나가 괴상한 몰골의 소설들만 나왔어요. 물론 아무도 읽지 않았죠. 저들의 언술 체계가 내 안에서 막 무너져 내리기 시작했던 거예요. 그때부터 저는 이미 저들의 영토에서 떠나 있었던 거지요.[17]

맥락은 다르지만 재일 조선인 소설가 김유미는 주인공 '나'와 유사한 고민과 문제의식을 갖고 있다. 그녀는 재일 조선인으로 살아온 불우한 가족사를 토해 내듯 소설로 썼고 일본 문단에서 나름의 문학

---

17 구효서, 「카프카를 읽는 밤」, p.137.

적 성공을 거둔다. 그러나 그녀는 자신의 문학이 "지배자의 언어"로 쓰였고 일본인들의 천박한 호기심과 흥미를 충족시키는 상업적 글쓰기에 불과하다는 사실을 자각하면서 창작 불능의 위기를 경험한다. 말하자면 그녀는 태생적으로 언어의 영토, 글쓰기의 영토를 갖지 못하고 방황하는 국외자이며, 주인공 '나'는 그녀의 이러한 현실에 대중적이고 상업적인 문학 풍토 속에서 고통받는 작가로서의 자신의 현재 위치를 겹쳐 놓는다. 두 소설가의 만남이 땅끝 마을 '토말(土末)'에서 이루어지는 것 또한 상징적인데, 그들은 모두 자기 문학의 정체성에 혼란을 느끼며 영토의 끝, 그 경계에 서 있는 자들이라 할 수 있다. 이와 관련하여 주목되는 것은 이 소설에 등장하는 또 한 명의 소설가인 프란츠 카프카이다. '토말'을 여행하는 김유미의 손에는 카프카의 선집이 들려 있었고, 서울로 돌아온 '나'는 카프카의 소설을 읽으면서 어쩌면 자신이 한국인이 아니고 이곳 또한 그의 영토가 아닐 수도 있다는 상념에 사로잡힌다. 익히 알려져 있듯 카프카는 체코 출신의 유태인이면서 피식민지의 언어인 독일어로 소설을 썼고 끝내 어디에도 속하지 못한 채 고독한 경계인의 삶을 살았던 작가이다.[18] 유추컨대 김유미와 '나'는 소설가로서 그들이 걸어야할 어떤 운명, 그들 문학의 초상을 카프카에게서 보고 있거니와, 이는 지배적인 현실 논리에 포섭되지 않는 탈영토화의 방식으로 소설쓰기를 감행하겠다는 선택과 의지의 표명으로 해석할 수 있을 것이다. 이 소설의 결말은 카프카의 저 유명한 작품 「변신」의 모티브를

---

18 카프카의 삶과 문학에 대해서는 박홍규, 『카프카, 권력과 싸우다』, 도서출판 미토, 2003; 들뢰즈·가타리, 『소수 집단의 문학을 위하여—카프카론』, 조한경 역, 문학과지성사, 1992 참조.

차용하면서 주인공 '나'가 정체불명의 어떤 존재로 변신한다는 것을 암시적으로 보여 준다. 공포에 질린 아내의 모습을 통해 상징적으로 묘사된 '나'의 변신에는 문학의 상업화와 물신화를 강제하는 1990년대적 현실에 대한 거부와 저항의 의미가 내포되어 있다. 1990년대가 요구하는 상업화된 문학의 존재 방식을 거부하고 그 영토 밖으로 스스로 밀려난 존재로서 '나'의 문학은 어쩌면 그가 읽은 카프카의 소설이 그러하듯 "난해하고, 비정상적이고, 끊임없이 무슨 착각엔가 빠져들게 만드는 글, 무너져 내리는 글"[19]과 같은, 비대중적이고 비주류적인 형식이 될지 모른다. 아마도 그것이 「카프카를 읽는 밤」의 소설가들이 택한 본질적인 문학의 가치이자 존재 방식이라고 한다면, 조성기의 「우리 시대의 소설가」는 서로 다른 관점에서 문학의 본질을 사유하는 작가와 독자의 갈등을 통해 1990년대 소설(가)이 놓인 현실적인 자리를 가늠한다.

「우리 시대의 소설가」는 책값을 환불해 달라는 독자와 그 요구를 거절하는 소설가의 대립이라는 자못 흥미로운 이야기를 다룬다. 주인공 강만우는 소설가로서의 자존심을 내세우며 끝까지 환불 요청에 응하지 않지만, 여기서 주목되는 것은 그 책으로 인한 정신적·시간적 손실을 이유로 환불을 요구하는 독자의 논리, 그 맥락이다. 그의 주장은 대략, 작가란 모름지기 온갖 계층의 눈치를 보면서 우왕좌왕해서는 안 된다는 것, 소신과 신념을 가지고 이 시대의 전형적인 인물을 주인공으로 삼아 총체적 현실을 그려 내야 한다는 것, 그러한 총체성은 "작품을 관통하는 작가의 확고한 인생관·세계관, 다시 말해 절묘한 세계 해석이 있어야" 획득할 수 있다는 것 등으로

---

19 구효서, 「카프카를 읽는 밤」, p.139.

요약된다. 이런 논리로써 그는 문제가 된 강만우의 소설 「염소의 노래」가 대중 취향을 고려하여 단순히 재미만을 추구한 상업적 '불량 소설'에 불과하고, 강만우는 시대 현실을 총체적으로 그려야 한다는 소설(가)의 사회적 책무를 망각한 '불량 작가'라고 비판한다. 그러나 강만우의 입장에서 총체성 운운하는 주장은 루카치의 『소설의 이론』에나 나오는 시대착오적인 교리일 뿐 1990년대의 문학 현실에서 이미 시의성을 상실한 지 오래이며, 그런 논리로 환불을 강요하는 독자란 편집증 환자거나 사기꾼에 지나지 않는다. 이 소설은 끝까지 환불을 요구하는 독자와 이를 거부하는 소설가 강만우의 대립을 보여 줄 뿐, 어느 일방의 논리를 편들지 않는다. 중요한 것은 오히려 이러한 독자와의 갈등을 통해서 자기 문학의 진실과 정체성을 자각해 가는 소설가 강만우의 내면 의식이다. 도심을 산책하고 로댕의 조각전을 관람하고 칼빈과 세르베투스의 싸움을 소설로 쓰고 주부 창작 교실을 운영하는 등의, 서사를 이루는 몇 가지 삽화에서 강만우의 작가로서의 자의식과 논리가 드러난다. 그는 자본의 논리에 잠식당하는 도심의 무차별적인 개발상을 한탄하면서 그러한 세태에 휩쓸리지 않고 소설가로서의 감성과 품위를 지켜야 한다고 생각한다. 그가 집을 상가로 개축하지 않고 옛집 그대로 지켜 내고 있는 것도 "어찌 소설가로서 상가 건물을 짓겠는가"라는 나름의 엄숙한 작가 의식 때문이다. 또한 그는 '남녀상열지사'의 싸구려 상업소설을 종용하는 신문사의 청탁에 대해서도 냉소적이며, 되지도 않는 문장으로 베스트셀러나 양산하는 대중 추수적인 문학에 대해서도 비판적이다. 한마디로 그는 자신이 상업적 통속 작가와는 거리가 먼, 좋은 소설을 쓰기 위해 부단히 노력하는 좋은 소설가라고 생각한다.

이러한 작가적 자긍심은 그가 쓰고 있는 중편소설 「말의 섶」을 통해 비유적으로 표현되기도 한다. "말의 섶"이라는 가제가 붙은 이 소설의 핵심은 자신의 말과 신념을 지키기 위해 화형이라는 잔혹한 형벌에도 무릎 꿇지 않는 주인공 세르베투스의 엄혹한 정신이다. 강만우는 이와 같은 세르베투스의 정신에 "말의 섶"을 지고 불구덩이로 뛰어드는 존재로서의 작가의 치열성을 등가로 겹쳐 놓는다. 이를테면, 강만우는 독자의 환불 요구를 거절하다가 그가 쓴 책들에 둘러싸여 화형을 당하는 꿈을 꾸기도 하는데, 무의식중이나마 그는 "자기가 이 시대에 작가의 자존심을 위해 분신한 최초의 사람이 되었다는 자부심"을 느낀다.[20] 한편으로 그는 십삼 년을 밀폐된 방 안에 틀어박혀 창작에만 몰두했던 마르셀 프루스트를 예로 들어 주변과 무관하게 진행되는 소설 창작의 철저한 개인성과 독립성을 주장하기도 한다.

문제는 그가 생각하는 소설(가)의 이러한 모습이 하나의 이상이거나 관념일 뿐 현실이 되지 못한다는 사실에 있다. 그가 아무리 아니라고 강변한들 그의 소설 「염소의 노래」는 사이비 교주가 쓴 싸구려 유모어집 「염소의 배꼽」과 별다를 것이 없으며, 독자는 그런 그의 소설에서 통속적 대중성에 영합하는 비루한 작가 정신을 읽어 낸다. 소설 창작의 개인성을 주장하면서도 손쉬운 밥벌이의 수단으로 주부 창작 교실을 운영하는 그의 현실은, 작가로서의 치열성과 자존심을 강조하는 그의 문학적 관념과는 거리가 먼 것이다. 어찌 보면 그의 문학은 생각만을 거듭할 뿐 그 관념을 현실화시킬 몸뚱이가 없는, 그가 보았던 「팔 없는 사람의 명상」이라는 로댕의 조각 작품의 형상과 닮아 있다. 환불을 주장하는 독자는 현실 대응력을 상실한

---

20 조성기, 「우리 시대의 소설가」, 『이상문학상 수상 작품집』, 문학사상사, 1991, p.39.

문학의 상업성을 거론하며 강만우를 비판하지만, 이 소설의 리얼리티는 오히려 문학의 관념과 현실 사이에서 길항하는 소설가 강만우의 이중적인 모습에서 확보된다. 강만우의 말에 의하면, "이 시대의 소설가"는 십 년 전의 원고료를 그대로 받는 사회 최하층 수준의 저임금 근로자이고, 영상 매체의 위기에 눌린 소설의 시대를 살아가는 불안한 직업군이다. 이것이 1990년대 소설가의 현실적 위상이라면, 소설가 강만우의 이중성은 생존을 위한 어쩔 수 없는 선택의 결과라 할 수도 있다.

　양귀자의「숨은 꽃」이나 정찬의「신성한 집」, 구효서의「키프카를 읽는 밤」에서 소설가들은 여전히 속된 현실과 대립하는 소설(가)의 윤리와 문학의 본질을 사유한다. 이들은 일상적 삶의 현실을 넘어서서 속화되지 않는 문학의 원형적 자리와 책무를 의식한다는 점에서 이상주의적이며 계몽적이다. 요컨대 이러한 작가적 태도는 때로 "말의 섶"을 지고 불구덩이로 뛰어드는 강인함과 한 마리의 벌레로 변신해야 하는 카프카적 고독과 소외를 감내할 만큼의 용기를 요구하기도 한다. 정찬은 소설「신성한 집」에서 가죽이 벗겨지고 수족이 잘리는 형벌을 당한 목자 마르샤스의 서사를 통해 이를 진정한 예술(가)이 감당해야 할 일종의 천형으로 묘사하고 있다. 조성기의「우리 시대의 소설가」는 그러나 우리 시대의 소설가에게 덧씌워진 무거운 책무와 예술적 이상을 일정 부분 걷어 내고 1990년대 현실을 살아가는 소설(가)의 실상을 풍자적으로 담아낸다. 이 작품의 결미에서 강만우가 자신의 연재소설이 기사가 실리는 신문의 상단부와 광고가 놓이는 하단부를 가르는 경계선 어름, "신문의 배꼽 부위에 가로 걸려 있다"는 것을 새삼 인식하는 대목은 이런 측면에서 매우 상징적이다. 소설(가)이란 결국 그의 소설이 실린 자리처럼 "형이상학이 형이하학으로 되는 그 지점"에 위치한다는 것이 강만우의 깨달음 이라면, 이는 루카치적 총체성의 구현이 불가능한 시대, 거대 담론 이 지탱하는 문학의 공통 윤리가 사라진 시대를 살아가는 "우리 시 대 소설가"의 존재 방식에 대한 나름의 현실적인 시각과 논리를 보 여 준다는 점에서 문제적이다.

4. 소설(가)의 죄의식과 문학의 윤리

예컨대 양귀자의 「숨은 꽃」과 정찬의 「신성한 집」에서 이념이 사라 진 시대를 우려하는 소설가들의 곤혹과 절망은 문학 혹은 예술이 사 회적 정의와 가치를 구현하고 진실을 추구해야 한다는 무거운 윤리 의식에서 배태된다. 단적으로 그들에게 문학작품은 선악이 존재하 는 가치 지향의 체계이지, 그 모든 것을 넘어선 미적 차원으로 사유 되지 않는다. 이는 어쩌면 한국소설사를 관통하는 하나의 강박적인 특징이라 할 수도 있거니와, 이를테면 미 절대주의의 관점에서 천재 적인 예술가의 반사회적이고 비윤리적인 창작 행위를 서사화한 김 동인의 「광염 소나타」도 예술과 윤리의 갈등이라는 문제에서 자유롭 지 못하다.[21] 문학의 사회적 책무와 윤리적 가치에 집착하는 한국소 설(가)의 경향성은 아마도, 고단한 역사와 시대의 상처를 경험한 작 가들의 부채 의식과 관련되어 있다. 이를 소설(가)의 죄의식이라 한 다면, 1990년대 소설가소설에서 이른바 1980년 광주의 아픈 역사가 공통적으로 소환되는 것은 우연이 아니다. 박범신의 「그해 내린 눈 지금 어디에」나 양귀자의 「숨은 꽃」, 정찬의 「슬픔의 노래」는 1980년

---

21 김동인의 「광염 소나타」에 대해서는 황경, 「한국 예술가소설의 맥락—예술과 현실 의 길항 관계를 중심으로」, pp.495-499 참조.

광주의 기억과 상처를 직간접적으로 불러들여 1990년대 문학의 윤리와 그 방향을 고민하고 모색하는 준거로서 성찰한다.

박범신의 소설 「그해 내린 눈 지금 어디에」는 오로지 문학 그 자체의 절대성에 헌신하며 살아온 소설가에게 문학의 윤리가 소환되는 방식을 보여 준다. 이 소설의 주인공에게 문학이란 "억겁의 어둠을 뚫는 섬광"처럼 차오르는 상상력이고 운명이고 천형이며 그 무엇과도 바꿀 수 없는 절대적 가치로서, 그 자체로 자율적이고 독립적인 무엇이다. 그가 이러한 자신의 문학적 입장을 회의하고 부정하면서 "문학은 무엇이고 무엇이어야 하는가"라는 원초적 질문을 던지게 되는 것은 1980년 '광주'가 던진 충격과 그에 얽힌 아픈 기억 때문이다.

나는 더 이상 소설을 쓸 수 없었다. 자주 가위눌리는 꿈을 꾸었고, 꿈속에서도 낯선 사람들의 뒷모습이 나타났다. 창밖의 폭력적이고 암울한 세계를 등지고 북향 방에 앉아 밤마다 무력한 겨울 바다의 정경을 그렸던 내 자신이 가증스러웠으며, 또 비참했다. 그 비참함은 어떤 평론가가 내 소설을 대중적이라고 인민재판하듯 비난해 올 때 받았던 마음의 상처와는 비교도 되지 않았다. 읽히지 않아 서가에 유폐되는 작품보다, 수많은 사람들에게 위로로 읽히는 것이 대중적이라면, 나는 기꺼이 대중주의를 선택하겠다고 응수했던 게 불과 일 년 전의 일이었다. 그러나 '광주'의 충격은 그 모든 논의 자체를 허깨비 짓으로 만들었다. 나는 무엇을 썼던가. 내가 쓴 것들은 겨우 베갯머리에 빠져 있는 죽은 머리칼이나 허위의 세상이 빚어내는 허망한 거품은 아니었을까. 침묵할 뿐인 가짜 신문에 기여하여 밥이나 벌고 있었던 게 아닐까. 나는 유일한 사랑이라고 믿었던 문학에 대해 아무런 믿음도 가질 수 없

었다.[22]

1980년 '광주'의 아픈 역사와 그에 얽힌 한 여인의 죽음은, 문학을 구획하는 어떤 이데올로기도 거부하고 문학에 이데올로기가 있다면 "인간주의 이데올로기"가 있을 뿐이라고 강변하던 그의 문학관을 뿌리째 흔들어 놓는다. 1980년 그해 겨울 주인공은 자신의 집을 찾아왔던 한 여인을 폭설이 내리는 문밖으로 내몰았고 여인은 동사한다.[23] 여인의 비참한 죽음에 대한 그의 죄책감은 그 여인이 '광주'에서 남편을 잃은 역사적 피해자라는 사실과 맞물리면서 시대 역사적 차원의 작가적 죄의식으로 전이된다. "소설의 플롯 안에서의 수많은 질서들과 싸우는 것"만이 '직업 작가'의 '순결성'이라고 믿었던 자신의 문학 세계가 결국은 폭력적 현실과 시대의 고통을 외면한 한낱 밥벌이에 지나지 않았다는 통절한 자각과 함께 그는 더 이상 소설을 쓸 수 없는 자기부정을 경험하는 것이다.[24] 소설의 결말은 그래도 여전히 "나는 작가"라는 성찰로 이어지는 주인공의 새로운 문학적 전신을 예고하고 있거니와, 이는 아마도 '창 안'에서 '창 밖'을 보는 방식이 아닌 시대 현실과 길항하는 보다 적극적인 소설(가)의 정향 탐색과 관련되어 있을 것이다. 요컨대 박범신의 「그해 내린 눈 지금 어디에」가 보여 주는 이러한 소설(가)의 죄의식을 사회 현실의 고

---

[22] 박범신, 「그해 내린 눈 지금 어디에」, 『흰 소가 끄는 수레』, 창작과비평사, 1997, p.266.

[23] 여인은 한 신문에 연재되었던 주인공 소설의 독자였고, 단지 그 이유만으로 주인공의 집을 방문한 것으로 묘사된다.

[24] 실지로 박범신은 상업주의 작가, 대중작가라는 평단의 비판을 받았고, 작가 자신은 인정하지 않을지 몰라도 이는 어느 정도 사실이기도 하다. 김명환, 「자기 구원의 힘겨운 싸움」, 『창작과 비평』, 1997.겨울, pp.380-381 참조.

통과 상처로부터 자유로울 수 없는 한국문학의 윤리 의식이라 한다면, 1980년대는 특히 진리 혹은 진실이라고 주창되는 공통의 이념과 윤리의 프리즘이 강하게 존재했고 적지 않은 지식인들과 문학인들이 그 창을 통해 현실을 읽고 분석하며 간여했던 시대라고 할 수 있다. 이런 맥락에서 양귀자의 「숨은 꽃」은 지난 시대의 문학이 "지식과 열정을 지탱해 주던 하나의 대안을 안락의자 삼아 밤새도록 글을 쓰고 또 쓰면 언젠가는 출구에 닿는다는 희망을 가질 수 있었던"[25] 의심 없이 편안한 것이었음을 고백하고 있기도 하다. 그러나 양귀자의 「숨은 꽃」이나 정찬의 「슬픔의 노래」는 현실을 해석하는 바로미터로써 갈등 없이 선명했던 지난 시대의 문학 논리가 보여 준 한계와 문제점을 재고함으로써 1990년대 소설이 찾아야 할 새로운 문학의 정향을 모색하고 있다. 무엇보다 그들은 지난 시대의 문학 윤리가 단선적 이념과 논리에 의지한 지나치게 안일하고 관념적인 것이었음을 지적한다.

나는 이제까지 나와 연루된 모든 것들, 한마디로 뭉뚱그려 높은 도덕과 긴 역사의 문화라고 하는 것들이 이들 앞에서 얼마나 하찮게 무너지는가를 절감했다. 내가 영향받고 그에 의해 단련되던 것들이 사실은 아주 작은 세계에 불과하다는 것, 나는 평생 이 작은 세계 밖으로 한 발짝도 벗어날 수 없을 것이라는 예감은 절망이었다.[26]

「숨은 꽃」에서 주인공은 그녀가 세상을 읽었던 틀 이를테면 "높

---

25 양귀자, 「숨은 꽃」, p.80.
26 양귀자, 「숨은 꽃」, p.63.

은 도덕과 긴 역사의 문화라고 하는 것들"이 지극히 협소하고 고착적인 시선이었음을 절감한다. 이념과 지식과 이성의 눈으로 재단한 현실, 그것이 그녀의 소설이고 문학이었다면 문학이 담아내야 할 진실이 반드시 거기에만 있지 않다는 것을 깨닫게 되는 것이다. 흥미로운 것은 그녀의 이 같은 각성이 원초적이고 야성적인 감각과 육체성을 그대로 보여 주는 김종구라는 인물과의 만남을 통해 이루어진다는 사실이다. 이 소설의 또 다른 주인공이라 할 수 있는 김종구는 단적으로, 그를 얽어매는 현실의 "어떤 수작"도 거부하면서 "몸뚱아리" 하나만으로 세상을 떠도는 무숙(無宿)의 막노동꾼이다. 어떤 의미에서 그는 우리 사회가 구축한 제도와 교육과 지식의 체계 따위, 요컨대 근대 이성과 이념의 산물이라 할 수 있는 그 모든 현실적인 것들을 냉소하며 문명의 밖에 선 자의 표상으로 이해할 수 있다. 중요한 것은 그럼에도 그가, 그녀의 지식과 이념과 문학이 포착할 수 없었던 어떤 세계, 예컨대 삶의 진실과 사랑과 연민을 몸으로써 이해하고 진짜와 가짜를 본능적으로 가려내며 세상의 '위선'과 타협하지 않는 강인함을 가지고 있다는 사실이다. 이를 근대 문명과 이성에 의해 억압되었던 원초적 감각과 육체성의 귀환이라 부를 수 있다면, 양귀자의 「숨은 꽃」은 여기서 막혀 버린 1990년대 문학의 출구, 미로를 벗어나는 새로운 지점을 발견한다. 이와 유사한 맥락에서 정찬의 소설 「슬픔의 노래」는 근대 이성과 문명이 덧씌워 놓은 욕망과 이념의 무거운 가면을 걷어 내고 인간 본연의 내면을 들여다볼 것을 주장한다. 폴란드로 취재 여행을 간 기자이자 소설가인 '나'는 그곳에서 작곡가, 영화감독, 배우 등을 만나고, 서사는 예술의 본질과 존재 방식에 대한 그들의 담론을 따라 전개된다. 작가 정찬이 소설의 형식으로 표명하는 일종의 예술론이라 할 수 있는 이 작품에서, 주목되는 것은 인간 역사와 예술의 상관성을 사유하는 그의 논리이다. 요컨대 본질적으로 인간의 역사는 끊임없이 이어지는 "슬픔의 강"이며, 예술(가)은 그 "슬픔의 강"이 흐르는 소리를 보고 듣고 전하며 궁극에는 "슬픔의 강" 너머 어딘가에 있을 빛을 찾아 나아가야 한다는 것이다. 이런 측면에서 예술가는 축복보다 형벌에 민감한 사람이며 그 형벌을 견디는 자로서, 견디지 못하는 자는 예술가가 아니라는 주장이 제기된다.[27] 인간 역사의 가장 참혹한 사건이라 할 아우슈비츠의 현장과 1980년 '광주'의 아픈 기억이 그들 예술가들이 모이는 소설의 중요한 공간이자 장치로 소환되는 것은 이런 맥락에서이다. 문제는 "문명의 옷"을 입고 "문명의 시선"으로 보아서는 결코 "슬픔의 강" 너머로 건너갈 수 없다는 사실이다. 정찬은 1980년 '광주'에서 시민들을 학살한 진압군이었고 현재는 폴란드에서 연극을 하고 있는 배우 박윤형의 입을 통해, 깃발처럼 널린 '진실'의 이름으로 '광주'의 역사를 분석하고 세상을 읽어 내는 "작가 선생"들을 조롱하고 냉소한다. 그들은 세상을 향해 쉽게 진실의 잣대를 들이대고 구원으로서의 사랑을 역설하지만, 그것은 이미 문명과 이성의 시선에 의해 길들여지고 굳어져 버린 "바짝 마른 박제"의 논리에 불과하다는 것이다.

정말 웃기시는군요. 작가 선생들이 너도나도 깃발처럼 내걸고 있는 그놈의 진실이라는 것이 내 눈에는 어떻게 보이는지 아십니까? 박제 같아요. 바짝 마른 박제 말이에요. 제 말을 못 알아들으시는군요. 작가 선생들이 광주를 어떻게 쓰고 있습니까? 죽은 자들이 흘린 피의 의미,

---

27 정찬,「슬픔의 노래」,『20세기 한국소설』 42, 창비, 2006, p.188.

그들의 눈물, 살아남은 자의 고뇌, 그리고 가해자의 잔인과 악몽과 죄의식 등등. 여기에다 한 가지를 덧붙이지요. 가해자 역시 희생자였다고. 왜? 권력에 눈먼 이들에게 이용되었으니까. 진실이 그렇게 단순한가요? 진실이 그렇게 일목요연하다면 세상은 참으로 명료하게 보이겠지요.[28]

박윤형의 이러한 주장은 아마도 작가 정찬이 스스로에게 던지는 비판이기도 하거니와, 「숨은 꽃」의 소설가에게 "곰팡이가 가득 핀" 머릿속의 지식과 이론을 "청소"하고 몸의 언어로 세상을 대할 것을 요청했던 김종구의 전언과 유사하다. 그렇다면 "슬픔의 강"을 건너는 방법은 무엇인가. 소설의 결미에서 박윤형은 소설가 '나'에게 강을 건너는 두 가지의 방법을 제시하고 있다. 배를 타는 것과 스스로 강이 되는 것이 그것인데, 대부분의 작가들은 "작고 가볍고 날렵한 상상의 배"를 타지만 그가 암묵적으로 제시한 해법은 스스로 "슬픔의 강"이 되는 데 있다. 작가 자신이 "슬픔의 강"이 되어 강을 건넌다는 것은 그 의미가 명확하게 드러나 있지 않지만 박윤형의 말에서 유추할 수 있다. 박윤형은 그가 하고 있는 연극 "가난한 연극"에 대해서 설명한다. 그에 의하면 『성서』에서 가난, 궁핍이란 "모든 외형적인 것의 버림을 뜻하고" "가난한 연극"은 영혼을 둘러싸고 있는 껍질을 벗겨 내고 살을 깎아 뼈를 보여 주는 그러한 차원의 연극을 추구한다. 그때 배우에게 요구되는 것은 "진정한 고통의 발견"이다.

저는 종종 이런 의문에 사로잡히곤 합니다. 사람들이 얼마나 자신의

---

28 정찬, 「슬픔의 노래」, p.213.

내부를 들여다볼 수 있을까, 하고 말입니다. 배우는 누구보다도 자신을 깊숙이 들여다보는 인간입니다. 내부를 들여다보지 못하면 연기가 불가능합니다. 의사가 배를 갈라 환자의 내장을 들여다보듯 배우는 냉철한 눈으로 자신의 내부를 들여다봅니다. 깊숙이 감추어진 생명의 내부를, 인간의 능력으로는 측량할 수 없는 거대한 에너지의 바다를. 그렇게 들여다보고 있으면 인간이 축조하는 문명의 세계가 얼마나 보잘것없는가를, 모래 위의 집처럼 얼마나 위태로운가를 무섭고 뼈저리게 알게 되지요. 언젠가부터 아우슈비츠가, 그 어둡고 황량한 풍경이 (중략) 제 내부와 비슷하다는 것을 알았습니다. 저는 제가 두렵습니다.[29]

요컨대 여기서 강을 건널 수 있느냐의 여부는 논의의 핵심이 아니다. 이성적 합리성과 배타적 동일성에 의해 구축된 현대 세계가 홀로코스트로 광주로 그 잔인하고 난폭한 모습을 드러낼 때, 예술은 문학은 무엇을 할 수 있고 해야 하는가. 「슬픔의 노래」는 길들여진 문명의 의장을 벗고 뼈와 살이 드러나는 맨몸으로 그 슬픔과 고통의 심연에 직면할 것을 요구한다. 그것은 어떤 이념, 정파, 논리를 가지고 세상을 대상적으로 해석하는 방식이 아니라, "가난한 연극"의 무대 위에 선 배우처럼 자신의 생명, 육체, 그 내면을 깊숙이 응시하는 일에서부터 시작된다. 박윤형은 모든 것을 벗어던진 무대 위에서 '광주'의 가해자도 피해자도 아닌, 자기 안에서 짐승처럼 헐떡이고 꿈틀거리며 올라오는 원초적 생명의 힘을 느꼈다고 고백한다. 어떤 의미에서 그것은 "도덕적으로 용납될 수 없는 쾌감"이고 "반역사적 폭력"의 에너지로 설명되기도 하며, 아우슈비츠의 어둡고 황량한

---

29 정찬, 「슬픔의 노래」, p.221.

풍경과 닮은 두려운 인간의 심연이기도 하다.[30] 「슬픔의 노래」는 이처럼 문학이 무엇보다 인간의 내면, 인간 역사의 가장 어두운 밑바닥에 웅크리고 있는 육체성, 야성과 광기 등의 은폐된 실체를 수면으로 불러내고 치열하게 대면해야 한다고 주장한다. 바로 그곳에 문학(가)이 건너야 할 "슬픔의 강"이 흐르고 있기 때문이다. 양귀자의 「숨은 꽃」도 근대 이성에 의해 훈육된 이데올로기가 무너진 자리에서 인간과 자연이 본연의 육체성으로 융합되어 있던 최초의 지점을 상상하고, 소설(가)은 아마도 그곳에 숨어서 피어 있을 어떤 진실 즉 "숨은 꽃"을 찾고 기록해야 한다고 말한다.

5. 맺음말

1980년대 문학의 중심축이 '광장'에 있었다면 1990년대 문학은 사인화된 '밀실'의 문학으로 이동했다고 평가되거니와, 1990년대 소설가소설의 부상은 이러한 한국소설사의 변화와 그대로 조응한다. '광장'에서 '밀실'로 옮겨 간 문학사적 변화의 기저에는 요컨대 1980년대와 1990년대를 가르는 사회·정치적 변화와 그로 인한 반성적 현실 인식이 개입한다. 사회주의의 붕괴와 그로 인한 탈이데올로기적 시대 상황이 전면화되면서 '광장'의 문학을 지탱하던 공동의 가치 체계들이 무력화되고 한편으로 자본과 상업적 물신주의의 위력이 예술과 문학의 영역으로 파급되는 시대가 1990년대였다면, 1990년대 소설가소설은 이처럼 달라진 현실에 대한 성찰과 모색의 과정에서 등장한 일종의 과도기적 형식이었다고 할 수도 있다. 주목할 것은 1990년대 소설가소설이 문학의 타락과 훼손을 우려하면서 치열한

---

30 정찬, 「슬픔의 노래」, p.219.

문학의 윤리와 작가 의식을 스스로에게 각인하고자 하는, 일종의 자기 검열과 깨달음의 형식으로 요청되었다는 사실이다. 소설의 주인공들은 대개 창작 불능의 고통과 작가적 위기위식 속에서 '문학이란 무엇이고 무엇이어야 하는가'를 재고하고 성찰한다. 이에 대한 작가 혹은 주인공 나름의 자기 분석과 해명, 사유와 치유의 과정이 소설의 중심 서사를 추동하거니와, 대개의 소설가소설들이 여로형의 구조를 취하고 있는 것도 이와 관련하여 이해할 수 있다. 그 성찰의 과정에서 문학(가)은 결코 물신화된 자본의 논리에 흡수될 수 없으며 사회 현실의 상처와 아픔으로부터 자유로울 수 없다는, 문학(가)의 윤리와 사회적 책무를 재확인한다. 특히 1990년대 소설가소설은 지난 시대의 관념적이고 단선적인 문학 이념을 자성하고, 근대 문명과 이성에 의해서 배척되고 억압되었던 인간 본연의 육체성과 자연적 감각을 새로운 문학의 정향으로 사유하고 있다는 점에서 특징적이다. 이는 어떤 의미에서 그간의 한국문학이 갖지 못한 새로운 차원의 문학 윤리이며, 아도르노가 말하는 본래적 의미의 미메시스의 추구라는 측면에서 해석할 수도 있다.

탐미주의적 절대미를 향한 동경과 이방의 비애
―김문집의 일본어 소설 『아리랑 고개』

1. 창작집 『ありらん峠』와 김문집 문학의 이면

한국문학사는 김문집을 비평가로 기록하고 있지만, 사실 그는 평론에 앞서 소설을 먼저 썼고 『아리랑 고개(ありらん峠)』(博文書館, 1938)라는 일문 창작집을 출간한 소설가이다. 김문집은 일본의 마쓰야마고교(松山高校) 시절에 이미 소설을 써서 개조사(改造社)의 현상 공모에 응모할 정도로 소설 창작에 대한 욕망이 강했고, 일문 창작집 『아리랑 고개』를 쓴 것도 1927년 무렵이었다고 회고한 바 있다.[1] 실제 작품을 집필한 시기는 명확하지 않지만, 그의 유일한 창작집으로 확인되는 『아리랑 고개』는 1938년 서울의 박문서관에서 발간되었고 서문을 춘원(春園)이 썼다 하나 실체를 확인할 수 없다.[2] 『아리랑 고개』

---

1 차원현이 작성한 김문집 생애 연보 참조. 염무웅·고형진 외, 『분화와 심화, 어둠 속의 풍경들―탄생 100주년 문학인 기념문학제 논문집 2007』, 민음사, 2007, p.282.
2 1938년 박문서관 판의 『아리랑 고개』는 현재 소장처를 확인할 수 없으나, 출간 사실에 대해서는 김윤식, 「김문집론」, 『시문학』, 1966.5; 임용택, 「근대 한일 문학 교

는 다시 동일한 제목으로 1958년 동경의 제이서방(第二書房)에서 출간되었으나 여기에 춘원의 서문은 들어 있지 않다. 이 소설집 이외에 1939년『국민신보』에 두 편의 일문 소설 「비화원(秘花苑)」과 「이별의 노래(別れの曲)」를 발표했으며,[3] 후에 「비화원」은 「여자 조리와 내청춘(女草履と僕の靑春)」으로, 「이별의 노래」는 「그랜드 보헤미안 호텔(グランド・ボヘミアン・ホテル)」로 개명되어 제이서방에서 나온『ありらん峠』에 수록되었다. 박문서관 판의『아리랑 고개』와 제이서방(第二書房) 판의『ありらん峠』가 동일한 것인지 현재로선 확인할 길이 없으나, 1939년에 발표된 「비화원」과 「이별의 노래」가 제이서방 판에 들어간 것으로 보아 수록 작품에 차이가 있을 수 있다는 추정만 가능할 뿐이다. 제이서방 판『ありらん峠』에는 표제작 「아리랑 고개」를 포함하여 총 9편의 작품이 실려 있다.

김문집이 일문 창작집『아리랑 고개』를 출간한 사실에 대해서는 여러 논자들이 언급한 바 있지만, 그의 소설에 대한 본격적인 논의와 연구는 거의 없다. 2003년『문학판』봄호에 송민이 쓴 「김문집의 일본어 작품집 읽기―『아리랑 고개』」라는 글이 유일하나, 이 글은 제이서방 판『ありらん峠』에 실린 일부 작품의 내용을 간략하게 소개하고 있을 뿐이다. 김문집의 소설에 대한 연구가 이처럼 미약한 것은, 우선 소설이 일본어로 쓰였고, 소설가로 지속적인 창작을 한 것이 아니라 주로 비평가로 활동했으며, 1940년 이후 일본으로 귀화하여

류 소고―김소운・김문집의 경우」, 염무웅・고형진 외,『분화와 심화, 어둠 속의 풍경들―탄생 100주년 문학인 기념문학제 논문집 2007』등 여러 논자들이 언급하고 있어 이론의 여지가 없어 보인다.

3 「비화원」은 주간지인『국민신보』1939.5.21, 5.28에 「別れの曲」는 1939.11.5, 11.12에 각기 실렸다.

한국 작가로서의 그의 정체성이 소멸된 것과 관련이 있을 수 있다. 또한 그의 소설이 한국문학사에서 다룰 정도의 가치가 없다는 판단이 개입되었을 수도 있으며, 나아가 일본어로 쓴 소설을 우리 소설사의 일부로 수용할 수 없다는 관점이 작용했을 수도 있다.

어쩌면 한국의 근대문학은 식민지 근대의 심화 과정 속에서 배태되고 성장했으며, 이른바 식민지 시기 한국 작가들의 이중 언어 글쓰기, 일본어 글쓰기는 이러한 정치적 시대적 조건 하에서 발아된 것이다. 춘원은 1909년에 이미 「愛か」라는 일문 소설을 썼고, 드러났든 드러나지 않았든 이중 언어 상황은 분명 식민지기 조선 문인들이 피하기 힘든 실존적 조건이었다. 특히 식민지 말의 국가총동원 체제 하에서 『국민문학』이라는 일본어 잡지로 대표되는 이른바 친일협력문학이 등장했고, 조선 문인 전체가 그러했던 것은 아니지만, 일부 작가들 이를테면 대표적으로 이광수, 유진오, 이효석, 이무영, 이석훈, 김사량, 장혁주 등이 일본어로 소설을 쓰고 발표했다. 이들 일본어로 쓰인 문학은 그 자체만으로 암흑기의 문학, 친일문학의 틀 안에서 논의되었다.[4] 특히나 1940년 전후에 걸쳐 나타난 일본어 소설들은 "한국 현대문학의 본질적인 영역으로 간주할 수 없다"[5]는 주장도 제기되었다. 해방 이후 한국문학사는 대개 "식민지기의 차별적인 이중 언어 상황에서 한국인 작가들이 생산한 일본어 문학에 대한 의식적인 배제"[6]와 비판의 태도를 취했다. 최근 들어 '일본어 글쓰

---

4 일본어로 글을 쓴 이 작가들을 한자리에 불러 모아 친일문학으로 다룬 최초의 연구는 임종국의 『친일문학론』(평화출판사, 1966)이다.

5 방민호, 「일제 말기 문학인들의 대일 협력 유형과 그 의미」, 『한국현대문학연구』 2집, 한국현대문학회, 2007, p.263.

6 정백수, 『한국 근대의 식민지 체험과 이중 언어 문학』, 아세아문화사, 2000, p.26.

기' 내의 차이에 주목하면서, 작품 내용에 따라 "협력과 저항"의 내적 논리를 따지고 친일문학의 정도와 여부를 가늠해야 한다는 논의가 부각되고 있다.[7] 그러나 여전히 그들의 이름과 그들의 소설은 "일본문학의 변종도 아니고 조선의 근대문학일 수도 없는 문학사적 미아"의 처지에 놓여 있다. 위와 유사한 맥락에서 김문집의 소설들 또한 일본문학도 아니고 조선문학도 아닌 그야말로 "문학사적 미아"[8]로 우리 문학의 변방에 방치되어 있다. 김문집의 일본어 소설 쓰기가 순전히 "신사대주의"에 사로잡힌 "반역사적인 지식인"의 산물이라 해도,[9] 그 이면에 놓인 역사적 문맥을 고려한다면 이는 김문집이라는 작가 개인의 한계이면서 동시에 식민지 시대를 살아야 했던 우리 문학의 상처이기도 하다는 사실을 간과할 수 없다. 새삼 김문집의 일본어 소설을 읽어야 하는 이유가 여기에 있고, 실제로 『아리랑 고개』에 실린 그의 소설들은 매우 특이한 방식으로 식민지 시대를 살아가는 조선 지식인의 내면의 상처와 고뇌를 보여 주고 있다.

2. 1930년대 문단과 비평가 김문집

비평가 김문집은, 다양한 문학론과 비평 방법론이 충돌하던 1930년대 한국 평단에서 최재서나 김환태, 이원조 등과 비견되는 '전문

---

7 이런 측면에서 논지를 전개한 대표적인 글로 다음을 들 수 있다. 김윤식, 『일제 말기 한국 작가의 일본어 글쓰기론』, 서울대학교 출판부, 2003; 김재용, 『협력과 저항』, 소명출판, 2004; 윤해동, 『식민지의 회색지대』, 역사비평사, 2003.

8 김윤식, 『한일 근대문학의 관련 양상 신론』, 서울대학교 출판부, 2001, p.60.

9 임종국이 김문집을 친일문학가로 거론한 이래로, 그에 대한 가장 혹독한 비판적 분석을 시도한 논자는 노상래이다. 노상래는 특히 김문집의 비평을 "신사대주의"에 사로잡힌 "반역사적인 지식인"의 산물로 평가하고 있다. 노상래, 「김문집 비평론」, 『한민족어문학』 20집, 한민족어문학회, 1991.

직 비평가'로 활동했다.[10] 그는 한국 문단사상 최초의 평론집으로 거론되는 『비평문학』(青色紙社, 1938)을 간행했고, 스스로 "산 위에 홀로 장치된 기관총"이라 자부하면서 당대 평단과 문인들을 향해 "감각적이고 육욕적이며 비유적인" 거친 언어로써 "무차별 사격"을 감행한 특이한 독설의 비평가로 기억된다.[11] 김문집의 비평을 1930년대 평단에 "파천황(破天荒)의 스캔들"을 일으킨 "한 마리 까마귀"의 등장으로 비유하는 것은, 그만큼 그의 비평 언어와 태도가 이전과는 달랐기 때문일 것이다.[12] "한국비평사의 신선한 충격"으로 지칭되기도 하는 김문집 비평의 독특함은 무엇보다도 "비평을 하나의 예술적 장르로 올려놓고자 했던" 그의 이른바 '비평예술론'에서 찾을 수 있다. 그는 예술과 미(美)를 "제한과 상대(相對)가 없는 완전 자유와 순수 절대의 백치성"을 지닌, 절대적 자율체로 규정했고, 그의 이러한 미학관은 여타의 예술지상주의자들의 논리와 크게 다르지 않다. 주목되는 것은 "비평을 예술의 예술"이라고 주장하면서 비평의 자율성과 창조성을 적극적으로 부각시키고자 했던 그의 비평관이다. 그는 비평을 텍스트의 미적 가치를 해석하는 차원이 아닌 미적 가치를 "완성"하는 창조적인 위치에 두고자 했고, 일체의 선입견과 주의를 배제한 비평가 개인의 순수하고 주관적인 직관과 표현의 산물로서의 "예술비평"을 강조했다. 김문집의 비평 언어가 날것 그대로의 비유와 수사, 아포리즘이 난무하는 "에세이적" 경향을 드러내는 것은, 그의 이러한 비평관의 투영이라 할 수 있다. 비평가 조연현은 그의 이

---

10 김윤식, 「김문집론」, p.63.

11 신재기, 「창조적 비평의 주장과 그 실천―비평가 김문집론」, 『향토문학연구』 7호, 향토문학연구회, 2007.

12 김윤식, 「김문집론」, p.62.

러한 비평을 "경솔하고 무궤도하지만 비평이라는 일 문학 형태를 작품적인 성질로서 행위했던 최초의 사람"이라는 측면에서 긍정적으로 평가했다.[13] 분석적이고 논리적인 비평의 언어 대신 감각적이고 주관적인 느낌과 표현의 어휘를 선호했던 김문집의 비평은 낯선 만큼 신선한 것이었으나, 경박하고 깊이 없는 "독선적 재단비평"에 불과하다고 평가될 정도로 허점과 한계 또한 적지 않았다.[14] 문제는 그의 비평 언어의 난삽함과 무례함에 있는 것이 아니라, 한낱 "태도나 개인적인 기질, 심리의 차원"일 뿐 실체가 없었던 그의 문학적 인식과 논리의 부박함에 있었다. 김문집은 예술이란 "이야기도 이데올로기도 아니며 오직 표현이고 기교고 호흡이며 재주"라는 논리로써 문학과 예술의 사회적·이념적 맥락을 부정했고,[15] 자신의 모든 것을 미와 예술로 포장함으로써 사회나 도덕으로부터 자유로울 수 있었다.[16] 요컨대 비평가 개인의 창조적 주관과 느낌, 재주와 기교의 미(美) 따위로 이루어진 그의 "예술비평"에는 애초에 예술과 함께 길항하는 사회와 역사라는 타자, 그러한 관념이 들어설 자리가 배제되어 있었다고 할 수 있는 것이다.

1930년대 말 그가 보여 준 일련의 친일 행적은 탈역사적이고 탈이념적인 그의 문학 논리가 장식적인 하나의 포즈에 지나지 않았다는 사실을 반증한다. 그는 친일 반민족적 문학 단체인 '조선문인협회' 간사로 참여했고, 「조선민족의 발전적 해소론 서설」(『조광』, 1939.9)

---

13 조연현, 「우리나라의 비평문학」, 『문학예술』, 1956.1, pp.132-133.
14 노상래, 「김문집 비평론」, pp.356-358 참조.
15 김윤식, 「김문집론」, p.64.
16 신재기, 「창조적 비평의 주장과 그 실천—비평가 김문집론」, p.91.

과 같은 글에서 내선일체의 타당성과 황국신민으로서의 재생을 역설했다. 일제 말 조선 문인들의 친일 행적이 어느 정도는 강압적인 상황 논리에 굴복한 어쩔 수 없는 선택일 수 있었다는 점을 수긍하더라도, 김문집의 경우에는 이와는 조금 다른 문맥이 겹쳐 있다. 김문집은 1909년 대구에서 출생했고, 1920년에 도일(渡日)하여, 1935년 조선으로 귀국했으며, 1940년 다시 도일하여 1941년 일본인으로 귀화했다.[17] 귀화 이후의 행적은 잠시 후쿠오카일일신문사(福岡日日新聞社)에 입사했었다는 사실 이외에 알려진 바가 없다. 일문 창작집 『아리랑 고개』의 후기에서 김문집은 조선에 돌아와 소설을 쓰지 못했던 이유가 "이상한 이야기지만 조선어가 완전히 엉터리인 내게는 소설은 쓰라고 해도 손이 나가지 않는다는 사정"에 있었음을 밝히고 있다.[18] 그는 조선인이었지만, 마치 일본인처럼 "하숙집 아주머니나 라디오 아나운서의 멘트를 통해 조선말을 배워야만" 했다.[19] 그는 일제 시대 조선의 많은 문인들이 그러했듯 일본 유학생이었지만, 보다 더 식민지 조선이 아닌 '내지' 일본에서 수학했고 그의 사유와 문학 의식은 아마도 대개 일본에서 싹트고 일본에서 배양된 것이었다. 이렇게 본다면 김문집 문학의 뿌리에는 일본을 향한 "신사대주의"가 놓여 있었다는 기존의 해석이 지나치게 혹독한 것이라 치더라도, 그가 "일본의 사고와 일본의 문화, 일본의 언어, 일본의 문학으로 무장되어 있었고 조선의 뼈아픈 현실에 대한 이해가 없었다"는 평가는 수긍할 만하다.[20] 이처럼 조선어와 조선문학에 미숙했던

---

17 차원현이 작성한 김문집 연보 참조. 염무웅·고형진 외, 『분화와 심화, 어둠 속의 풍경들—탄생 100주년 문학인 기념문학제 논문집 2007』, pp.281-285.

18 김문집, 『ありらん峠』, 第二書房, 1958, p.205.

19 김문집, 「나의 移從苦難記」, 『여성』, 1938.2.

그가 조선 문단에 등장하면서 발표한 평론이 「전통과 기교 문제」(『동아일보』, 1936.1.16-24)였다는 사실은 아이러니하다. 이 글에서 그는 조선문학에는 전통이 부재하지만 조선어만은 "놀랄 만한 전통성"을 띠고 있다고 평가하고 있다. 김문집의 문학 이력이 일본에서 중고등학교를 다니던 시절에 이미 시작되었고, 동경제대 독문과에서 니체를 읽었으며 당대 최고의 평론가인 고바야시 히데오(小林秀雄)의 영향을 받았다는 사실에 비추어 보면, 그의 문학적 자부심의 밀도를 유추해볼 수 있다. 실지로 『비평문학』에 묶인 평론들에서 그는 칸트, 쉴러, 니체, 괴테, T. S. 엘리엇, P. 발레리, 프로이트, 오스카 와일드, 보들레르, 세잔, 로댕, 피카소 등등 문학과 철학 기타 예술 분야의 여러 인물들과 그들에 관한 다양한 지식을 펼쳐 놓고 있다.[21] 일제 치하의 조선 문단에 '동경 문단'을 향한 '현해탄 콤플렉스'와 같은 것이 있었다고 한다면, 조선 문단을 향해 "山上에 홀로 裝置된 機關銃"을 자처한 김문집의 오만함은 자신의 문학이 바로 '내지'의 동경에서 비롯되었다는 자의식과 관계되어 있을 것이다. 그러나 당대 조선 비평의 핵심이었던 최재서와 맞설 정도로 제법 활발했던 김문집의 문단 생활은 5년 남짓한 기간에 불과했다. 1940년 그는 조선문인협회 간사직을 사임하고 조선 문단을 떠나 일본으로 돌아갔으며 사라졌다. 정확한 내막은 알 수 없지만, 최재서와 소송 사건에 휘말리는 등 문단과의 불화가 그 원인으로 알려졌다. 귀화 이후 김문집의 문학 행로에 대해서는 연구된 바가 없고, 다만 1958년 동경의 제이서방에서 창작

---

20 이런 측면에서 노상래는 김문집을 "신사대주의"로 강도 높게 비판한다. 노상래, 「김문집 비평론」, p.359.

21 홍경표, 「김문집 비평의 몇 가지 논거들」, 『향토문학연구』 7호, pp.72-76 참조.

집『ありらん峠』가 발간되었음을 확인할 수 있다. 한국문학사는 1930년대 조선 문단에서 짧게 활동했던 비평가 김문집의 비평사적 공과만을 기록하고 있으며, 이는 대개 그의 비평이 체계적인 비평 담론의 수준에 이르지 못하고 현란하고 단편적인 언어유희로 끝났고 종국에는 반역사적인 친일문학으로 귀결되었음을 지적하고 있다.

3. 절대미(絕對美)를 향한 동경과 '모발 미학'의 논리

최재서가 이상의 소설「날개」를 "리얼리즘을 심화시키고 확대시킨 소설"로 고평할 때 이상의 신심리주의적 지향은 "동경 문단의 신인 작단에 있어서는 여름의 맥고모자와 같이 흔한 것"[22]이라고 치부해 버릴 정도로, 당대 한국 문인을 바라보는 비평가 김문집의 시선은 냉소적이고 오만한 것이었다. 그런 그가 소설을 쓰고『아리랑 고개』라는 창작집을 출간했을 때, 한국 문단의 반응이 어떠했는지는 애석하게도 알려진 바가 없다. 다만 김문집이 춘원의 소설「사랑」을 두고 "우리는 이 작품 하나로서 톨스토이를 필요로 하지 않는다"고 평하면서[23] "일찍 나는 소설을 썼고, 앞으로 또 소설을 쓸 결심이지마는 나의 창작 태도는 춘원과는 대립되는 것"이라 언급하고 있는 것으로 보아[24] 소설가 김문집이 추구했던 창작론의 방향과 입지를 유추해 볼 수 있을 뿐이다. 요컨대 춘원의 소설이 어떤 사상과 이념을 전파하는 일종의 도구로서의 문학 이른바 지사적 계몽주의의 성격이 강

---

22 김문집, 「〈날개〉의 詩學的 再批判」, 『비평문학』, 청색지사, 1938, pp.39-40.

23 독설의 비평가 김문집도 춘원 이광수에 대해서는 상당히 호의적이었던 것으로 보인다. 박문서관에서 발행된 김문집의 소설집 『아리랑 고개』의 서문을 춘원이 썼던 것도 그런 맥락에서 이해할 수 있다.

24 김문집, 「再生―이광수론 上」, 『문장』, 1939, p.14.

한 것이었다면, 김문집은 이와는 대척되는 지점에서 그가 자칭했던 탐미주의자로서의 소설 쓰기를 의도하고 또 추구했던 것으로 볼 수 있다. 작품 분석에서 드러나겠지만, 창작집 『아리랑 고개』에 실린 소설들은 실제적으로 그가 추앙했던 탐미주의 문학의 논리와 실체가 무엇이었는지를 여실히 보여 주고 있다.[25]

『아리랑고개』에 실린 9편의 소설들은 대개 유사한 내용과 서사 구조를 갖고 있는데,[26] 대표적인 작품을 중심으로 그 특징적 내용을 소개하면 다음과 같다. 표제작인 「아리랑 고개」는 매우 특이하게도 수단 방법을 가리지 않고 여성의 '털'을 수집하는 조선인 청년의 자기 고백적 서사이고, 「이모사」[27]는 "이모(理毛)" 즉 여성의 털을 전문적

---

[25] 이 글은 『ありらん峠』(김문집, 第二書房, 1958)를 필자가 번역하여 주 텍스트로 인용하고, 「아리랑 고개」(육장근 역, 『향토문학연구』 6호, 2003)의 번역본과 「김문집의 일본어 작품집 읽기―『아리랑 고개』」(송민, 『문학판』, 2003.봄)를 참조하여 분석한다.

[26] 김문집의 창작집 『아리랑 고개』에는 「아리랑 고개(ありらん峠)」 「이모사(理毛師)」 「여자 조리와 내 청춘(女草履と僕の青春)」 「귀족(貴族)」 「그랜드 보헤미안 호텔(グランド・ボヘミアン・ホテル)」 「타이티의 환영―고갱에게 부치는 편지(タヒチの幻想―ゴーガンへの書簡)」 「일본적인 모습(日本姿)」 「소변과 영원의 여성들(小便と永遠の女性達)」 「앙금받이의 사랑(四ん這の恋)」 등 총 9편의 작품이 수록되어 있다. 이 중에서, 한일 합방에서 공을 세운 귀족 자손들의 모임인 '낙양구락부'를 소재로 한 「귀족」, 러시아 외교관의 미망인인 조선 귀부인의 우울한 말년을 다룬 「그랜드 보헤미안 호텔」, 일본의 전통 사회와 문화의 독특한 아름다움, 특히 일본 여성들의 미를 에세이풍으로 서술한 「일본적인 모습」 이 세 작품을 제외한 나머지 소설들은 모두 성(性)을 향한 도착적이고 이상적(異常的)인 집착과 탐닉에 대한 서사로 묶일 수 있다.

[27] 김문집의 소설에 대한 논자들의 평가는 거의 알려진 바가 없다. 다만 단편 「이모사」가 1932년 3월에 『ROMAN』이란 잡지에 실렸고, 모더니즘의 선봉작이라는 평이 여러 신문 잡지에 실렸다고 한다. 이강언·조두섭, 「정열과 직감의 비평가―김문집」, 『대구·경북 근대 문인 연구』, 태학사, 1999, p.373; 노상래, 「김문집 비평론」, p.344 참조.

으로 다듬는 특이한 미용 기술을 개발하여 "나장(裸裝)의 비조(鼻祖)"로 명성을 얻는 '사리아(サリア)'라는 인도인의 동경 체류기라 할 수 있으며, 「여자 조리와 내 청춘」은 일본 여자들이 신는 신발의 하나인 '조리(草履)'에서 성적 판타지를 경험하는 조선인 유학생의 심리와 체험에 관한 이야기이다. 또한 「타이티의 환영—고갱에게 부치는 편지」는 어머니의 육체를 통해 성에 눈떠 가는 사춘기 소년의 번민을 묘사한 소설이며, 「소변과 영원의 여성들」은 일본의 풍속화인 우키요에(浮世繪)에 탐닉, 유학비를 탕진해 버린 조선인 청년의 심리와 생활고를 그린 작품으로, 페티시를 매제로 하고 있다는 점에서 「아리랑 고개」나 「여자 조리와 내 청춘」과 매우 친연적인 서사로 읽힌다. 마지막으로 창작집의 끝에 수록되어 있는 「앙금발이의 사랑」이라는 소설은 땅바닥을 기어 다니며 구걸을 해서 살아가는 불구 사내의 변태적 성애를 소재로, 비정상적인 남녀의 육체적 본능과 결합을 사도마조히즘적 측면에서 다룬 그로테스크한 작품이다.

여기서 흥미로운 것은 김문집의 소설들이 도착적이고 이상적(異常的)인 성과 여성의 육체에 천착하는 특징적 경향을 일관되게 보여 준다는 사실이다. 그의 소설에는 아마도 당대 한국소설에서 견줄 작품이 없을 정도로, 성적 대상으로서의 여성의 신체에 대한 외설적이며 노골적인 묘사가 빈번하고, 사회의 윤리적 시선과는 무관한 방식으로 작동하는 동물적 성욕의 주체로서의 남성이 등장하기도 한다.[28] 그러나 그의 소설은 남녀 간의 사랑이나 성애를 주제로 한 여

---

[28] 이를테면 다음과 같은 서술에서 이를 확인할 수 있다. "직감이란 것은 참 이상한 것으로, 열심히 여자의 얼굴을 쳐다보고 있으면 전송 사진처럼 그녀의 사타구니 언저리나 겨드랑 밑의 상황이, 그 얼굴 가득 비쳐져 볼 수 있게 됩니다. 그래서 나는 섣불리 나서는 일을 하지 않았습니다. 겨드랑 밑이라 하지만, 이것이 또한 예사 애

타의 통속소설과는 다른 문맥을 보여 준다는 점에서 주목을 요한다. 엄밀히 말해 김문집 소설에 등장하는 남성 인물들의 욕망은 영육을 가진 온전한 여성과의 사랑이 아니라, 여성의 육체 혹은 그 육체의 일부에 집중되어 있다. 그의 소설에서 여성들은 작중인물로서의 역할과 자리를 부여받지 못하고 남성 주인공의 성적 판타지 안에서 대상화된 사물적 존재로 치환되고 있을 뿐이다. 예를 들어 그것은 여성의 '털'이라는 신체 기관이며, 이는 여성의 '조리'나 유곽 여성들이 그려진 그림에 대한 집착으로 변주되기도 한다. 소설의 전면에서 서사 진행에 영향을 미치면서 남성 주인공과 실제로 사랑을 나누고 교호하는, 생동하는 여성 인물이 등장하지 않는 것은 그런 이유에서이다.

한편으로 그들이 보여 주는 욕망의 강도는 거의 광적이어서 금기와 윤리적 틀을 넘어서는 반사회적인 행위도 서슴지 않으며, 때로 자신의 목숨과 바꿀 만큼 절대적인 것으로 인식되기도 한다.[29] 소설

기가 아닙니다. 손잡이를 잡고 앞을 막아서, 어느 부인의 옷소매에서 힐끔힐끔 보이는 저 욕정적인 액몽 붉은 옻칠을 한 문갑 깊숙이에 감추어 놓은 혼전의 연문을 훔쳐보는 것보다 몇 갑절 내 심장을 들뜨게 하는 털들입니다. 적당하게 곱슬곱슬한 그 털이 보고 싶어 앉은 채 짐짓 사팔이 행세를 하여 목을 빼거나, 얼굴을 굽히거나, 때로는 간질 환자를 흉내를 내는 것까지는 어렵지 않으나, 이윽고 때가 무르익어 가위를 꺼낼 단계에 이르면, 어느 틈엔가 한 사람의 정말 몽유병 환자가 되어 버리는 것입니다."(육장근 역, 「아리랑 고개」, pp.200-201.) "그날부터 하루에도 몇 번씩 격렬한 포옹이 계속되었다. 즈우는 오나미의 발목에 가는 철사를 장치하였다. 그는 생명과도 바꿀 수 없는 이 포동포동한 보물을 철사로 연결하여 그 한쪽을 동굴 구석에 쓰러져 있는 굵직한 소나무 뿌리에 묶어 놓았다. 바쁘게 6월이 가고 이요의 평원에 한여름의 해가 비쳤다. 동굴의 남녀에게는 광열(狂熱)을 넘어 고뇌가 있었다. 하루에 적어도 4,5회는 암수의 생활이 되풀이되었다."(「앙금발이의 사랑」; 송민, 「김문집의 일본어 작품집 읽기─「아리랑 고개」」 참조.)

29 소설 「아리랑 고개」의 주인공 '나'는 그의 욕망을 부추기는 '털'을 갖기 위해서라면, 그 대상이 임산부든 어린아이든 가리지 않는 비윤리적인 모습을 드러내며, 「앙금발이의 사랑」에서 폭행과 감금, 살인도 불사하는 악마적인 남성의 욕망이 묘사되기도

「아리랑 고개」에서 여성의 '털'을 향한 주인공 '나'의 집착은 가히 인생을 건 필사적인 모험에 가깝다. '나'가 일본에 유학, 대학을 졸업하고 출세하겠다는 꿈을 접고 목욕탕 때밀이에서 술집의 바텐더를 마다하지 않으며 감화원과 경찰서까지 드나드는 처지가 된 것은, 임산부나 어린아이를 가리지 않고 시장, 목욕탕, 이발소, 공중변소 등 장소에 관계없이 "어디서나 눈에 띄는 대로 여자 털이나 머리칼을 자르지 않고선 베기질 못하는" '나'의 괴이한 습벽 탓이다.[30] '나'의 그런 행위는 "몇 오리의 털"을 위해 "목숨을 건 적도 여러 번"일 정도로 치열한 것인데, "홍수처럼 기백만의 미녀 추녀의 모발 지옥에 빠져 익사한다면 (중략) 이 세상에서의 염원"[31]이라는 진술에 이르면, 이 소설이 현실성이 전혀 없는 한낱 병적 망상에 사로잡힌 인물의 기담(奇談)일 뿐이라는 해석도 가능하다. 주목할 것은 이러한 인물에 대한 서사화가 「아리랑 고개」에서 끝나지 않고, 「여자 조리와 내 청춘」「소변과 영원의 여성들」과 같은 작품에서 동일한 패턴으로 지속된다는 사실이다. 「여자 조리와 내 청춘」의 첫 장면은 유치장에서 시작되는데 주인공 '나'는 서울 명문 집안의 자제지만, 현재는 여자의 '조리'를 훔치는 "변태 치한", "전과자"로 전락한 상태이다. '나'는 그가 훔친 '여 조리'마다에 이름을 붙여 서양식 장식장에 모아 놓고 실제 연인을 다루듯 하는데,[32] 「아리랑 고개」의 주인공에게 여성의 '털'이 최고의 가치라면 이 소설에서는 여성의 '조리'가 그 자리를 대신

한다. 「아리랑 고개」나 「여자 조리와 내 청춘」「소변과 영원의 여성들」 등에서 성적 페티시는 남성 인물들이 범죄자로 전락하는 한이 있어도 획득해야 하는, 그 어떤 것에도 우선하는 최고의 가치로 인식된다.
30 윤장근 역, 「아리랑 고개」, pp. 196-197.
31 윤장근 역, 「아리랑 고개」, p. 198.

한다.

그렇다면 이처럼 그의 소설이 여성의 성과 육체를 향한 도착적이고 이상적(異常的)인 집착과 탐닉을 반복적으로 서사화하는 맥락은 무엇인가. 결론부터 말하자면 창작집『아리랑 고개』에서 소설가 김문집의 창작 의도는 애초부터 동서고금의 보편적 서사로서의 남녀 간의 농밀한 사랑 이야기 따위에 놓여 있지 않다는 것이다. 그의 소설 속 남성 주인공들이 좇는 것은 단순한 성욕 혹은 그 대상으로서의 여성이 아니라 그들을 구원할 어떤 미적인 것, 예술적인 것의 추구라는 차원에서 서사화된다.

> 머리, 털, 집요한 것 같으나 천국과 지옥의 행복을 두루 뭉쳐 지상에 죄다 뿌린 신비의 숲. 그 털, 그 머리칼을 비장의 가위로 씀뻑 끊는. 아니 흰 이빨로 끊어 놓은 찰나의 묘미. 공포를 곁들인 환희의 도가니에 황홀하게 녹아드는 것입니다. 감히 나는 그렇게 억측합니다. 청사에 이름을 남긴 대예술가가 그 화폭과 악보에 불휴의 생명을 불어 넣는 순간의 그 숨 차는 광경이 이런 것에 틀림없을 것입니다.[33]

> 쇼펜하우어는 그의 사상과는 반대로 여자를 매우 사랑했다고 하지 않는가? 하물며 독신인 내가 여자에게 무관심할 이유는 없으나, 여자 그 자체에만 흥미를 가질 정도로 동물적이고 단순하지는 않은 것이다. 여자를 몇 배로, 몇 가지 방법으로 맛보고 즐기지 않고는 만족할 수 없

---

32 '나'는 이것을 "여조리의 대전당(女草履の大殿堂)"이라 부른다. 그렇다면 이 작품이 『국민신보』에 실릴 당시의 제목 "秘花苑"은 바로 이를 수사적으로 지칭한 것임을 추측할 수 있다.

33 윤장근 역, 「아리랑 고개」, p.209; 『ありらん峠』, 第二書房, p.33.

을 뿐이다. 그렇게 하지 않으면 내게는 그것이 여자에 대한 모욕, 모독
으로 밖에 생각되지 않는다. (중략) 사람들은 입을 모아 나의 이 변태
를 멸시하고 경계하고, 그리고 부도덕하다고 할 것임에 틀림없다. 그
러나 나는 그들의 둔감과 무풍류를 조롱하면서 거기에 구애받지 않을
것이다.[34]

인용문에서 「아리랑 고개」의 주인공 '나'는 여자의 '털'을 자르고
훔치는 자신의 행위를 "대예술가가 그 화폭과 악보에 불휴의 생명
을 불어 넣는" 창조적 순간에 비견하고 있다. 도착적이고 반사회적
인 '도모(盜毛)' 행각을 예술가의 미적인 창조 행위로 연결하는 이러
한 주견(主見)은 객관적으로 별 설득력이 없는 과장된 자의식에 불과
하지만, '여 조리'를 훔치고 우키요에의 여인들에게 탐닉하는 김문집
소설의 남성들은 모두 이와 유사한 논리 위에서 움직인다고 할 수
있다. 때문에 이들은 간혹 "사람들은 입을 모아 나의 이 변태를 멸시
하고 경계하며, 부도덕하다고 할 것임에 틀림없다"라는 생각을 하면
서도 오히려 그들의 "둔감과 무풍류"를 조롱하고, 자신은 "미와 진
리를 쫓아 걷는 한 사람"이라는 예술가적 자의식을 내세울 수 있는
것이다.[35] 바로 이 지점이 문제적인데 요컨대 김문집 소설이 보여 주
는 도착적인 성과 육체, 그리고 페티시를 향한 열광은 그것이 곧 '탐
미(眈美)'이고 '심미(審美)'이며 '예술'이라는 논리에 기반한 것으로 해
석할 수 있다. 결국 「아리랑 고개」나 「여자 조리와 내 청춘」 「소변과
영원의 여성들」에 등장하는 변태적 인물들은 미(美)의 구현을 위해

---

34 김문집, 「女草履と僕の靑春」, 『ありらん峠』, pp.87-88.
35 김문집, 「女草履と僕の靑春」, p.67.

모든 것을 투사하는 '예술가'라는 하나의 얼굴로 형상화된 쌍생아들이고, 그들의 반사회적인 도착적 행위의 이면에는 예술이란 모든 가치에 우선하며 오로지 '탐미'로서 존재한다는 비평가 김문집의 논리가 깔려 있다. 예술이 아무것도 섞이지 않은 '백치미' 즉 순백의 지대에서 생성되는 주관적 '느낌'과 '감각'의 산물이어야 한다는 논리는 김문집 비평론의 근간이다.[36] 현실과 절연한 지점에서 순수 주관으로 화한 예술이 포착하는 세계는 육체, 본능, 성, 자연일 수밖에 없고, '백치의 미', 예술지상주의를 추종했던 김문집의 문학이 '성'과 '육체'에 대한 탐미로 나아간 것은 당연한 결과일 것이다. 김문집은 근대 예술이 신의 '거룩함'이 사라진 자리에서 예술에 덧씌어진 화장과 의상을 벗기고 육체의 진실을 엿보려는 악마주의적 특성을 갖는다면, 반면에 조선 문단에는 이러한 문학의 '육체성'이 부재한다고 평가한 바 있다.[37] 그의 소설집 『아리랑 고개』에는 비평가 김문집의 눈으로 보아 한국 문단이 결여하고 있다고 비판했던 부분 즉 '육체'로 향하는 탐미적 시선과 페티시적 욕망의 주체들이 등장한다. 어떤 의미에서 소설집 『아리랑 고개』는 그가 자칭했던 탐미주의자, 예술지상주의로서의 미학관을 서사의 형식을 빌려 개진한 또 하나의 비평이라고 해석할 수도 있다.

---

36 김문집의 예술지상주의는 곧 "백치의 美"를 의미한다. "예술지상주의가 아닌 예술은 사이비 예술, 싸구려 예술, 펭키 예술, 인조견 예술 등등으로 지칭한다. 백치의 美! 그것이 神의 美다. 神은 맑고 빛난다. 보면 볼수록 맑고 빛난다." 김문집, 『비평문학』, pp.340-341.

37 이은애, 「김문집의 예술주의 비평 연구」, 『한국문예비평연구』 15, 한국현대문예비평학회, 2004, pp.271-280 참조.

여기에 한술 더 떠 세상의 바보스러움. 전쟁이나 치부, 그게 어떻다는 것입니까. 맑스는 옳은 말을 하고 있는 것 같으나, 옳은 것만으로 무엇이 됩니까. 키스, 성교 그런 것은 동물에게도 있습니다. 인류 가운데서 선택된 남자에게만 허용된 탐닉의 세계 (중략) 사람은 변태랄지 모릅니다만. 여러 가지 이런 즐거운 세계가 무진장 있다는 것을 전쟁이나 돈이나 정의를 좋아하는 전 세계 속인들은 모르는 것 같습니다. 그들이야말로 변태입니다.[38]

김문집은 때로 자신의 문학적 지향이 일체의 현실적 논리나 세속적 가치와는 무관한 자리에 있으며, 그런 의미에서 그의 탐미주의가 '자본'과 '전쟁'과 '이념' 따위에 매달리는 환멸적 현실을 향한 냉소와 부정의 형식이라는 포즈를 취하기도 한다. 「아리랑 고개」의 주인공이 도착적 도모증(盜毛症)을 "모발 미학"이라 칭하고, 미를 탐하여 전과자가 될지언정 "한 번도 다른 죄를 지은 적이 없으며" 도리어 현실의 모든 탐욕에 대해 "병적일 만치 결백"하다고 강변하는 것은 그런 맥락에서 이해할 수 있다. 요컨대 김문집은 그 자신이 "미와 진리를 좇아 걷는 한 사람"이고, 맑스주의나 사회주의, 근대적 자본의 논리를 좇아 탐욕스럽게 움직이는 그러한 현실과는 품격이 다른 예술적 인간임을 강변하고 있다. 그러나 설혹 그의 이러한 자기규정이 일말의 주관적 진실을 내포한 것이라 해도, 그것이 이른바 근대성의 가치 전도에 대항하는 심미적 근대의 추구로 해석될 수는 없을 것이다. 부언하면 김문집은 일본에서 수학하면서 문학과 예술을 습득했고, 프로이트, 니체, 오스카 와일드, 고바야시 히데오 등을 읽었

---

38 윤장근 역, 「아리랑 고개」, p.208.

으며, 스스로 밝혔듯 오스카 와일드 류의 탐미주의자로서 그의 문학적 정체성을 규정했다. 특히 김문집은 오스카 와일드의 탐미의 세계나 타니자키 준이치로와 같은 일본의 유미주의 문학에서 그의 문학의 자리를 보았고,[39] 조선 문단을 향한 어떤 우월감 속에서 그 탐미주의적 문학을 내세우기에 바빴으므로, 그의 문학 논리 안에서 현실에 대한 '뼈아픈 성찰'이나 문학적 수용은 애초에 관심 밖이었고 또 반예술적인 것으로 부정되었다고 할 수 있다. 그런 맥락에서 그가 부정한 현실은 아마도 그가 추종한 관념과 이론 안에서 끄집어낸 또 다른 관념과 수사에 불과할 뿐, 그것이 식민지 근대에 대한 반성적 고투의 산물은 아니었다고 할 수 있다.

4. 식민지 지식인의 내면 의식—아비의 부재와 이방의 비애

현실에 눈을 감고자 했던 김문집의 비평을 혹자는 "역사의 부침 속에서 육적인 고향과 정신적인 고향 모두를 상실한" 반역사적인 지식인의 문학으로 평하기도 한다.[40] 김문집은 그의 비평과 소설을 현실의 모든 논리와 가치를 배제한 주관적 탐미주의의 자리에 두고자 했지만, 그것은 본질적으로 불가능한 욕망이거나 착각이다. 프레드릭 제임슨에 의하면 모든 문화적 산물들은 역사의 상징이고 은유이

---

39 영향 관계를 따져 봐야 하겠지만, 김문집의 소설은 일본 근대문학사에서 대표적인 탐미파 작가로 손꼽히는 타니자키 준이치로(谷崎潤一郎)의 소설 세계와 닮아 있다. 타니자키는 미를 최상의 가치로 추앙했고, 에도 시대 우키요에의 고전적 세계를 묘사했으며, 여성의 신체 특히 '발'을 숭배하는 이른바 '풋 페티시즘'을 주요 소재로 하여 「문신(刺青)」을 비롯한 여러 편의 소설을 발표했다. 타니자키 준이치로의 소설에 대해서는 안윤영, 「타니자키(谷崎潤一郎) 작품에 나타난 '풋 페티시즘' 고찰」, 한국외국어대학교 석사 학위 논문, 2008을 참조할 수 있다.
40 노상래, 「김문집 비평론」, p.343.

고 위장이고 은폐이다. 그리고 이 상징, 은유, 위장, 은폐의 이야기가 바로 서사인 것이다. 그런 의미에서 모든 서사는 사회적이며 또한 역사적이다.[41] 김문집의 소설 또한 그의 탐미주의적 미의식 아래 가려져 있는 식민지 지식인의 불우하고 쓸쓸한 내면 의식과 현실 논리를 간접적으로 보여 준다는 점에서 역사적 무의식을 은폐하고 있는 하나의 위장된 서사로 읽을 수 있다. 이런 관점에서 흥미로운 것은 김문집의 소설이 그의 문학적 궤적과 맞물리는 일종의 자기 고백적 서사로 해석된다는 것이다. 예컨대 「아리랑 고개」와 「여자 조리와 내 청춘」「소변과 영원의 여성들」 등의 작품에서 성적 페티시에 사로잡힌 조선인 청년들의 모습은 때로 탐미주의자 김문집의 이력과 겹쳐진다. 이 작품들은 식민지 조선의 청년 김문집이 일찍이 일본에 유학하여 탐미주의적 문학가가 되어 가는, 그 이면의 심리와 논리를 직간접적으로 보여 준다고 할 수 있다.

이와 관련하여 무엇보다 주목되는 것은 아버지와 어머니가 부재하는 주인공들의 현실이다. 소설 「아리랑 고개」와 「여자 조리와 내 청춘」「소변과 영원의 여성들」은 모두 아버지가 죽었거나 아버지와 의절하고, 고아처럼 살아가는 주인공들의 일본 유학이라는 공통의 모티브를 갖고 있다. 「아리랑 고개」의 주인공 '나'는 아버지의 얼굴도 모르고 태어난 유복자인데, 소설은 그 아버지의 죽음에 얽힌 내력을 또 하나의 서사로 비중 있게 묘사하고 있다. '나'의 아버지 '신 서방'은 서울 장안에서 대대로 유서 있는 "달비집", 요즘 말로 하면 가발 가게의 점원으로 "벙어리에 가까운 말더듬이"에 용모 또한 볼품이

41 오민석, 「〈정치적 무의식〉의 정치적 무의식」, 『안과 밖』 12, 영미문학연구회, 2002, p.185 참조.

없는 사내이다. 한 가지 남다른 것이 있다면, 그가 "달비 그것의 감촉에 홀로 기뻐하고 홀로 번뇌하는"[42] 즉 '나'와 마찬가지로 '여성의 모발'에서 성적 쾌감을 느끼는 강한 육체적 욕망의 소유자로 그려져 있다는 점이다. 신서방이 옹색한 용모와 신분의 차이에도 불구하고 "달비집" 여주인의 눈에 드는 것은 순전히 그의 강한 남성적 육체, 관능의 힘 때문이다. 아버지 '신 서방'과 주인공 '나'는 여성의 모발에 집착하는 친연성을 드러내는데, 말하자면 그들은 모두 탐닉하는 자로서 일종의 페티시즘적 징후를 가지고 있다. 아버지 '신 서방'은 여주인과의 사이에 '나'를 잉태하자 "놋쇠 대야 같은 커다란 만월이 동화처럼 하늘에 걸려 있던 어느 날 밤, 뒤뜰 높은 석류나무에 목을 매어" 스스로 목숨을 끊는다. '신 서방'의 이러한 죽음은 주인의 여자를 범한 자의 자기 처벌로 해석되며 일종의 페티시스트의 거세 공포가 현실화한 것으로 볼 수도 있다. 아버지 '신 서방'의 죽음은 후에 여주인의 자살로 연결되고, 결국 '나'는 고아 신세가 되어 "부모의 유전 관계는 잘 알 수 없지만" 아버지와 유사한 모발 페티시스트로 살아간다. 한편으로 아버지 '신 서방'의 죽음은 대대로 "달비집"을 운영해 온 최씨 가문의 몰락과 연결되어 있으며 이는 또 "일로청(日露淸)의 삼국 세력 틈새에 끼어" 망해 가는 조선의 역사를 배경으로 깔고 있다는 점에서 문제적이다.

　　얘기는 비약합니다만 일로청(日露淸)의 삼국 세력 틈새에 끼어 어느 틈엔가 한국이라는 나라가 찌부러져 버리자, 역사를 자랑하는 서울 장안은 비탄 속에 빠졌습니다. 이 소용돌이 속에서 우리 집, 아니 최씨

---

42 윤장근 역, 「아리랑 고개」, p.193.

집이 소멸한 것입니다. 최씨네는 유서 있는 달비집이었습니다만, 무슨 인과인지 이백 년 동안이나 북악산록의 연초록빛과 한강 물빛에 배양되어 끝없이 번성해 온 남대문 근처의 그 가게가 조선조의 뒤를 따르듯이 옥호를 떼지 않으면 안 되었던 것입니다. 그도 까닭이 없는 것은 아닙니다. 외골수였던 가게 주인이 장사는 팽개쳐 놓고 동학당에 가담한 것이 주원인입니다. (중략) 또 바야흐로 극동의 풍운과 더불어 일본이나 미국 같은 데서 개화의 빛이 일시에 사태져 들어오자 이 나라 달비 수요가 절로 눈에 띄게 줄어든 것도 최가 몰락의 또 하나의 사정이었는지도 모릅니다.[43]

인용은 "달비집"이 몰락해 가는 정황을 묘사하고 있지만, 이는 한편으로 망국의 역사에 대한 서술이고, 여기서 식민지 조선 청년 '나'의 현재 또한 드러난다. 그러니까 「아리랑 고개」의 '나'는 아버지도 없고 가문도 없으며 나라도 없는 그야말로 회귀할 곳이 없는 고아이며, 또 다른 소설 「여자 조리와 내 청춘」이나 「소변과 영원의 여성들」의 주인공들 또한 아버지에게 의절당하거나 의절을 스스로 자초함으로써 고아와 다를 바 없는 처지에 놓여 있다.[44] 그렇다면 아비 부재의 서사가 의미하는 바는 무엇인가. 김문집 소설의 주인공들에게 아버지가 없다는 것은 중층적인 의미를 내포하거니와, '식민지 조선/피식민지 일본'이라는 시대적 배경에서 볼 때 그것은 이미 부재하는 아버지와 새롭게 찾아야 할 아버지라는 상징적 구도로 해석될

---

43 윤장근 역, 「아리랑 고개」, p.191; 『ありらん峠』, 第二書房, pp.6-7.
44 그들은 어머니도 없는, 뜻 그대로의 고아들이다. 어머니는 자살했거나, 있어도 계모이다.

수도 있다. 「아리랑 고개」의 '나'는 아버지가 죽고 모친마저 자살하자 "고학하여 출세해 죽은 어머니를 위로해 준다는 생각에서" 일본으로 건너간다. 일본의 대학을 졸업하고 성공해 보겠다는 것이 '내'가 애초에 유학길에 품었던 초심이다. 「여자 조리와 내 청춘」이나 「소변과 영원의 여성들」의 주인공들에게도 일본 유학은 「아리랑 고개」의 '나'와 마찬가지로 아비 부재 혹은 아비 부정의 현실에서 새로운 아비를 만나기 위한 하나의 과정이고 선택이다. 그러나 일본 유학길에 오른 식민지 조선 청년들이 맞닥뜨린 것은 새로운 아비와의 행복한 조우가 아니라, 냉혹한 자본의 논리와 배고픔이고 "옛날 부모의 기억이라도 더듬는 듯, 찔끔찔끔 우는"[45] 이방인으로서의 비애이다.

　　돈이 떨어지자 지갑을 털어 찾아든 곳이 이 슬럼가인 이마미야의 여인숙이다. 배가 고팠다. 목이 말랐다. 도오지마(堂島)의 진짜 호텔에서 이 여인숙으로 전락하면서도 이 영원한 그녀들의 군상만은 손에서 놓지 않았다. 그러나 이대로라면 나는 오늘 중에 죽을지도 모른다. "좋아, 팔자!" 의절 때문에 우타마로를 판다. 하루노부, 히로시게를 판다.[46]

일본으로 유학한 그들 주인공들을 매료시킨 것은 대학에서의 공부와 출세라는 현실 논리가 아니라, 이른바 "영원의 여성"을 표상하는 페티시들 즉 여성의 '털'과 '조리'와 '우키요에'라는 탐미의 대상들이다. 「아리랑 고개」의 '나'의 진술에 의하면 "영원의 여성"을 향한

---

45 윤장근 역, 「아리랑 고개」, p.203.
46 김문집, 「小便と永遠の女性達」, 『ありらん峠』, p.173.

욕망은 "세상에서 말하는 영원한 여성의 모습이 그 눈썹에서 상감되어 있다 하여도 결코 지나치지 않았던"[47] 그들의 부재하는 어머니로부터 기원한다. 여기서 부재하는 어머니에 대한 그리움은 "영원의 여성"을 향한 동경으로 연결되고, 이는 현실의 여자들이 아니라 도착적인 페티시즘으로 결과한다. 그들의 욕망이 페티시로 집중됨으로써, 현실에서의 새로운 아비 찾기 혹은 애초에 그들이 품었던 성공적인 유학 생활은 실패로 돌아간다. 페티시즘이 거세 불안과 공포로부터 연유한다는 이론을 상기한다면, 변형된 형태지만 그들의 페티시즘은 아버지의 죽음 혹은 거세된 아버지라는 상황 인식과 무관할 수 없다.[48] 거세된 아버지, 거세된 조국, 부재하는 어머니라는 실존적 상황이 김문집 소설의 주인공들을 "영원한 여성"의 표상인 페티시로 끌어갔다면, 그들은 페티시를 통해 거세 불안으로부터 벗어나 그들만의 이상화된 영원성의 영역에 거주하고자 한다. 말하자면 탐미적 페티시즘은 그들 식민지 청년들이 찾아낸 일종의 현실 대응 방식인데, 여기에는 아마도 미에 대한 추구를 보편성, 영원성의 형식으로 사유한 작가 김문집의 논리가 내재되어 있다. 오로지 미만이 그들을 구원할 수 있다고 믿었기 때문에, 그 영원의 미를 우키요에에 투사하고 "무리에 무리를 거듭하면서 교토, 오사카, 동경을 여행하면서 진품, 모사품의 우키요에 판화를 사 모았던" 것이지만, 결과

---

47 윤장근 역, 「아리랑 고개」, p.193.

48 프로이트에 의하면 페티시즘(절편음란증)은 여성의 생식기가 환기시키는 거세 불안과 공포로부터 연유한다. 남성이 갖고 있는 거세 위협에 대한 공포는 여성에 대한 과도한 이상화를 통해 여성을 페티시의 대상 이미지로 만든다. 프로이트, 『성욕에 관한 세 편의 에세이』, 김정일 역, 열린책들, 1996, pp.27-35; 배수정, 「페티시」, 여성문화이론연구소 정신분석세미나 팀, 『페미니즘과 정신분석』, 2003, p.137 참조.

적으로 그들이 맞닥뜨린 것은 먹고사는 일의 가혹함, 현실적 생존의 문제이다. 「아리랑 고개」에서 '대동경(大東京)'을 향해 "탈주했던 조선 소년" '나'는 "무려 7년 만에" 수천 명 여성들의 털로 가득 찬 트렁크를 들고 남대문 역으로 귀향하지만, 그의 "모발 미학"이 안주할 곳은 어디에도 없다. 여전히 "이단의 슬픔"을 떨치지 못한 그를 기다리고 있는 것은 카페 "총각회관"의 바텐더 견습, 이곳 "총각회관"에서 술을 팔고 노래를 팔고 "젊음을 유일한 자본으로 하여 돈 버는" "인종도 국경도" 없이 흘러들어 온 여급들과 다를 바 없는 신세일 뿐이다.[49] 「여자 조리와 내 청춘」의 '나'는 '빵'을 버는 일의 고통을 토로하면서 "바다 저편의 고향"을 그리워하고,[50] 「소변과 영원의 여성들」의 '나'는 우키요에를 팔아서라도 연명해야 하는 상황에 절망하고 갈등한다.

그렇지. 분명히 우묵머리의 내 아버지는 꼭 지금쯤의 철에 석류나

---

[49] "어쨌건 불경기를 모르는 조선의 일본인들입니다. 오늘밤도 덕택에 어젯밤 못지않게 장사가 잘되고 있습니다. 계집아이들아, 자본주의의 무슨 산물들이여, 한껏 떠들어라. 어차피 빛 보지 못한 너희들의 청춘. 흘러 흘러온 곳이 시베리아 입구인 서출 카페의 지붕 밑인가. 이렇게 되면 인종도 국경도 있을 게 무엇인가. 마시고 떠들고.—쇼냐도 노래 부르는 게 좋겠다. 나는 마침내 눈시울을 뜨겁게 하여 젊음을 유일한 자본으로 하여 돈 버는, 어차피 좋은 가정에 태어나지 못한 그녀들에게 이렇게 중얼거리지 않고선 베기지 못한답니다. 그도 그럴 것이 그들 여인들 모두가 형형색색의 털이라는 이름의 재산을 은닉한 아까운 생물체들뿐이기 때문입니다." 윤장근 역, 「아리랑 고개」, p.196.

[50] "아사코! 나는 괴롭다. 생각이 난 듯이 피로감이 저 오장육부의 밑바닥에서부터 용솟음친다. 수면 부족. 그러나 빵! 아아, 그 빵이다. 나는 하는 수 없이 전동차 손잡이에 매달려 흔들리면서 차창 밖으로 지나가는 철로변의 주택 지붕 위로 문득 바다 저편의 고향 장터를 눈에 떠올렸다." 김문집, 「女草履と僕の靑春」, 『ありらん峠』, p.98.

무 고개를 넘었습니다. 차라리 이쯤에서 나도 이 짓 집어치우고 아버지 위로라도 해 드릴까요. 그렇긴 해도 어머니! 당신까지 왜 그렇게 일찍 죽어 버린 것입니까. 하다못해 당신만이라도 살아 있다면 이런 내가 되지는 않았을 텐데. 어머니! 당신은 정말 세계에서 제일 아름다운 여인의 한 사람이었습니다. 어머니! 내일은 꼭 성묘하러 가겠습니다. 어머니, 아버지도 불러 털 이야기는 그만두고 부모 자식 세 사람이 실컷 밤새워 얘기해 보자구요. 나는 지금 울고 있는 걸까요.—아라리요, 아리랑 고개를 넘어간다.[51]

김문집의 탐미주의가 일본의 문단에서 습득한 한낱 흉내에 불과한 것이었다 하더라도 그의 소설은 그러한 문학적 논리의 이면에 깔려 있는 식민지 지식인의 갈등과 비애를 암묵적으로 보여 준다. 문학과 예술의 가치를 오로지 미의 추구에 두었던 김문집의 문학이 결코 그가 의도했던 것처럼 탐미로서 그 소임을 다했다고 할 수는 없다. 김문집은 현실을 벗어난 미의 자리에서 문학적 이상의 실현과 완성을 꿈꾸었지만, 그의 소설들은 그가 결국 현실로부터 자유로울 수 없었음을 보여 준다. 소설 「아리랑 고개」의 결미에서 주인공 '나'는 스스로 목숨을 끊은 아버지 '신 서방'과 어머니를 그리워하며 눈물짓는다. 부재하는 아비로 상징되는 조선의 현실을 벗어나 새로운 아비를 찾아 일본 유학을 떠났던 김문집 소설의 주인공은 탐미의 여정에서 다시 원점으로 회귀하고 있다. 그는 아버지를 따라가고 싶은 죽음의 충동을 느끼기도 하고 어머니에 대한 원망을 토로하기도 하는데, 여기에 이르면 뿌리 뽑힌 식민지 지식인의 어쩔 수 없는 쓸쓸

---

51 윤장근 역, 「아리랑 고개」, p.213; 『ありらん峠』, 第二書房, p.41.

함과 실존적 고통이 드러난다. 소설의 제목 "아리랑 고개(ありらん峠)"는 작중인물이 반복적으로 부르는 노래이며, 서사는 "아리랑 고개를 넘어간다"는 노랫말로 시작해서 동일한 노랫말로 끝난다. '아리랑'이 한국적 정서의 원형질이며 가난과 침략의 역사를 살아온 백성들의 '저항의 애수'와 '단절의 체험'을 담은 보편적인 구전 가요라는 사실을 상기한다면,[52] 김문집의 소설 「아리랑 고개」는 어떤 한국적 보편성의 차원으로 '나'의 인생을 귀속시키고 있다.

5. 김문집 소설의 문학사적 의미

「아리랑 고개」「여자 조리와 내 청춘」「소변과 영원의 여성들」 등의 작품에서 소설의 주인공은 대개 조선에서 일본으로 건너간 유학생이며 현실 생활에 적응하지 못하는 이상 성격의 소유자로 그려진다. 그들은 학업에 열중하지 못하거나 혹은 포기하고, 여성의 털을 수집하거나 여성의 조리에 집착하며, 혹은 여성을 그린 우키요에를 수집하는 일에만 광적으로 몰두한다. 주목할 것은 이 소설 속의 주인공들이 한결같이 아비 부재의 현실을 살아가는 일종의 '고아'라는 사실이다. 프로이트가 말하는 페티시즘이 거세 불안과 관련되어 있다는 사실을 상기한다면, 김문집 소설의 주인공들은 전형적인 페티시스트로 형상화되어 있는 셈이다. 그들은 조선인이고, 일본 유학생이며, 실제로 부모가 죽었거나 혹은 의절하였으며, 그들의 삶을 지탱하는 유일한 출구는 자신이 어떤 절대의 미를 추구하고 있다는 자존감이다. 전과자로 전락하는 것조차 불사하는 그들의 광적인 페티시수집벽의 이면에는, "전쟁이나 돈이나 정의를 좋아하는 전 세계 속

---

[52] 김동권, 「아리랑 연구」, 『드라마 연구』 23권, 한국드라마학회, 2005, pp.188-191 참조.

인들"을 향한 조소와 경멸, 탐미주의자의 우월감이 자리하고 있다. 이런 측면에서 김문집의 "신사대주의"는 정치적 맥락의 친일이라기 보다는 한 식민지 유학생이 보았던 화려한 일본의 근대 예술과 문학 또는 그 안에 드리워져 있다고 믿었던 절대미를 향한 동경과 열망으로 해석될 수도 있을 것이다. 소설 「아리랑 고개」의 주인공이 출세의 꿈과 일본 유학 생활을 포기한 채 수천 명의 여성의 털로 가득 찬 트 렁크만을 들고 조선으로 귀국하는 장면은 한국소설사에 색다른 풍경을 제공한다. 요컨대 일본의 근대 또는 일본에 이식된 서구의 근대를 배우기 위해 유학을 떠났던 조선의 청년들이 최남선과 이광수로 대표되는 문명개화, 계몽의 근대를 배워 왔다면, 김문집은 미가 모든 것에 우선한다는 탐미적 예술지상주의를 품고 왔으며 그것이 바로 소설 「아리랑 고개」의 "모발 미학"이고 그의 '예술비평론'이었 다고 해석할 수도 있을 것이다. 그러나 김문집의 이러한 미 절대주 의가 결코 행복한 결말을 맞았다고는 말할 수 없다. 소설의 결미에 서 「아리랑 고개」의 주인공은 이승에 없는 부모를 그리워하며 눈물 을 흘리고, 「여자 조리와 내 청춘」은 "이방의 비애"에 젖어 "바다 저 편의 고향"을 그리워하는 주인공의 모습을 그리고 있으며, 「소변과 영원의 여성들」은 모든 것을 걸고 수집한 우키요에를 소변으로 적시 는 주인공의 쓸쓸하고 기괴한 행위를 묘사하고 있다. 결국 김문집이 그렇게 추구했던 미 혹은 예술이 어쩌면 고바야시 히데오의 평처럼 현실 연관성을 망각한 한낱 '망상'에 지나지 않는 것이었다면 김문집 의 문학도 거기서 중단될 수밖에 없었을 것이다.

유진오 문학의 조선주의와 근대주의
―일제 말기의 소설『창랑정기』『화상보』

1. 머리말

이 글은 일제 말기 유진오 문학에 나타난 조선주의[1]와 근대주의
에 주목한다. '조선' 혹은 '조선적인 것'에 대한 발견과 강조로 특징되
는 조선주의는 1930년대 후반 이후 유진오 문학의 새로운 경향이라
할 수 있다. 특히 이 글은 조선주의의 의미와 성격을 일제 말기 유진
오 문학의 핵심 논리로 판단되는 근대주의와의 관계 속에서 고찰한
다. 일제 말기 유진오 문학의 조선주의에 따로 주목한 연구는 거의
없다. 그 이유는 일제 말기 유진오 문학의 조선주의가 그의 문학적
논리의 중심에서 벗어나 있다고 보기 때문이다.[2] 일제 말기 유진오

---

1 여기서 유진오의 '조선주의'란 일관되고 분명하게 표현된 하나의 사상이 아니라,
  서사적 논리에서 드러나는 '조선' '조선적 특질' '조선 문화' '조선적 현실'을 모두 포
  괄하는 개념으로 사용한다.
2 예를 들어 정호웅은 "조선 문화의 아름다움에 대한 자각을 드러내 보이는 몇 부분,
  조선 문화의 독자성에 대한 인식을 보이는 몇 부분이 있어 유진오가 서양 근대의

문학의 핵심 논리가 근대주의에 놓여 있다는 평가에 동의하더라도, 조선주의에 대한 분석 없이는 이의 본질적 맥락 또한 제대로 해명될 수 없다고 판단된다. 유진오의 근대주의는 단순히 서구적 근대라는 모형의 추수가 아닌 '조선적 근대'의 지향이라는 측면에서 분석되어야 한다.

유진오의 조선주의를 "동양적 세계" "동양주의"로 규정하고 '대동아 공영론'이라는 일제 말기의 지배적 이념의 틀 안에서 분석하는 견해가 있다.[3] 이는 유진오 문학의 친일성을 묻는 논의로 연결되므로 섬세하고 정치한 접근이 필요하다. 일본 중심의 동아시아 협동체가 서구 문명에 맞서 세계 문명을 이끌 것이라는 '근대초극론'은 시대를 횡행한 강력한 이데올로기였다. 타율적인 강제력을 동반한 이 근대초극론의 흡입력에서 자유로울 수 있었던 식민지 지식인이나 인물이 거의 없었다고 하더라도,[4] '대동아 문학자 대회'에 참가하여 일본어의 보급을 강조하며 대동아 건설을 주장했던 유진오의 경우는 보다 직접적인 관련성이 있다는 사실을 부정할 수 없다.[5] 그러나 유진오의 조선주의(동양주의)를 대동아 공영론과 동일한 논리의 층위

맹목적인 추종자가 아니었음을 알게 하지만, 그런 인식이 유진오 문학의 중심에까진 수용되지 않았다"고 언급하고 있다. 정호웅, 「유진오론」, 『문학교육학』 21호, 한국문학교육학회, 2006, p.328.

3 保坂祐二, 「俞鎭午の東洋主義―太平洋戰爭中の俞鎭午の對日論理」, 『일본문화연구』 14, 동아시아일본학회, 2005를 들 수 있다.

4 김철, 「'근대의 초극', 『낭비』 그리고 베네치아」, 『민족문학사 연구』 18호, 민족문학사 연구회, 2000, p.393 참조.

5 유진오는 제1차 '대동아 문학자 대회'에 이광수와 함께 참가하여, 「대동아 정신의 강화 보급에 관하여」라는 제목으로 발표했다. 이 발표문은 김윤식의 『일제 말기 한국 작가의 일본어 글쓰기론』, 서울대학교 출판부, 2003, pp.242-243에 전문 번역되어 실려 있다.

에서 평가할 수 있는지는 의문이다. 히로마쓰 와타루는 일본의 근대초극론이 "일본은 이미 근대화를 이루었다고 인정했다는 것을 전제로 한다"[6]고 설명한다. 반면에 분석에서 드러나겠지만 유진오는 당대 조선의 현재와 미래를 일관되게 근대화, 근대로의 지향이라는 지표 위에 설정한다. 여기서 식민지 지식인으로서의 유진오의 자의식이 드러나거니와 유진오의 조선주의가 문제적으로 읽히는 것도 바로 이 지점이다.

또한 1930년대 중후반의 전통론이나 고전 회귀 운동과의 관련성을 생각할 수 있다. 이 시기의 전통론은 전 문단적인 현상으로 매우 다양하고 복잡한 담론이 교차한다. 유진오 자신, 그의 조선주의가 당대의 문맥과는 일정하게 차이가 있음을 시사하고 있다는 점에 주목한다. 이것은 1930년대 전통론 안에서 유진오의 조선주의의 성격을 따져 보는 일, 요컨대 반근대의 맥락을 읽어 낼 수 있는가의 문제와 연결된다.

이상의 문제의식과 시각을 전제로 「창랑정기」 「가을」 『화상보』 「기차 안」 「신경」 「정 선달」 등의 작품[7]을 분석한다. 조선주의와 근대주의에 초점을 둔 이 연구는 결국 일제 말기 유진오 문학의 논리와 향방에 대한 규명으로 모아진다.

2. 탈이념화의 방식과 '조선'의 발견

---

6 히로마쓰 마타루(廣松涉), 『근대초극론』, 김항 역, 민음사, 2003, p.89.
7 이 중에서 「기차 안」은 일문 소설이다. 원제목은 「汽車の中」(『國民總力』, 1941.1)이다. 유진오의 일문 소설은 총 다섯 편이다. 나머지 작품의 목록은 다음과 같다. 「夏」(『文藝』, 1940.7), 「福男伊」(『週刊朝日』, 1941.5.18), 「南谷先生」(『國民文學』, 1942.1), 「祖父の鐵屑」(『國民總力』, 1944.3).

1930년대 후반 이후, 유진오 문학의 두드러진 경향의 하나는 '조선' 혹은 '조선적인 것'에 대한 강조와 관심의 증대이다. 이는 우선 '창경궁'이나 '경주'로 상징되는 조선의 전통문화와 유산에 대한 찬탄의 시선으로 드러나지만[8] 보다 심층적으로는 민족의 집합적 주체로서의 '조선'에 대한 재인식, 달리 말해 조선적 정체성에 대한 탐구의 형식으로 표출된다. 이를테면 그것은 "지금까지 지니고 있던 조선이라는 것에 대한 생각을 완전히 버리지 않으면 안 될 것을 생각하고" 또 "조선에 대해 올바른 인식"을 가지지 않으면 안 된다는,[9] 그러한 보다 절실한 물음과 근본적인 문제의식의 층위에서 재고된다고 할 수 있다. 이런 측면에서 먼저 주목되는 것은 '조선' 혹은 '조선적인 것'이 일제 말기의 상황에서 유진오 문학의 주요한 관심사로 등장하는 방식과 전후의 맥락이다.

주지하듯 동반작가로 출발한 유진오의 문학 세계는 1930년대 후반에 이르러 일정하게 변모한다. 단적으로 그의 문학적 전신은 그야말로 '열정'을 바쳤던 과거의 '이상'과 '사상'이 한낱 헛된 '꿈'에 지

---

[8] 이를테면 그것은 다음과 같은 방식으로 서술된다. "경주를 가 보면 조선이 초라하다는 말은 쑥 들어갈 겁니다. 신라 왕의 찬란한 금관이며 옥저며 그때 로마에밖에 없었다는 유리그릇이며 석굴암 돌부처 같은 것을 우리두 과연 상당하구나 하는 자신이 드니까요. (중략) 나는 금강산은 잃을지언정 경주는 잃지 못허겠다구 싶어요."(유진오, 『화상보』(상), 삼성출판사, 1972, p.294.) "무엇보다도 이 땅에는 옛시대로부터 훌륭한 문화가 있었던 것입니다. 이번에 저는 경주라는 신라 시대 도읍지의 유적을 둘러보고 조금 스케치를 해 왔는데, 정말 경주는 훌륭했습니다."(유진오, 「기차 안」, 이경훈 편역, 『한국 근대 일본어 소설선』, 도서출판 역락, 2007, p.75.)

[9] 이러한 생각은 소설 안에서 일본인 여성을 통해 서술되고 있지만, 아마도 이는 유진오 자신을 포함한 당대의 조선인과 이른바 '내지'의 일본인 모두에게 제기하는 요청으로써 읽힌다. 유진오, 「기차 안」, p.79.

나지 않는다는 사실을 확인하는 탈이념화의 과정을 거쳐 이루어진다.[10] 유진오 문학의 이러한 변화는 물론 일제 파시즘의 공세 강화와 함께 모든 진보적인 사상과 운동이 와해되면서 일대 혼란과 변혁의 국면에 놓였던, 이른바 전형기[11] 한국 문단의 위기적 지형과 조응하는 것이다. 이 시기 유진오 문학의 향방은 「조선문학에 주어진 새 길」이나 「시정 편력의 정체」와 같은 그의 평론에서 직접적으로 제시된다. 여기서 유진오는 당시의 현실을 "통일적인 세계관의 건설이 불가능한", 따라서 "기성사실"을 그대로 받아들일 수밖에 없는 "혼돈의 세기"로 진단하면서, 이 국면을 극복할 새로운 문학의 방향으로 이른바 '시정(市井)의 리얼리즘'을 주장하고 있다. '시정의 리얼리즘'은 "사상의 모태는 사상이 아니라 현실"이며 따라서 조선문학은 "조선적 현실의 섭렵"에 바탕한 "사실의 문학"으로 나아가야 한다는 것으로 요약된다.[12] 말하자면, 유진오가 주장하는 "시정의 사실"과

---

10 이념의 포기 혹은 청산이라는 문제는 당시의 지식인들과 문인들에게 부과된 숙제와 같은 것이었다. 한때 카프의 가맹 권고를 받을 정도로 프로문학의 근접 거리에 있었던 유진오의 경우에도 이념 청산의 문제는 당면한 난제였던 것으로 보인다. 그는 한동안의 작가적 공백기를 거치면서 동반자 시기의 이념 지향적 문학으로부터 벗어난다. 유진오 문학의 탈이념화 방식과 논리에 대해서는 황경, 「식민지 지식인의 존재론과 문학의 논리―유진오의 1930년대 후반기 소설에 대한 고찰」, 『소설시대』, 평민사, 2004를 참조할 수 있다.

11 국문학사에서 전형기란 대체로 1930년대 중반 이후 일제 말기까지의 시기를 지칭한다. 김윤식은 전형기를 프로문학의 퇴조로 인한 문학계의 정신적 구조 일반의 공백 지대에서 비평의 주조 탐색이 부각된 시대로 설명한다. 김윤식, 『한국근대문예비평사연구』, 한얼문고, 1973, pp.216-217 참조.

12 이는 다음과 같은 글에서 표출된다. "아무튼 오늘의 정세 하에서 미숙한 철학을 내두르기보다는 片片한 市井의 사실 속으로 자신을 침전시키는 것이 더 위대에의 첩경인 것이다. (중략) 혼돈의 세기가 요구하는 문학은 오직 사실의 문학이 있을 뿐이다. 그러면 사실의 문학은 어떻게 해서 건설될 것인가? 첫째로 작가는 이상형의

"조선적 현실"로 침전하는 문학이란 당대의 문맥에서 이미 폐색된 이념 지향적 문학의 대타 형식으로 표출된 것이라 할 수 있다. 일제 말기 유진오 문학의 향방과 관련하여 이 문학론이 갖는 중요성은 다음과 같은 측면에서 해석될 수 있다. 우선 문제적인 것은 어떤 통일적인 사상이나 원리의 수립이 원천적으로 불가능한 상황 하에서는 "기성사실"을 그대로 받아들일 수밖에 없다는 사실 수리적인 태도의 표명이다.[13] 유진오 자신도 그것이 비록 "대단히 소극적인 태도"임을 전제하고 있지만 그럼에도 불구하고 "시대적인 것이 곧 친일적인 것"일 수 있었던 당시의 상황이고 보면,[14] 그의 이러한 논리는 식민지 현실에 대한 암묵적인 수락을 예정하는 것일 수 있었다. '시

세계를 탈출하여 넓은 속물의 세계로 산보를 나가야 할 것이다."(유진오, 「조선문학에 주어진 새 길」, 『동아일보』, 1939.1.10-13.) "이제서야 우리는 갖가지 사상을 졸업하고 자신의 문학을 건설할 단계에 이르렀다고 나는 본다. 사상은 이미 우리의 교양에까지 생리화되었으니 여기서 필요한 것은 좀 더 넓게 조선적 현실을 섭렵하는 것이다. 사상의 모태는 사상이 아니라 현실이라는 점이다."(유진오, 「시정 편력의 정체」, 『매일신보』, 1940.7.30.)

[13] "기성사실을 그대로 받아들인다는 것은 대단히 어폐가 있는 말이나, 이론보다 사실이 자꾸 앞서는 현대에 있어서는 피할 수 없는 일이다. (중략) 기성사실을 그대로 받아들인다는 것은 대단히 소극적인 태도임에 틀림없다."(유진오, 「조선문학에 주어진 새 길」.) 백철 또한 이와 유사하게 "시대적 사실의 수리"를 주장하고 있거니와 이러한 사실 수리의 태도는 지배적인 문학 이념을 상실하고 고심하던 당대 문단의 한 경향의 일단을 보여 준다. 백철은 「시대적 우연의 수리」(『조선일보』, 1938.12)에서 "금일 동양 현실은 우연으로 얽어진 커다란 사실"이지만 그 우연이 엄밀한 객관적 사실로 된 이상 일차적으로 그 현실을 수리하지 않을 수 없다고 주장하고 있다.(김윤식, 『한국현대문학비평사』, 서울대학교 출판부, 1982, pp.220-221 참조.)

[14] 이경훈은 "시대적 우연의 수리"를 주장하며 친일로 나아간 백철의 경우에서 보듯 "친일로 나아가는 지점이란 종종 시대적인 것을 인정하고 그것에 굴복하는 지점이었다"고 분석한다. 이경훈, 『오빠의 탄생—한국 근대문학의 풍속사』, 문학과지성사, 2003, p.343 참조.

정의 리얼리즘'을 "시국에 대한 굴종의 전 단계" 혹은 "사소한 일상
적 사실로의 도피"로 평가하는 기왕의 논의들은 대체로 이러한 측면
에 주목한 것이라 할 수 있다.[15] 그러나 한편으로 놓치지 말아야 할
것은 사실 수리라는 방식을 통해 구체적이고 객관적인 조선의 현실
그대로를 수용한 그 지점에서 다시 시작되는 유진오 문학의 향방이
다. 현실을 여과하는 어떠한 통일적인 이념도 세계상도 부재하는 자
리에서 직접적으로 현실의 맨 얼굴과 맞닥뜨렸을 때, 그곳에는 '조
선적 현실'의 실체가 놓여 있었다고 할 수 있다. 요컨대 "역사 발전
의 철칙"에 대한 '믿음'과 '희망'이 탈각된 눈[16]으로 들여다본 조선의
현실이란 무엇보다도 여전히 낙후되고 문명화되지 못한 열등한 식
민지이며,[17] "양심을 팔아 메피스토가 되거나 그렇지 않으면 백이숙
제(伯夷叔齊)처럼 산속으로 고사리나 캐어 먹으러 들어갈 수밖에 없

---

15 "시정의 리얼리즘" 이후 유진오 문학이 현실 응전력을 상실하고 사실 수리의 일상
성으로 나아간다고 보는 것이 대체로 논자들의 공통된 시각이다. 이를테면 변정화
는 "시정의 리얼리즘"을 "리얼리즘 정신의 패배" 혹은 "시국에 대한 굴종의 전 단
계"로 평가한다.(변정화, 「유진오의 리얼리즘攷―현실 지평과 문학적 지평」, 『원우
논총』 3집, 숙명여자대학교 대학원, 1985, pp.39-49 참조.) 김윤식은 "이데올로기
로부터의 도피"와 "사소한 일상적 사실"의 서사화로 해석한다.(김윤식, 「유진오론」,
『일제 말기 한국 작가의 일본어 글쓰기론』, pp.215-218 참조.)

16 1930년대 후반기, 유진오의 소설에서 맑시즘은 부정되고 이른바 '주의자'로서의 지
식인의 존재 방식 또한 폐기된다. 이는 소설 주인공의 입을 통해 매우 직접적으로
서술되기도 하는데, 이를테면 다음과 같은 경우이다. "나는 전에 역사 발전의 철칙
이라는 것을 믿고 그것에 희망을 부쳐 왔다. 그러나 그 철칙이라는 것이 나에게 이
렇게 잔혹한 것이라면 나는 그것을 저주한다. 아, 나에게 희망을 도로 다오. 벌써
올해도 저물어 가는구나. 아, 내 눈이 붉고 내 눈이 새맑든 그때." 유진오, 「수난의
기록」, 『삼천리 문학』, 1938.1.4, pp.84-85.

17 일제 말기 유진오의 소설에서 조선은 대체로 "문화의 정도가 낮고" "경제적으로 쪼
들리며" "초라하고 쓸쓸하고 더러운" 등의 표현으로 형용된다. 이는 주로 조선인이
조선을 보는 시선이다. 유진오, 『화상보』(상), pp.18-20; 「기차 안」, p.75 참조.

는"[18] 그러한 양단의 선택만이 분명하게 드러나는 혼란한 시대이다. 어쩌면 이것이 "조선적 현실의 섭렵"을 통해 유진오가 파악한 일제 말기 조선의 실체였다고 할 수 있을 것이다. 유진오는 그러나 현실에 대한 굴종과 은둔의 방식을 모두 비켜 가면서 "견딤과 희망의 사상"[19]이라는 나름의 대응 논리와 방식을 모색하고 있다. 이는 조선의 전통문화에 대한 재인식과 조선적 근대화의 추구라는 두 가지 방향으로 표출된다고 볼 수 있다. 조선적 전통에 대한 관심과 재발견은 민족적 자부심의 회복이면서 동시에 '조선'이라는 뿌리, 그 끊을 수 없는 동질성에 대한 확인으로 해석될 수 있을 것이다. 「가을」에서 주인공 기호가 "조선식 아름다움"과 첫 대면하는 다음과 같은 장면에서 이를 유추해 볼 수 있다.

창경원 문 앞까지 왔을 때 기호는 문득 발을 멈추고 그 정문 추녀 끝을 쳐다보기 시작하였다. 보통 때는 때 묻어 보이고 무겁고 둔해 보이는 추녀였으나 이렇게 맑은 가을 하늘 밑 황금빛 저녁 햇빛에 비쳐 보는 감각은 무슨 아름다운 꿈을 품고 금시로 푸른 하늘로 내달릴 듯이나 가볍고 산뜻해 보인다. 보고 있는 동안에 기호의 눈은 점점 경이와 찬탄과 기쁨의 빛으로 가득해 갔다. 조선식 건축에서 그런 아름다운 감각을 느껴 보기는 그것이 처음이었다. 그 감각의 둔함을 비웃는

---

18 유진오, 『화상보』(하), 삼성출판사, 1972, p.423.

19 일제 말기 유진오 문학을 가장 긍정적인 입장에서 평가하는 논자는 정호웅이다. 그는 유진오의 '사실 수리론'이 "사실에 매몰되는 것이 아니라, 사실에 매몰되는 자신을 날카롭게 경계하면서 그 속에서 새로운 창조를 꿈꾸는 성격의 것"이며 『화상보』의 논리를 "대동아 공영론과 사실 수리론이 횡행하고 그 반대편에 허무주의가 독버섯처럼 피어나던 시대를 견디며 앞날을 준비하는 견딤과 희망의 사상"으로 해석하고 있다. 정호웅, 「유진오론」, pp.325-327 참조.

사람이 있을지 모르나 지금까지 모든 교양을 조선의 전통과는 아무 관계없이 받고 쌓고 해 온 기호로서는 또한 허는 수 없는 노릇이다. 허기는 비단 건축뿐 아니라 근래에 와서 기호의 이르는 곳에서 전에는 당초에 생각해 본 일도 없는 조선식 아름다움을 하나씩 둘씩 느끼기 시작하는 것이었다. 쓰레기통 속같이 더럽고 지저분한 것만이 우리의 전통적 생활이라고 생각하던 그로서 우리의 할아버지 또 그 할아버지가 사실은 진주보다도 보석보다도 더 아름다운 것을 그 속에 남겨 놓으셨다는 것을 발견하는 기쁨은 또한 큰 것이 아닐 수 없었다. 기호의 심경은 마치 파랑새의 동화와도 같았다. 가을 하늘에 솟은 지붕 추녀의 감각도 이러한 동화의 한마디기는 하리라. 그러나 그 동화는 이왕에 그가 엠파이어 스테트 빌딩의 사진을 보고 느끼던 감격보다는 더 깊은 가슴속 영혼에 깃들이고 포근하게 혈관 속으로 스며드는 것이다.[20]

　인용문은 주인공 기호가 조선적 전통의 아름다움과 가치를 재발견한 순간의 감격을 다소 장황하게 묘사하고 있거니와, 흥미로운 것은 그 깨달음의 심경을 "파랑새의 동화"에 비유하고 있다는 점이다. 이는 "지금까지 모든 교양을 조선의 전통과는 아무 관계없이 받고 쌓고 해 온" 주인공 기호의 과거의 삶의 전력에 비추어 해석될 수 있다. 소설의 제목 「가을」이 상징하듯 기호는 사회변혁의 이상과 이념을 품고 살았던 과거의 시간들을 뒤로하고, 이제는 별다른 희망 없이 영락한 삶을 살고 있는 전향적 지식인이다.[21] 한때 세상을 읽

---

20 유진오, 「가을」, 『창랑정기』, 정음사, 1963, p.148.
21 사회운동가나 주의자들이 그들의 이념과 사상, 그들의 과거로부터 벗어나는 과정의 일면을 보여 주는 소설로는 「수난의 기록」 「가을」 「산울림」 등을 들 수 있다. 이들 작품에서 유진오는 탈이념화의 과정을 개인적 선택에 의한 변절이나 전향이 아

는 거울이자 희망이었던 '이념'과 '주의'가 사라진 자리에는 정향 없이 초라한 현실과 질병만이 도사리고 있을 뿐이다. 기호의 눈에 '조선' 혹은 '조선적인 것'의 의미와 가치가 새롭게 부각되는 것은 바로 이 지점이다. 꿈과 희망의 상징으로서의 '파랑새'는 미처 깨닫지 못했을 뿐 이미 내 집 문에 걸린 새장 속에서 나와 함께 살고 있었다는 것, 이것이 동화 '파랑새'의 핵심적 전언이라면, 기호가 새삼 조선의 전통에서 아름다움을 발견한 자신의 마음을 이 동화에 비유하는 이유는 자명하다. 말하자면 조선의 전통은 이른바 과거의 '주의자'로서 전향적 인물이라 할 수 있는 기호가 한때의 사상적 방황과 좌절 끝에 찾아낸 새로운 희망, 또 다른 가치의 세계이다. 여기서 중요한 것은 "경이와 찬탄과 기쁨"으로 가득 찬 기호의 심경이 '창경원' 문의 추녀로 대표되는 조선적 전통의 미에 대한 자각에서 멈추지 않고, "우리의 할아버지 또 그 할아버지"로부터 유전되는 민족적 근원과 동질성에 대한 인식으로 연결된다는 점이다. 이를 '조선' 혹은 '조선적인 것'의 발견이라고 한다면 기호의 이러한 인식의 변화는 1930년대 후반을 전후로 한 유진오 문학의 전환적 논리의 과정을 그대로 반영한 것으로 읽을 수 있다.

3. 전통과 근대, '조선'을 보는 두 개의 시선

일제 말기 유진오의 문학이 '조선적인 것'에 주목한다 해도, 그러나 이것은 반근대적인 문맥에서의 상고주의나 고전 회귀의 경향과는 다른 차원에서 진행된다.[22] 요컨대 유진오 문학의 논리와 시선은

닌 거스를 수 없는 시대의 흐름으로 그려 낸다.
22 일제 말기 유진오의 소설 「남곡 선생」이나 「정 선달」 등의 작품에서 소위 '동양/서

일관되게 근대를 향해 있었다고 할 수 있는 것이다. 이 점은 「창랑정기」와 같이 고풍적인 전통의 세계를 다룬 작품에서도 분명하게 드러난다. 「창랑정기」는 "낭만적인 회고 취향"의 작품[23]으로 읽히지만, '창랑정'으로 상징되는 사라진 과거의 시간과 역사를 불러 세우는 유진오의 문제의식은 명백히 '근대'에 놓여 있다. 소설의 첫 장에서 작가는 '창랑정'의 의미가 '향수'에 관계되어 있음을 밝히고 있거니와, 그 '창랑정'의 추억 속에는 퇴락한 고택과 옛사람 '서강대신 김종호'가 있고, 어린 교전비 을순과 마당에서 파낸 '칼'이 있으며, 그리고 그 '창랑정'을 둘러싼 아름다운 자연의 풍광이 있다. 작가는 또한 소설의 마지막 장을 할애하여 '서강대신'의 죽음과 '창랑정'의 완벽한 소멸에 대해서 쓰고 있다. 여기까지라면 소설 「창랑정기」는 그야말로 사라져서 더욱 애틋한 '창랑정'이라는 공간과 시간에 얽힌 기억의 서사 즉 회고담에 불과하다. 그러나 다음과 같은 소설의 결미에 이르면 문제는 그리 단순하지 않다.

집 뒤 산이던 곳은 빨간 북덕이오 그 밑 창랑정이 있던 듯이 생각되는 곳에는 낯모르는 큰 공장이 있어 하늘을 찌를 듯한 굴뚝으로 검은 연기를 토하고 있었다. (중략) 음산하게 찌푸린 하늘에서는 봄이라 해도 오슬오슬 쌀쌀한 바람이 불어 내려올 뿐 끊임없이 왈가닥거리고 돌아가는 기계 소리는 애써 옛 기억을 더듬으려는 내 머리를 여지없이 혼란시킨다. 창랑정은 추억의 나라 구름과 연기에 쌓인 꿈의 저편에만

양' 또는 '전통/근대'라는 이분법적 대립 구도를 읽어 내고, 이를 근대 문명에 대한 비판으로 해석하는 입장도 있다. 保坂祐二의 분석이 특히 그러하다. 「俞鎭午の東洋主義―太平洋戰爭中の俞鎭午の對日論理」, pp.142-150 참조.
23 김윤식, 「유진오론」, p.221.

있을 수 있는 존재였던가! 나른한 추억에 잠겼던 내 정신은 차차로 굳센 현실 앞에 잠 깨어 온다. 문뜩 강 건너 모래밭에서 요란한 푸로페라 소리가 들린다. 건너다 보니 까맣게 먼 저편에 단엽쌍발동기 최신식 여객기가 지금 하늘로 날아오르려고 여의도 비행장을 활주 중이다. 보고 있는 동안에 여객기는 땅을 떠나 오십 미터 백 미터 이백 미터 오백 미터 천 미터 처참한 폭음을 내며 떠 올라갔다. 강을 넘고 산을 넘고 국경을 넘어 단숨에 대륙의 하늘을 무찌르려는 전금속제(全金屬製) 최신식 여객기다.[24]

현재의 시점에서 옛 기억을 더듬어 다시 찾은 '창랑정'은 자취조차 없고, 눈에 선하도록 묘사된 달라진 풍경의 주체는 바로 하늘을 찌를 듯 검은 연기를 내뿜고 있는 큰 공장의 굴뚝이며, 왈가닥거리며 돌아가는 기계 소리고, 여의도 비행장을 활주하는 최신식 여객기이다. '창랑정'을 메우고 있는 이 모든 상징들은 요컨대 근대의 풍경으로 요약된다. 흥미로운 것은 '창랑정'의 쇠락을 기술하는 작가의 목소리는 분명 애수와 안타까움에 젖어 있지만, "전금속제 최신식 여객기"의 대륙 횡단을 전하는 결미의 음성에는 모종의 흥분과 활기가 드러난다는 점이다. 전자에 시선을 두고 읽으면 「창랑정기」는 소멸하는 전통적 세계에 대한 그리움과 향수의 서사이다. 반면에 후자에 시선을 집중한다면, '서강대신 김종호'의 죽음과 '창랑정'을 둘러싼 그 모든 것들의 몰락과 쇠퇴는 필연적인 것이다. 말하자면 '창랑정'의 기억과 추억을 소설로 쓴다는 행위의 이면에는 '창랑정'은 "추억의 나라" 저편에 '꿈'으로서 존재할 뿐 거기서 더 이상의 현재적

24 유진오, 「창랑정기」, 『창랑정기』, p.22.

의미나 가치를 찾을 수는 없다는 논리가 숨어 있다.[25] 조선의 자연과 전통, 쇄국의 틀에 갇혀 "맹렬하게 양이 배척을 주장하던" '서강대신 김종호'의 "귀인의 풍모"도 추억 속에서 다 아름답고 소중한 것이지만, 변화하는 시대의 흐름과 방향을 되돌려 놓을 만큼의 가치는 없는 것이다. 바로 이 점이 '창랑정'에 관한 긴 회고의 여정을 거쳐 작가 유진오가 내린 결론의 핵심에 해당한다.[26] 유진오의 시선이 닿은 곳은 결국 '창랑정'으로 대표되는 전근대적 전통의 세계가 아니라, 궁극적으로 화려하고 융성한 근대의 풍경 즉 "굳센 현실"이라 할 수 있다.

이런 맥락에서 주목되는 또 하나의 작품으로 「정 선달」을 꼽을 수 있다. 이 소설의 주인공인 '정 선달'은 "상전과 종이란 벌써 옛날에 없어져 버린 썩어진 관계"[27]에 매달려 아들과 세대 갈등을 일으키는 구시대적인 인물의 전형으로 묘사된다. 문제적인 것은 이미 망해 없어진 '김참봉 댁'의 머슴이라는 신분에 집착하는 '정 선달'의 "억센 자기 고집"이 결국은 파국적인 죽음으로 귀결된다는 점이다. 시대와 관습의 변화를 인정하지 못하는 '정 선달'의 죽음은 근대를 부정하는 전통 세계의 필연적 소멸이라는 측면에서 해석될 수 있다. 여기

---

25 "창랑정의 기억은 대개 여태까지 기록해 온 것에 그친다. 그러나 그뿐이라면 또 그다지 창랑정이 내 머리를 왕래하지 않았을 것이요 소설의 형식을 빌어 이곳에 일부러 쓰게까지도 되지 않았을 것이다. 사람이란 일상 현재 눈앞에 있는 것보다는 지나간 것, 없어진 것에 이상한 애착을 느끼는 법이라 창랑정은 더 한층 내 향수를 자아내는 것이다."(유진오, 「창랑정기」, p.20.) 소설 속의 화자가 이렇게 쓰고 있거니와 말하자면 「창랑정기」는 '창랑정'에 대한 추억의 서사가 아니라, '창랑정'의 소멸에 대한 서사로 읽어야 한다.

26 「창랑정기」의 분석에 대해서는 황경, 「식민지 지식인의 존재론과 문학의 논리―유진오의 1930년대 후반기 소설에 대한 고찰」 참조.

27 유진오, 「정 선달」, 「창랑정기」, p.386.

서 구시대의 전통과 윤리를 바라보는 작가 유진오의 문제의식이 드러나거니와 「가을」과 같은 작품에서 유진오가 강조하고 있는 '조선적 전통'의 가치와 아름다움이란 그러므로, "굳센 현실"로서의 '근대'라는 자장 안에서만 유의미한 것이라 할 수 있다. 달리 말해 일제 말기 유진오의 소설에서 조선적 전통은 근대와 맞서는 대립 개념이 아니라, 근대라는 틀 안에서 재정립되고 수용되어야 할 가치로서 제시된 것이라 할 수 있다. 근대와 조선적 전통, 이 양자 사이에서 어느 하나로 달려가지 않고 적절한 균형을 유지하는 일이야말로 일제 말기 유진오 문학이 의도한 가장 현실적인 지점이었다 할 것이다. 이는 근대를 타자로 세우고 '조선적인 것'으로 회귀하는 방식의 현실 도피적인 경향이나, '동양(전통)/서양(근대)'이라는 이분법적 대립 구도로써 서양(근대)을 통째로 지양하고자 하는 일제의 이른바 근대초극론과는 일정한 거리가 있는 것으로 판단된다. 유진오가 당대의 고전 취향이나 동양적 세계관[28]을 일종의 "시세요 유행"에 불과한 것으로 비판할 수 있었던 심정적 근거 또한 여기에 있는 것이라 할 수 있다.[29]

그렇다면 다시 문제는 일제 말기 유진오의 문학이 조선의 전통과 문화에 눈을 돌림으로써 조선의 문화적 우수성을 확인하고자 하는 그 태도의 이면이라 할 수 있다. 단적으로 말해 여기에는 유행이

---

28 1930년대의 고전부흥론이나 전통론의 전반적인 경향과 특징에 대해서는 김윤식, 『한국현대문학비평사』, pp.217-220; 차승기, 「1930년대 후반 전통론 연구—시간·공간 의식을 중심으로」, 연세대학교 박사 학위 논문, 2002를 참조할 수 있다.

29 이는 「가을」에서 주인공 기호와 친구 홍림의 대화를 통해 드러난다. 홍림은 "우리 동양 사람에겐 역시 동양 것이래야"를 강조하고 이에 대해 기호는 "그것도 시세요 유행이니까"라고 냉소적으로 답한다. 이어서 기호는 "자기와 홍림 사이에 무슨 차이가 있는 것인가"를 스스로 묻고 있거니와 이 지점에 당대 시세에 휩쓸리지 않으려는 유진오 문학의 냉정한 현실 감각이 자리한다. 유진오, 「가을」, pp.150-151 참조.

나 시세에 따른 논리가 아니라, 조선적 주체의 자리를 고민하지 않을 수 없는 유진오 나름의 현실적 위기의식이 전제되어 있다. 그것은 낙후되고 열등한 조선의 현실과 그런 조선을 바라보는 부정적인 시선의 문제와 관련된다. 이런 측면에서 주목되는 작품이『화상보』와「기차 안」이다. 전혀 다른 소설로 보이지만 이 두 소설은 모두 '조선'을 바라보는 서로 다른 두 시선의 갈등과 화해라는 서사적 문맥을 공유한다. 이들 소설에서 갈등의 원질은 근대(서양 혹은 일본)의 중심을 경험한 자의 시선과 여전히 근대화되지 못한 조선의 현실 사이에 놓여 있다.

　환멸—마음이 무겁기는 경아도 시영이와 마찬가지다. 하기는 경아의 환멸은 지금 시영을 대하고 처음 느끼는 것이 아니라 오늘 아침 연락선에서 부산 역두에 내려섰을 때 벌써 똑같은 생각에 사로잡힌 것이었다. 부산 역두가 어째 이렇게 쓸쓸한가. 그전에도 이랬었던가? 경아는 자기의 기억을 의심하지 않을 수 없었다. 부산역을 떠난 후 맑게 닦인 유리창으로 가을바람 소조하게 부는 연선 풍경을 내다볼 때 경아는 한층 그런 느낌을 금할 수 없었다. 어째 모든 것이 이렇게도 쓸쓸하고 초라한고. 이것이 이 몇 해 동안 그리고 그리던 고향이었던가. 그 순간 경아는 아름다운 고향의 환영이 허망하게도 허물어져 버리는 것을 어쩔 수 없었다.[30]

　인용문은『화상보』의 서두 부분인데, 세계적인 성악가로 성공해서 귀국한 여주인공 김경아의 눈에 비친 조선의 현실은 "환멸"이라는

---

[30] 유진오,『화상보』(상), pp.19-20.

한마디로 표현된다. 주목되는 것은 경아의 오랜 연인인 주인공 장시영이 경아의 이러한 시선이 "구라파"와 "동경의 높은 문화"를 경험한 사람들의 "다 같은 심리"임을 비판적으로 지적하면서,[31] "무엇으로 이 거리를 메워야 되는 것인가"[32]를 고민하고 있다는 사실이다. 요컨대 이 소설에서 장시영과 김경아의 갈등과 불화는 단순히 연인사이의 감정적 거리가 아니라, 경아가 속한 "높은 문화"와 시영이 속한 "낮은 문화", 달리 말해 "근대 문화가 너무도 훌륭하게 열매를 맺은"[33] 일본과 여전히 "초라한 조선" 사이의 간극에서 비롯되는 것으로 해석할 수 있다. 여기서 작가 유진오의 문제의식은 일종의 몰주체적이고 자기 비하적인 식민지 조선인의 현실 인식에 놓여 있으며, 『화상보』는 이와 같은 양단의 갈등과 거리를 어떻게 해소할 것인가에 대한 유진오 나름의 고민과 모색의 서사라 할 수 있다. 이 소설을 남녀 간의 애정 갈등을 다룬 연애소설로만 읽을 수 없는 이유가 바로 여기에 있다.

한편으로 유진오는 일문 소설 「기차 안」에서 조선에 대한 경멸과 냉소의 시선이 식민지 조선과 피식민국 일본 사이에 놓여 있는 어쩔 수 없는 또 하나의 '거리'라는 사실에 주목한다. 「기차 안」에서 처음으로 조선을 방문한 미츠코(美津子)가 보는 조선의 인상은 "더럽고 황량한" 풍경으로 요약된다. 이는 또한 도쿄에 살고 있는 '이(李) 씨'라는 인물을 통해 좀 더 노골적으로 제시된다. 이 씨는 서사 안에 직접 등장하지 않는 삽화적인 인물이지만, "언제나 고향 사람들을 욕"

---

31 유진오, 『화상보』(하), pp.467-468 참조.
32 유진오, 『화상보』(상), p.31.
33 유진오, 『화상보』(하), p.475.

하고 "조선에 대한 이야기가 나오거나 하면 항상 극구 비난하는" 몰주체적인 식민지 조선인의 전형이라 할 수 있다.[34] 여기서 중요한 것은 조선을 바라보는 미츠코의 시선과 이 씨의 시선이 그대로 겹쳐 있다는 점인데 말하자면 이 씨는 "선택된 특수한 사람"이라는 지점에서 조선을 타자함으로써 미츠코로 대변되는 피식민국 일제의 시선과 결합된다. 『화상보』의 경아를 포함하여 미츠코와 이 씨의 시선은 모두, "잠에서 아직 다 깨지 못한" 미명의 조선, 여전히 근대화되지 못한 조선을 향해 있다고 할 수 있다.[35] 이들이 경멸과 냉소로 조선을 타자화하는 시선에는 이처럼 문명화된 자로서의 선민의식이 깔려 있거니와 여기에 이르면 조선을 보는 안과 밖의 시선은 하나로 합쳐진다. 이는 또한 조선적 주체를 부정하고 스스로를 선민화하면서 일제가 선동하는 이른바 내선일체의 친일로 이어질 수 있다는 점에서 문제적인 것이라 할 수 있다. 그러나 유진오는 소설 「신경」에서 일제의 내선일체의 논리가 한낱 미망에 지나지 않는다는 사실을 간접적으로 표출하고 있다.

---

[34] 이 씨라는 인물은 미츠코라는 일인 여성을 통해 다음과 같이 묘사된다. "종종 이 씨는 미츠코의 아버지와 밤늦게까지 잡담에 빠지곤 했는데, 가끔 조선에 대한 이야기가 나오거나 하면 항상 극구 비난하는 것이었다. 이기적이고 은혜를 모르며 더럽고 게으른데다가 그런 주제에 의뢰심만 남보다 훨씬 많다는 둥, 이 씨는 언제나 고향 사람들을 욕했다. (중략) 그러나 그로써 언제부턴지 모르게 조선에 대해 좋지 않은 인상을 품게 되었던 것이다. 이 씨만은 선택된 특수한 사람으로서……." 유진오, 「기차 안」, pp.70-71.

[35] 미츠코가 묘사하는 조선은 근대의 눈으로 바라본, 여전히 근대화되지 못한 조선의 풍경으로 읽힌다. "흰 조선 옷을 입은 사람들이 잠에서 아직 다 깨지 못한 듯한 발걸음으로 느릿느릿 여기저기서 움직이고 있다. 부두 인부들이 장단 맞춰 일하는 소리까지 무언가 축 늘어진 것 같아, 태어나 지금까지 도쿄 한복판에서 자라 온 미츠코에게는 모든 것이 꼭 고속도 촬영기로 찍은 영화라도 보고 있는 듯한 기분이 들었다." 유진오, 「기차 안」, p.69.

조선 사람은 일본 국적을 가지고 있다—이런 전제 하에 철은 만주를 갔다. 그러나 만주서는 일계(日系)와 만계(滿系) 외에 또 한 가지 선계(鮮系)라는 것이 있다. 일계와 만계의 중간에 서서 선계의 지위는 복잡 미묘한 것이 있는 것이었다.[36]

설혹 일본 국적을 가지고 있더라도 조선 사람은 다만 '선계(鮮系)'일 뿐, '일계(日系)'가 될 수 없는 것이 현실이라면, 결국 조선은 조선적인 어떤 것의 자리로 돌아올 수밖에 없는 것이다. 유진오가 '창랑정'으로 대표되는 전통 세계의 소멸을 인정하면서도 오로지 '근대'라는 좌표 위에서 조선의 현재와 미래를 말할 수 없는 이유는 아마도 여기에 있을 것이다. 요컨대 일제의 밖으로 벗어날 수는 없지만 또한 일제와 하나가 될 수도 없다는 것, 이것이 일제 말기 유진오 문학이 처한 딜레마이자 동시에 식민지적 자의식이 놓인 자리였다고 할 수 있다. 이 지점에서 강조되는 것이 조선의 전통과 문화의 우수성이며, 또 한편으로는 근대를 향한 실력 양성론이다. 일제 말기 유진오의 문학은 이로써 조선적 자아를 세우면서 동시에 근대주의로 나아간다고 볼 수 있다.

4. 실력 양성론과 조선적 근대화의 추구

장편 『화상보』 집필의 변으로 유진오가 밝혔던 바, "사람은 어떻게 살아야 할 것인가"[37]라는 문제의식은, 일제 말기의 폭압적 시대

---

36 유진오, 「신경」, 『창랑정기』, p.343.
37 유진오는 『동아일보』 11월 30일자의 『화상보』 연재 예고에서 "사람은 어떻게 살아야 할 것인가. 나는 이번 소설에서 이 문제를 쳐들어 보려 한다"는 작의를 표명하고 있다.

를 향한 작가 자신의 절실한 존재론적 물음이라고 할 수 있다. 이에 대한 유진오의 답변은 '견딤과 기다림'의 논리로 제시되는데, 이런 맥락에서 우선 주목되는 소설이 「신경」이다. 「신경」은 자전적인 요소가 강한 소설로 여기서 유진오는 세월은 흐르고 역사는 변한다는 사실을 수락함으로써 현재를 살아가는 낙관적 생존의 논리를 마련한다. 교수이자 작가인 주인공 철은 오랜 문학 동료인 '욱'의 죽음을 겪으면서 문학과 인생에 대해 절망하기도 하지만, 그가 내린 결론은 현재의 삶의 조건과 관계없이 참고 견디며 오래도록 살아야 한다는 사실이다. 그러한 삶의 방식이 때론 '타락'의 조짐처럼 느껴질 때조차도 오히려 그것이 '생장'의 방법론일 수 있으며, 이는 또한 문학적으로도 "좀 더 큰 문학을 낳기 위해 도리어 필요한 수련(修練)"[38]으로 해석될 수 있다는 것이다. 여기서 중요한 것은 유진오의 현실 긍정의 논리가 그저 순응과 굴종의 방식이 아니라, 미래의 발전과 생장을 향한 하나의 방법론으로 제시된다는 점이다. 그의 이러한 입장은 겨울이 가면 반드시 봄이 오듯 지금의 역사적 시간 또한 언젠가는 변화와 발전으로 이어지리라는 순환적 시간관에 기초하고 있다.[39] 철의 이러한 인식 변화의 계기 혹은 힘으로 작용하는 것이 바로 '신

---

38 유진오, 「신경」, p.343.

39 『화상보』에서 다음과 같은 장면은 현재를 견디며 미래에서 희망을 보고자 하는 이 시기 유진오 문학의 논리를 암시적으로 보여 준다. "기섭은 시영이 가리키는 대로 멀리 뵈는 숲을 바라보았다. 여태까지 그저 잿빛으로 말라 오그라져 있는 것으로만 알았던 것인데 이야기를 듣다 보니까 과연 어딘지 모르게 푸른 기가 어리고 있어 돌아오려는 씩씩한 생의 전주곡을 알리고 있는 것이었다. (중략) 두 사람은 더 말이 없었으나 각각 겨울이 지나면 봄이 온다는 평범한 그러나 움직이지 못할 법칙에 대해 포근하고도 서글픈 느낌을 가슴속에 저작하는 것이었다." 유진오, 『화상보』(하), p.416.

경'의 극명한 변화상이다. 어찌 보면 이 소설의 진정한 주인공은 십여 년의 세월 동안에 "초라한 시골 도시"를 탈피해서 근대 도시로 급성장한 '신경'이라는 도시의 변화 그 자체라고도 할 수 있다. 한편으로 유진오는 그 역사적 생장(生長)의 시간들이 자연의 법칙처럼 보이지 않는 어떤 원리에 의해 저절로 운용되는 것이 아니라, 능동적인 자기 수련과 실력 양성을 통해서만 획득될 수 있다는 사실 또한 강조하고 있다. 이를 일종의 실력 양성론이라 한다면 「기차 안」이나 『화상보』와 같은 소설에서 작가의 핵심 논리는 바로 여기에 놓여 있다.

> 조선인은 현재 분명히 여러 결점을 가지고 있습니다. 그러나 그 결점만을 지적해 조선인을 위축시키기보다는 무언가 거기에서 장점을 발견하여 그것을 장려하고 성장시키는 일이 가장 중요하다고 생각합니다.[40]

인용문은 「기차 안」의 조선인 청년 화가가 일인 여성 미츠코에게 던지는 마지막 전언으로 이 소설의 결론에 해당한다. 청년의 말은 조선은 우수한 전통과 문화를 가진 민족이며 현재의 결점보다는 앞으로의 성장 가능성에 주목하여 양성과 발전을 도모해야 한다는 것으로 설명될 수 있다. 조선에 대한 미츠코의 부정적인 인식과 태도는 청년과의 이러한 대화를 통해 일변한다. 그러나 여기서 작가의 논리는 궁극적으로 이 씨와 같은 몰주체적인 조선인 자신을 향해 있다고 볼 수 있다. 이는 『화상보』의 식물학자 장시영의 다음과 같은 비판적 진술을 통해서 보다 분명하게 드러난다.

---

[40] 유진오, 「기차 안」, pp.79-80.

문득 시영에게는 경박한 고향의 청년들이 동경이나 다녀오면 갑자기 무슨 굉장한 사람이나 된 듯이 뽐내던 심리가 짐작되는 듯이 느끼어졌다. 하필 동경뿐 아니라 조선보다도 좀 나은 데를 다녀온 사람들은 다 같은 심리일 것이지만 그들은 자기들이 다녀온 그 고장의 높은 문화를 곧 자기가 몸에 지니고 돌아온 것으로 착각하는 것이 아닐까. 열 충 스무 층의 화려한 건물을 보고는 곧 고향의 오막살이 초가를 업신여기는 버릇을 배우고 일류학자나 예술가의 훌륭한 업적을 보고는 곧 자기 자신이 그 수준에 도달하기나 한 것같이 고향의 초라한 문화를 업신여기는 것이다. 그러나 동경의 높은 문화가 곧 그곳 가서 글줄이나 배우고 돌아온 사람의 문화는 아닐 것이니, 문제는 나보다 나은 것을 보고 듣고 배우고 한 이상에는 헛되이 그것을 찬미함에만 그치지 말고 그것을 나 자신에게 관계시킴으로써 나 자신도 또한 그와 같이 높게 되려 노력함에 있을 것이 아닌가—.[41]

　위에서 유진오가 강조하는 것은 무엇보다도 조선인들의 주체적이고 능동적인 자기 인식을 바탕으로 한 근대 지향과 실력 양성의 태도라고 할 수 있다. 이는 서구나 일본의 "높은 문화"를 배우고 '찬미'하는 데서 멈출 것이 아니라 "그것을 나 자신에게 관계시킴으로써 나 자신도 또한 그와 같이 높게 되려 노력"하는 방식으로 다시 '조선'의 자리로 돌아올 것을 주장하는 식물학자 장시영의 발언을 통해 표출된다. 식물학자 장시영은 이 소설에서 유일하게 성공하고 상승하는 삶을 사는 인물이며, 그의 존재 방식은 "사람은 어떻게 살 것인가"라는 당대적 물음을 앞에 두고 작성된 유진오 나름의 모범 답안

---

41 유진오, 『화상보』(하), pp.467-468.

이라고 할 수 있다. 여기서 장시영의 삶을 지탱하는 근본 논리는 이를테면 "사람은 제가끔 제 장기가 있으니까 그 장기를 키우고 발휘해 가는 것이 그 사람을 위하는 것도 되고 사회 전체를 위해서 결국 유리하다"[42]는 것으로 집약된다. 이처럼 『화상보』에서 유진오는 '조선'이라는 뿌리를 망각하지 않으면서 각각의 개인적 발전을 사회 전체의 진보로 연결시키는 그러한 삶의 방식을 당대를 사는 최선책으로 제시하고 있다.[43] 장시영이 "초라한 조선의 모습"에 환멸을 운운하며 동경으로 떠났던 경아에게 다시 조선으로 돌아올 것을 권유하는 장면 또한 이런 맥락에서 이해할 수 있다.[44] 경아와 시영의 갈등은 결국 시영이 식물학자로서 "학문 조선의 명예를 한층 높이는" 대성공을 거두고, "노래할 골이 깊지 못하고 자리 잡을 가지가 튼튼치 못함을 한탄"[45]하며 조선을 떠났던 경아가 다시 조선으로 돌아옴으로써 해소된다. 『화상보』의 이러한 서사적 결말은 유진오 문학의 조선주의와 근대주의가 서 있는 자리를 분명하게 보여 준다. 요컨대 「화상보」의 논리는 「창랑정기」나 「신경」의 연장선상에서 근대 지향이라는 일관된 유진오 문학의 본질에 관련된다. 그리고 그 근대의 실

---

42 유진오, 『화상보』(하), p.56.
43 이런 측면에서 주목되는 인물이 장시영이 교사로 있는 중등실업학교의 교주(校主) 이태희이다. 그는 실학 정신을 계승한 한학자로 사재를 털어 교육 사업을 하는 인물이다. 요컨대 조선적 전통에 뿌리를 두고 교육과 계몽을 통해 조선의 성장과 발전을 추구한다는 측면에서 교주 이태희는 이 시기 유진오 문학의 핵심 논리에 닿아 있는 상징적 인물로 해석할 수 있다.
44 조선에 환멸을 느끼고 시영과 결별한 후 동경으로 떠났던 김경아에게 장시영은 다음과 같이 말한다. "이것두 원인을 찾는다면 조선, 그 자체가 책임을 져야 되겠죠. 허나 나는 그래두 조선으로 돌아가시길 권합니다. 아무리 경아씰 박대한다 해두 고향은 역시 고향 아닙니까." 유진오, 『화상보』(하), p.489.
45 유진오, 『화상보』(상), p.45.

체는 「창랑정기」와 「신경」에서 드러나듯 무엇보다도 외형적인 근대 즉 물질적으로 번화하고 과학기술적으로 발달된 문명의 모습을 하고 있다. 장시영의 눈에 비친 동경의 모습은 「신경」에서 철이 보았던 "웅대한 근대 도시"의 풍경과 다르지 않다. 장시영은 "한숨을 내쉬며" 그곳 동경에 옮겨진 서양의 "근대 문화가 너무도 훌륭하게 열매를 맺은 광경에 몹시 감탄"[46]한다. 결국 숱한 지식인들의 논리와 삶의 방식을 대비하면서 유진오가 선택한 근대주의가 부러운 눈으로 바라보는 것은 일차적으로는 서구적 근대의 또 하나의 모방인 '동경'이라 할 수 있다. 그러나 중요한 것은 유진오 문학의 근대 지향이 무조건적인 추수나 동화의 차원이 아니라 '조선'이라는 민족적 주체를 자각하고 강조하는 지점에서 시작된다는 사실이다. 유진오의 근대주의는 이를테면 근대로써 조선을 지우는 방식이 아니라 근대 안에 다시 조선을 세우는 방식이라고 말할 수 있다. 이는 『화상보』의 김경아의 말을 빌려 "아주 활짝 새로워져 가지고 그곳에서 다시 고전적인 세계로 발길을 돌리는"[47] 그러한 형태의 조선적 근대화에 대한 희망으로 표출된다. 소설의 말미에서 장시영이 재차 독일로 떠나는 경아를 향해 "이번에야말로 정말 위대한 운명이 열릴는지도 모르는 길"[48]이라고 말할 수 있는 것은 경아의 서구행이 조선이라는 민족적 자아를 각성한 상태에서 다시 시작된다는 전제 하에 가능한 것이다. 여기서 "위대한 운명"은 그러므로 유진오의 조선주의와 근대주의가 조화롭게 합치되는 식민지 조선의 궁극적인 지향점을 상징하는 것

---

[46] 유진오, 『화상보』(하), p.475.
[47] 유진오, 『화상보』(하), p.279.
[48] 유진오, 『화상보』(하), p.492.

으로 해석된다. 실력 양성을 통한 조선적 근대화의 지향, 이것이 바로 일제 말기 유진오의 문학이 조선적 현실을 수리한 상태에서 "생각하고 생각했으며 깊이 고뇌한 후의 결론"[49]이자 핵심적 논리였다고 할 수 있을 것이다.

5. 맺음말

일제 말기 유진오의 문학이 문제적인 것은 그의 문학이 당대의 현실을 냉철하게 주시하면서 그 시대에 실현 가능한 계몽적 태도와 의미를 찾고자 했다는 사실과 관련된다. 예컨대 일제 말기 유진오의 문학은 사실 수리의 방식으로 조선적 현실을 인정한 지점에서 나름의 적합한 대응 논리를 모색한다. 소설 「기차 안」에 삽입되어 있는 유다의 후일담은 이런 측면에서 흥미롭다. 여기서 유다가 스승을 팔고 안락한 삶을 살았다는 설과 죄의식에 사로잡혀 스스로 목숨을 끊었다는 설은 모두 안이한 결론으로 부정된다. 대신 "판 것은 판 것이므로 일단 스승을 판 유다는, 설령 예기치 못했다고 하더라도 스승의 책형(磔刑)을 끝까지 바라보았을 터"라는 해석이 제시된다. 덧붙여 이러한 해석적 태도를 "근대인의 날카로운 지성"으로 설명한다.[50] 이는 일제 말기 유진오의 문학과 그 자신의 존재 방식에 대한 하나의 비유처럼 읽힌다. 동일한 맥락에서 유진오는 양심을 파는 메피스토적인 굴종이나 세상을 등지는 백이숙제와 같은 은둔의 방식, 양단의 선택을 다 부정한다. 일제 말기 유진오의 문학 논리가 당대의 주류 담론으로서의 반근대적인 상고주의나 일제의 근대초극론에

---

49 유진오, 「기차 안」, p.80.
50 유진오, 「기차 안」, pp.71-72 참조.

대해 일정한 거리를 유지할 수 있었던 것도 이런 논리의 연장선에서 가능한 것이었다. 반면에 유진오는 실력을 닦고 키우면서 때를 기다리는 '견딤과 기다림'의 방식을 제시하는데, 이는 실력 양성론에 바탕한 조선적 근대의 추구라는 일제 말기 유진오 문학의 핵심 논리로 연결된다. 요컨대 대동아 공영론이라는 전쟁 동원의 이데올로기가 횡행하는 상황에서도 유진오의 문학이 끝내 놓지 않았던 것은 '조선'이라는 민족적 자아였다. 일제 말기 유진오의 문학이 강압적인 친일의 경계 위에서 흔들리면서도 나름의 균형점과 존립 근거를 찾을 수 있었던 이유는 바로 여기에 있을 것이다.

나도향 소설의 사랑에 대한 고찰
—『청춘』『어머니』「지형근」

1. 머리말

나도향 문학에 대한 그간의 논의들은 크게 두 방향에서 진행되어 왔다. 하나는 낭만주의나 사실주의라는 문학사적 범주 개념을 도입하여 나도향 문학의 경향을 분석하고, 그 귀속 여부를 검토하는 방식이다. 다른 하나는 작품의 전체적인 구조나 미적 원리를 규명하여 문예사조적인 접근 방식의 한계를 탈피하고 나도향 문학의 특성을 밝히려는 연구이다. 전자는 백철 이래의 지배적인 관점으로 나도향 문학이 낭만주의적인 경향에서 점차적으로 사실주의 내지 자연주의로 이행했다고 평가하는 것이 일반적이다.[1] 초기에는 감상적이고 애

---

1 백철, 『신문학사조사』, 신구문화사, 1983; 김우종, 「나도향론」, 『현대문학』, 1962.11-12; 채훈, 「거듭된 오류와 새 입론」, 『문학사상』, 1973.6; 서종택, 『한국 근대소설의 구조』, 시문학사, 1982; 송하춘, 「나도향론」, 『인문논집』 29집, 고려대학교, 1984; 한상각, 「나도향 소설의 문학적 성향에 관한 연구」, 『공주교대 논문집』 12, 1975; 김진석, 「도향 나경손 연구」, 『청주사대 논문집』 14집, 1984; 박상민, 「나

상적인 주관 방사의 작품들이 주조를 이루다가 후기로 가면서 신분이나 계층, 가난과 관련된 사회 현실의 구조적 모순들을 묘사하는 작품들이 창작되었다고 보는 것이다. 그 전환의 시점에 놓이는 작품으로 논자에 따라 편차가 있지만, 대체로 「여 이발사」 「행랑 자식」 등이 거론된다. 이러한 논의들은 나도향의 작품을 단계적·시기적으로 구분하고 그 변화의 양상을 발전론적인 시각에서 검토하는 분석 방법에 의존한다. 작품 평가의 기준을 주로 현실 연관성에 두고 문학적 성취의 수준을 가름하는 방식인데, 등장인물들의 신분적 구성이나 소재의 변모를 곧바로 작가 의식과 작품 세계의 변전으로 파악한다는 점에서, 일정한 한계를 드러낸다. 또한 낭만주의나 자연주의, 사실주의에 대한 개념 파악이 논자에 따라 합치되지 않음으로써 논의와 해석의 혼선을 보인다는 문제점 또한 지적될 수 있다. 후자의 경우는 동시대의 작가들과 구분되는 나도향 문학의 문체나 구조, 미적 전유 방식의 특성들을 도출하여 본격적이고 총체적인 나도향 연구를 위한 성과와 업적들을 축적하고 있다.[2] 특히 나도향 문학의 특성을 낭만성의 서사화라는 일관된 관점에서 분석하는 최근의 몇몇 연구들은 일보 진전된 논의를 보여 준다.[3] 대체로 이들 논문들은 나

도향 소설 연구」, 연세대학교 석사 학위 논문, 1996.

2 이동희, 「나도향의 문체 양상」, 『국어교육논집』 8, 대구교육대학, 1980; 한점돌, 「나도향 소설과 파멸의 미학」, 『한국 현대소설의 형이상학』, 새미, 1997; 박헌호, 「나도향의 「어머니」 연구」, 『작가 연구』 7·8호, 새미, 1999.

3 한금윤, 「나도향 소설의 미적 특성 연구」, 『연세어문학』 28, 연세대학교 국어국문학과, 1996; 유문선, 「데몬과 맞선 영혼의 굴절과 좌절─나도향의 『환희』론」, 정호웅 외, 『장편소설로 보는 새로운 민족문학사』, 열음사, 1993; 진정석, 「나도향의 『환희』 연구」, 『한국학보』 76호, 1994.가을, 일지사; 장수익, 「나도향 소설과 낭만적 사랑의 문제」, 『한국 근대소설사의 탐색』, 도서출판 월인, 1999.

도향 문학의 핵심 주제를 낭만적 사랑으로 보고 이를 근대 혹은 근대성의 한 항목인 주체의 문제와 연관해서 분석하고 있다.

사랑을 불변의 실체로서 정의하는 관점들은 사랑이 수많은 개인과 구조의 관계망 속에 형성되는 역사적이고 사회적인 구성물이라는 사실을 희석시킨다. 사랑의 형식은 고정되어 있는 것이 아니라 각 시대의 정치·사회적인 조건에 따라 유동하는 것이다.[4] 때문에 중요한 것은 사랑 그 자체가 아니라 사랑의 역사성이다. 이런 맥락에서 나도향의 소설을 사도-마조키즘의 관점에서 분석하거나 본능주의에 입각한 성애(性愛)의 문학으로 해석하는 논의[5]들은 나도향 문학의 배후에 놓인 역사적이고 사회사적인 문맥을 탈각시킬 우려가 있다. 한편으로 나도향 문학이 '개성'의 자각이나 '자아'의 문제가 중심 논리로 부각되는 근대문학 초창기에 자리한다는 사실을 염두에 둔다면 나도향 문학의 사랑을 근대적 주체 형성의 관점에서 파악하는 논의들의 타당성이 인정된다. 실제로 나도향 소설에 나타나는 사랑이 개인의 자율성 추구라는 문제와 긴밀히 연관되어 있음은 이론의 여지가 없다. 자유연애의 이상은 나도향뿐만 아니라 당대 문인들의 주된 관심 영역이었고, 이것이 또한 '개성' 탐구나 '자아'의 각성이라는 시대정신에 닿아 있음도 이미 지적된 사항이다.[6] 그러나 낭만적

---

4 사랑 혹은 성(性)의 형식과 담론의 역사적 변화를 기술한 글로는 다음을 참조할 수 있다. 볼프강 라트, 『사랑, 그 딜레마의 역사』, 장혜경 역, 도서출판 끌리오, 1999; 황정미, 「섹슈얼리티의 정치」, 오생근·윤혜준 공편, 『性과 사회』, 도서출판 나남, 1998.

5 이인복, 「사도-마조키스트의 자화상—나도향론」, 『죽음과 구원의 문학적 성찰』, 우진출판사, 1989; 전문수, 「나도향 소설 연구—삼자미학」, 『논문집』 3집, 마산대, 1981.

6 페미니즘의 관점에서 분석되고 있지만 1920년대 문학에서 자유연애의 문제가 중

사랑을 곧 근대적인 사랑의 형식과 연결시키고, 나도향 문학이 추구한 사랑이 낭만적 사랑이며 이런 측면에서 나도향의 작가 의식이 근대성을 성취했다고 보는 견해에 대해서는 재론의 여지가 있다. 일차적으로 문제가 되는 것은 낭만적 사랑의 개념에 대한 이해의 편차이다. 낭만적 사랑의 특징을 상대를 보자마자 강한 열정에 사로잡히거나 사랑 자체를 사랑하는 경향으로 파악하는 견해가 있다.[7] 이에 의거한다면 성춘향과 이도령의 사랑도 낭만적 사랑이며, 「최치원전」에 나오는 남녀 주인공의 사랑도 낭만적 사랑으로 볼 수 있다.[8] 반면에 낭만적 사랑은 성적 대상으로서의 사랑을 전제하는 열정적 사랑과 구분되는 것으로, 자신의 결여를 채워 주는 정신적인 교감을 가정하며 결과적으로 자기 정체성의 추구와 관련된다고 보는 논의가 있다. 이 경우에 낭만적 사랑은 '이성(異性) 본능'에 지나지 않는 사랑을 거부하고 상대방의 개성과 전 인격에 대한 이해가 수반된 사랑을 지향한다는 점에서 근대성의 면모를 지닌다고 설명된다.[9] 이렇게 본다면 나도향 문학의 사랑을 근대적인 낭만적 사랑의 발현으로 직접 대입시키는 논의는 무리가 있다. 근대적 주체로서의 자기 욕망의 추구라는 인식이 나도향 문학에서 중요한 가치로 수용되어 있는 것은 부

심적인 테마로 부각되었다는 사실을 확인해 주는 글로 유남옥의 논문(「1920년대 단편소설에 나타난 페미니즘 연구—양성성을 중심으로」, 숙명여자대학교 박사 학위 논문, 1993)을 참조할 수 있다.

7 김중술, 『사랑의 의미』, 서울대학교 출판부, 1992, pp.42-48: 박태상, 『조선조 애정 소설 연구』, 태학사, 1996, pp.13-14에서 재인용.

8 박태상, 『조선조 애정소설 연구』, pp.14-18.

9 앤소니 기든스, 『현대 사회의 성, 사랑, 에로티시즘』, 황정미 외역, 새물결, 1995: 이태숙 「여성성의 근대적 경험 양상—1920-30년대 문학을 중심으로」, 고려대학교 박사 학위 논문, 2000, pp.43-45에서 재인용.

정할 수 없는 사실이지만, 나도향의 작품에 나타나는 사랑의 형식이 낭만적 사랑의 근대적 요건을 충족시키고 있다고 보기는 어렵기 때문이다. 중요한 것은 낭만적 사랑이라는 개념의 함의가 아니라 나도향의 작품에서 형상화한 사랑이 어떠한 사랑이냐는 것이며, 근대적 의미에서의 사랑을 그려 냈는가의 문제이다.

나도향 소설의 핵심적인 서사는 남녀 간의 애정이며, 사랑을 열망하고 동경하는 인물들의 갈등과 심리가 서사 구성의 중심 원리로 작용한다.[10] 한편 삼십 편 가까이 되는 나도향의 전 작품이 오년 여에 불과한 짧은 기간에 창작되었다는 점을 감안하면, 소설 세계의 차이가 작가 의식의 변모를 반영한다기보다는 기법이나 묘사의 세련도에 기인한다는 해석 또한 일리가 있다. 초기의 미숙성이 주관적인 작법을 억제하는 객관적인 소설 작법에 익숙해지면서 완성도가 높아졌다는 것이다.[11] 실지로 사실주의로 이행했다고 평가되는 후기의 소설들, 「꿈」이나 「피 묻은 편지 몇 쪽」, 미완인 「화염에 쌓인 원한」 등에서 초기작과 다른 작가 의식이나 주제 의식을 찾아보기는 어렵다. 이 글은 이런 몇 가지 문제의식을 전제로 나도향 문학에서 왜 그렇게 사랑이 중요한 화두로 자리했는가, 그 이면의 논리는 무엇이며 시대 현실과는 어떻게 조응하는가를 살펴보고자 한다. 특히 나도향

---

10 1921년 4월 『배재학보』 2호에 처녀작 「출학」을 시작으로 1926년 요절할 때까지 나도향이 남긴 소설은 30편 가까이 되는데, 「옛날 꿈은 창백하더이다」 「은화·백동화」 「당착」 「속 모르는 만년필 장사」 「여 이발사」 「행랑 자식」 「계집 하인」을 제외한 소설들은 거의 모두가 남녀 간의 애정 문제를 주 테마로 다루고 있다.

11 정한숙, 「반성과 해명—나도향의 인간과 문학」, 『문학사상』, 1973.6, p.278. 임규찬 또한 나도향의 중기작과 후기작의 성과를 개성적 인물 창조 등의 묘사 방법이나 기법의 변화로 보고 있다는 점에서 정한숙과 비슷한 시각을 공유한다고 할 수 있다. 임규찬, 『한국 근대소설의 이념과 체계』, 태학사, 1998, pp.258-268 참조.

소설에 나타난 사랑의 논리가 단계적으로 변화하는 것이 아니라 일관된 하나의 맥락, 개인의 자율적 욕망과 보편적이고 윤리적인 가치 사이의 갈등과 충돌이며, 이는 작가의 이중적인 애정 윤리에서 기인한다는 점에 주목할 것이다.

2. 절대적 사랑의 추구와 그 논리

나도향은 사랑을 절대적이고 이상적인 가치로 제시한다. 사랑 혹은 연애의 문제는 우리의 생활을 지배하는 원동력이며 목숨이 다하는 생의 종착지에 이르러서야 벗어날 수 있는 운명적인 어떤 것으로 파악한다.[12] 이러한 사고는 사랑이 인생의 모든 행복과 불행의 근원지이며 선과 악을 가르는 기준점이라는 극단적인 진술의 형태로 나도향의 소설 속에 산재한다. "사랑을 모르는 자와 사랑하지 않는 자는 죽은 사람"이라는 논리나 "사람이 사랑으로 나고 사랑으로 죽고 사랑으로 살기만 하면 그 사람의 생은 참 생"이라는 인식이 나도향 소설의 인물들을 움직이는 추동력으로 작용하는 것이다.[13] 때문에 나도향 소설의 인물들은 한결같이 사랑의 기갈증에 걸린 것처럼 강박적으로 사랑을 동경하고 희구한다. 데뷔작이라 할 수 있는 「출학」에서부터 마지막 작품에 해당하는 「지형근」에 이르기까지 나도향 소설의 인물들에게 가장 중요한 문제는 사랑의 성취 여부이다. 사랑이 없는 삶은 죽음이며 사랑만이 인생의 참된 가치이자 "참 생"의 구현 방법으로 인식될 때, 사랑은 추상화되고 절대화되어 합리적인 현실

---

12 나도향, 「내가 믿는 문구 몇 개―諸家의 연애관」, 『나도향 전집 상』, 집문당, 1988, p.438.

13 나도향, 「청춘」, 『나도향 전집 하』, 집문당, 1988, p.19; 나도향, 「별을 안거든 울지나 말 걸」, 『나도향 전집 상』, p.66.

연관성을 상실한다. 사랑을 방해하는 세력이나 거부하는 대상은 곧 "사랑의 원수"로 인식되고 과도한 적개심과 공격의 목표물로 지목된다. 작품에 따라 공격의 대상은 변심한 애인이나 사랑을 방해하는 제삼자, 혹은 사랑에 실패한 자기 자신 등으로 변주된다. 『청춘』과 「물레방아」 『환희』 등에서 이의 극단적인 예를 찾아 볼 수 있다. 『청춘』의 일복은 사랑의 도피행을 거절하는 양순을 잔인하게 살해하며 「물레방아」의 방원 역시 마찬가지의 정황에서 아내를 살해한다. 『환희』의 선용은 혜숙과의 사랑에 실패하자 자살을 시도한다. 나도향 소설에 살인과 방화와 자살이 빈번하게 등장하는 것은 이러한 맥락에서 이해될 수 있다. 한편으로 나도향 소설의 인물들이 이처럼 강하게 사랑을 욕망하고 추구하는 이면에는 현실과의 불화와 부정 의식이 깔려 있다. 현실은 참되지도 않고 풍요롭지도 않으며 속악하고 추할 뿐이라는 비관적인 시각이 사랑만이 진실이며 참이라는 논리의 대립 항으로 자리하고 있는 것이다.[14]

---

14 현실에 대한 비관적인 인식은 1920년대 문학의 특징적인 경향이었다. 『창조』나 『폐허』 『백조』를 중심으로 활동했던 1920년대 전반기의 문학인들은 자신들의 입지를 황폐하게 부서진 '폐허'로 인식하였으며, 위선과 허위로 가득 찬 현실 세계 어디에도 구원은 없다는 절망과 비탄에 사로잡혀 있었다. 그들은 죽음의 세계를 찬미하거나 '밀실'이나 '나만의 침실'과 같은 내적인 욕망과 동경의 세계를 설정함으로써 절망과 고통으로부터 벗어나고자 하였다. 도일(渡日)을 통해 서구 문학과 근대적인 가치의 세례를 받은 이들의 눈에 비친 조선의 현실은 여전히 봉건적 인습과 전통의 굴레에 속박되어 있는 환멸적 상태였다. 이로부터 벗어나야 한다는 거센 욕구는 모든 가치의 근거를 '개체'의 자유에서 구하였던 개성론을 더욱 강화시켰다. 이 시기의 문학인들의 이러한 의식 체계는 자국 문화에 대한 열등감과 반사회적 개인주의의 결과로 평가된다. 1920년대 전반기 문학의 흐름과 역사적 성격에 대해서는 김흥규, 「1920년대 초기 시의 낭만적 상상력과 그 역사적 성격」, 『문학과 역사적 인간』, 창작과비평사, 1980, pp.214-271; 김철, 「1920년대 동인지 문학의 전개와 그 역사적 성격」, 『잠 없는 시대의 꿈』, 문학과지성사, 1989, pp.51-73; 한금윤, 「1920년대

「젊은이의 시절」의 조철하나 『환희』의 이영철과 김선용, 『어머니』의 이춘우, 「벙어리 삼룡이」의 삼룡이, 「물레방아」의 이방원, 「지형근」의 지형근에 이르기까지 나도향 소설의 주 인물들은 하나같이 가정적으로나 사회적으로 결락되어 있다. 아버지의 몰이해와 단절감, 어머니의 부재로 인한 가정 내의 갈등과 부채감, 천한 신분으로서 겪어야 하는 경제적 궁핍과 굴욕 등 이들 인물들은 현실 사회의 안정적인 울타리 밖에 존재한다. 여성 인물들의 경우도 마찬가지여서 나도향 소설의 여주인공들은 주로 기생이나 첩, 매춘녀 등으로 경제적 궁핍을 벗어나기 위해 성을 상품화한다. 이들 주 인물들이 처한 상황과 조건은 사랑을 절대화하는 근거이면서 동시에 사랑의 원만한 성취를 저해하는 요인으로 작용하기도 한다. 불만족한 현실과 타협할 수 없는 인물들은 자기 연민과 무력감에 젖어 낭만적 도피를 꿈꾼다. '이곳이 아닌 다른 어떤 곳'으로 가고 싶다는 욕구는 '정처 없는 방랑'에의 동경으로 표현되기도 하며 예술적인 창작 행위가 주는 유열(愉悅)에 대한 지향으로 나타나기도 한다. 이 모든 지향의 정점에 사랑이 놓인다. 사랑에 대한 나도향의 이러한 압도적인 동경은 현실 사회에서 능동적이고 적극적인 존재로 살아가지 못하는 유약한 개인의 무력감과 소외 의식의 발로로 이해할 수 있다. 나도향 소설의 인물들은 발전을 지향하면서 현실과 부단히 투쟁하는 것이 아니라 현실의 중압감에 방향을 잃고 두려워하며 위축되어 있다. 이는 「젊은이의 시절」의 조철하나 「17원 50전」의 'A'의 현실 인식과 심리적 갈등을 통해서 분명하게 드러난다. 그들에게 현실은 끝도 보이지 않는 '사막'이거나 광풍이 휘몰아치는 암흑의 '바다'로 맞서 싸우기에는

전반기 소설의 문학사적 특성 연구」, 연세대학교 박사 학위 논문, 1996 등을 참조.

너무도 벅찬 세계로 인식된다.

그는 고개를 땅에 대고 엎드려 있었다. 사면은 다만 지평선밖에 보이지 않는 넓고 넓은 사막이었다. 아무것도 보이지 않았다. 저쪽 우묵히 들어간 곳에는 도적에게 해를 당한 행려(行旅)의 죽음이 놓여 있다. 어디서인지도 모르게 괴수의 울음소리가 들린다. 멀리 두어 개 종려나무가 부채 같은 잎사귀를 흔들흔들한다. 적적하고 고요하고 두려운 생각을 내는 적막한 것이었다. 그의 눈물은 엎디어 있는 팔 밑으로 새어 시내같이 흘렀다. 그는 목이 마르고 가슴이 답답하였다. 두려움이 생겼다. 조금도 눈을 떠 다른 곳을 못 보았다. 지나가는 바람 소리가 날 때 그의 머리끝은 으쓱하여지고 귀신의 날개 치는 소리나 아닌가 하였다. 그러나 그의 울음은 그치지 않았다. 그의 울음은 극도의 무서움까지라도 그치게 하지 못하였다. 그는 자꾸 울었다.[15]

하늘의 바람은 너무 강하고 몰려오는 물결은 너무 힘이 있습니다. 인습이란 물결이 이 작은 편주를 몰아낼 때와 육박하는 환경의 모든 시꺼먼 물결이 가려고 하는 이 A라는 조그만 배를 집어삼키려 할 때 닻을 감으랴, 노를 저으랴 가려고는 합니다마는, 방향을 정하려 하나 팔에 힘이 약하고, 가려고 하오나 나를 이끌어 나아가게 하는 힘 있는 발동기를 갖지 못하였습니다. 그나 그뿐입니까? 어떠한 때는 폭우가 내리붓고, 어떠한 때에는 광풍이 몰려와 간신히 댓둥거리는 이 작은 배를 사정없이 푸른 물결 속에 집어넣으려 합니다. 어떠한 때는 밤이 됩니다. 울멍줄멍하는 노한 파도가 다만 시꺼먼 암흑 속에서 이리 뛰고

---

15 나도향, 「젊은이의 시절」, 『나도향 전집 상』, p.45.

저리 뜁니다. 하늘에서 희망의 별 하나 보이지 않습니다.[16]

「젊은이의 시절」의 조철하에게 현실은 권위적이기만 할 뿐 사랑 없는 부권이 지배하는 가정의 모습으로, 예술에의 순수한 열정을 이해하지 못하는 타락한 세계로 파악된다. 그 현실은 삭막한 '사막'의 풍경에 비견된다. 한편으로 「17원 50전」의 'A'가 마주한 현실은 '인습'이라는 강한 굴레가 지배하는 전근대적인 사회이며, "희망의 별 하나" 보이지 않는 암담한 세계이다. 이와 같은 현실적 삶의 불모성, 무정향성은 나도향 소설의 인물들이 경험하는 외부 세계의 본질적인 모습이다.[17] 미력한 개인이 뚫고 나아가기에는 현실의 힘과 벽이 너무 거대하다는 인식 앞에서 그들은 자신들의 왜소함과 고독감을 확인할 뿐이다. 멈추지 않고 솟아나는 눈물과 비탄만이 그들의 외로움과 두려움을 대변한다. 이광수의 『무정』에서 주인공 이형식이 사랑의 갈등과 고민을 극복하고 화해로운 결말로 나아갈 수 있었던 것은 미래에 대한 희망과 자긍심이 있었기 때문이다. 현실 사회의 중심적인 인물로서 주어진 역할과 소명이 있다는 지식인으로서의 자부심이 이형식에게 있었던 셈이다. 이형식은 힘이 있는 자만이 생존 경쟁에서 이길 수 있다는 이광수의 진화론적 시각이 그대로 투영된

---

16 나도향, 「17원 50전」, 『나도향 전집 상』, p.97.
17 현실적 삶의 무정향성, 불모성은 식민지 시대를 진지하게 살고자 했던 문학인들이라면 어쩔 수 없이 마주쳐야 했던 불행한 한국적 정황이었다. 이러한 시대적 조건에 대면하는 문인들의 태도와 논리의 편차에 따라 그들의 문학 세계와 작가적 위상이 갈린다고 볼 수 있다. 1920년대 전반기 한국 문인들이 현실적 대응을 포기하고 죽음과 환상의 공간을 찬미하는 퇴폐적이고 병적인 도피의 세계로 나아갔다면, 뒤를 이어 나타난 프로문학은 마르크시즘으로 대변되는 대항 이데올로기에 의지하여 불모의 현실을 극복하려는 적극적인 노선을 택했다고 할 수 있다.

인물이다. 이광수에게 힘은 자기 개조와 실력 양성이라는 미래 지향적인 변화를 통해서 획득될 수 있는 그런 차원의 것으로 인식되었다.[18] 때문에 현실은 극단적인 부정의 대상이 아니라 변화와 극복의 대상일 수 있었고, 개인적인 사랑은 삶의 유일한 이상이 아니었다. 이형식과의 사랑에 모든 것을 걸었던 박영채의 변모에서 이 점을 확인할 수 있다.

나도향이나 이광수가 서 있던 시대는 전근대적인 질서와 근대적인 가치 지향이 혼재되어 있는 상황이었다. 인습적인 전통의 굴레를 벗어나 새로운 사회를 모색해야 한다는 인식은 두 사람 모두에게 공통된 것이었다. 이광수는 교육이나 계몽 등의 근대 지향적인 형식으로 전근대적인 현상들을 타파할 수 있다고 믿었고, 이형식과 같은 지도자형의 인물을 통해서 이를 표출했다. 그러나 나도향의 문학에는 능동적인 자기 발전 과정을 통해서 현실과 대결하려는 인물들이 부재한다. 그들에게는 전근대적인 틀을 벗어던지고 자율적인 개인으로 서야 한다는 강한 욕구가 내재되어 있지만, 이를 실현할 수 있다는 자신감과 현실적인 대항 논리가 결여되어 있다. 무엇보다도 그들을 무력하게 만드는 것은 근대 지향이라는 새로운 가치 또한 희망적인 대안일 수 없다는 자각이다. 나도향의 소설에서는 '철도'나 '돈' 혹은 '이성(理性)' 따위의 근대적인 발전의 동력이라 할 수 있는 제 요소들이 '인습'으로 대표되는 전근대적인 질서만큼이나 두려운 동

---

18 윤홍로, 「개화기 진화론과 문학사상」, 『동양학』 16집, 단국대학교 부설 동양학연구소, 1986, pp.27-35 참조. 그러나 이광수의 현실에 대한 이러한 낙관주의가 당대의 시대 상황에 대한 정당한 대응 방식이었다고 평가하는 것은 아니다. 그는 당대 조선의 문제 해결을 근대화의 달성이라는 단일한 관점에서 파악함으로써 식민지 상황의 탈피 즉 민족 독립의 문제를 간과하는 오류를 범하게 된다.

시에 회의적인 대상으로 묘사된다. 소설 「지형근」과 『어머니』의 다음과 같은 대목에서 이를 확인할 수 있다.

평화스런 철원읍에는 전기 철도라는 괴물이 생기더니 풍기와 질서는 문란할 때로 문란하여졌다. 그래도 경상도, 경기도, 여기저기 할 것 없이 모든 것을 잃어버린 불쌍한 농민들은 그래도 요행을 바라고 철원, 평강으로 모여들었다. 지형근도 지금 그러한 괴물의 도가니, 피와 피를 빨아먹고 짓밟고 물어뜯고 끓이고 볶는 도가니를 향하여 가며 가슴에는 이상의 꽃을 피게 하고 있는 것이나 마치 절벽 위에서 신기루(蜃氣樓)에 홀려서 한 걸음 두 걸음 끝을 향하여 나가는 것이다.[19]

지금 세상에는 돈일세, 돈야…… 지금이라도 지금 이 방향으로 흐르는 인류의 역사를 다른 방향으로 틀어 놓는 위대한 힘이 있어 한 번에 방향을 변해 놓는다 하면 모르거니와, 아직까지는 그 무서운 세력, 돈의 힘을 모든 것을 가지고도 이기지 못할 것일세. 아! 아까운 것은 우리의 역사를 이 방향으로 틀어 놓지 말고, 다른 무슨 방향으로 우리 선조가 틀어 놓았드면, 오늘의 우리가 이 고생은 하지 않을 것을 그랬지.[20]

위의 인용문에서 드러나듯 나도향이 파악한 근대의 진행 방향은 인간의 삶을 훼손하고 소외시키는 타락의 서사에 다름 아니다. 전기 철도가 놓이고 자본이 유동하는 근대의 현실은 "풍기와 질서"를 어지럽히고 문란하게 하는 부정적인 모습으로 그려진다. 나도향이 보

19 나도향, 「지형근」, 『나도향 전집 상』, pp.306-307.
20 나도향, 「어머니」, 『나도향 전집 하』, p.411.

기에 서구적인 문명개화와 계몽의 이상은 희망의 미래를 보여 주는 듯하지만, 실상 그것은 한낱 벼랑 끝에서 마주한 신기루에 불과하다. 소설 「지형근」에서 주인공 지형근은 진정한 유대 관계는 상실되고 돈과 물질에 의해서 왜곡되는 인간상을 경험한다. 근대화의 과정에서 드러나는 발전과 생존의 논리는 인간의 삶과 사회를 '괴물'들의 이전투구의 장으로 만들고 그릇된 역사를 형성하는 무서운 힘으로 파악된다. 여기서 나도향이 직면했던 고민과 비애의 정신사적 지반을 추측할 수 있다. 그것은 개인의 자율적 욕망과 행동을 억압하는 인습이라는 전통적 억압 체계의 강고함에 대한 좌절인 동시에 물신화된 근대의 폭압적 힘에 대한 두려움이다.

이처럼 전통적인 보수성에 순종하거나 근대적 진취성에 적극적으로 편입될 수도 없는 갈등과 회의의 중간 지대에서 나도향이 주목한 것이 바로 사랑이었다. 나도향에게 사랑이란 단순히 타자와의 육체적 결합이나 정욕의 분출 형식을 의미하지 않는다. 사랑은 속악한 현실에의 대항 능력을 지닌 순결하고 숭엄한 그 무엇이다. 사랑은 "이 세상 모든 것에서 떠나고, 뛰어넘은 것이고, 벗어난" 숭고한 힘이자 인생의 "낙원"으로서 유일한 가치를 지닌 유토피아적 이상으로서 제시된다.[21] 『어머니』의 박창하는 돈이 모든 것을 지배하는 시대에 사랑은 없다고 말한다. 이에 대해 주인공 이춘우는 그렇기 때문에 더욱더 "세상의 모든 것을 원만히 해결할 수 있는" 힘인 사랑이 절대적이라고 역설한다. 『환희』의 김선용은 혜숙과의 사랑에 성공하지 못하고 일본으로 돌아가는 길목에서도 또 다른 사랑에 대한 희망을 버리지 못한다. 『청춘』의 정희는 여승과의 대화에서 사랑만이 인

---

21 나도향, 「젊은이의 시절」, 『나도향 전집 상』, p.32.

류의 마지막까지 남아 있을 "신앙"이라고 주장한다. 이처럼 나도향 소설의 인물들에게 사랑은 희망이자 위안이며 그 모든 현실적 중압 감으로부터 개인을 구원해 줄 수 있는 탈출구로써 인식된다. "사랑 을 하는 사람만이 이 세상에서 강자"가 될 수 있고, "사랑만큼 위대 한 세력"을 부여해 주는 것은 없으며, "사랑은 온 우주를 포괄하고 또한 지배"할 수 있다는[22] 거의 맹목적인 믿음과, 사랑만이 끝내 지 켜져야 할 가장 근본적인 가치라는 확신 사이에서 나도향 소설의 인 물들이 존재하는 것이다. 사랑은 저항할 수 없는 강한 힘의 보유체 로서 초월성의 매개이자 부정적 현실에 대한 유일한 대항 기제라는 인식, 이것이 나도향 문학의 논리이자 작가 의식의 전부였다고 해도 과언이 아니다. 전근대적인 현실에 대한 부정, 물신화된 근대에 대 한 부정, 이 이중의 부정성 속에서 사랑은 절대화된다. 그렇다면 구 체적으로 나도향이 생각한 사랑의 형식과 내용은 무엇이었을까. 나 도향의 소설에 나타나는 애정 윤리와 갈등의 양상을 분석함으로써 이를 확인할 수 있을 것이다.

3. 애정 윤리의 이중성과 갈등 구조

나도향의 소설에는 화해로운 사랑, 행복한 사랑의 결말이 존재하 지 않는다.[23] 대부분의 주 인물들은 사랑에 강박되어 있을 뿐 실질적 으로 사랑하는 대상과의 합일에는 실패한다. 여기서 주목되는 것이 나도향의 소설에서 드러나는 애정 윤리의 이중성이다. 일차적으로

---

22 나도향, 「청춘」, 『나도향 전집 하』, pp.58-59.
23 나도향 소설의 파멸적 서사 구조에 대해서는 한점돌, 「나도향 소설과 파멸의 미학」
   을 참조할 수 있다.

나도향은 사랑이 인습적인 질서나 윤리에 의해 지배되는 것이 아니라 자율적인 개인의 내적 욕망에 따라 결정되어야 한다는 사실을 강조한다. 「출학」의 여학생 영숙과 『청춘』의 일복은 개인적 욕망에 따라 사랑을 선택하는 대표적 인물들이다. 「출학」의 영숙은 자기 내부에서 일어나는 "정염"에 휩싸여 약혼자인 이병철을 배신하고 다른 남자들과 사랑의 행각을 벌인다. 『청춘』의 일복 또한 정혼녀인 정희의 눈물 어린 애원과 호소에도 불구하고 주막집 처녀 양순과의 사랑을 선택한다. 일복에게 버림받은 정희가 자살을 시도하고 잠복하자 일복은 잠시 갈등을 겪기도 한다. 정희가 일복 자신으로 인한 실연의 아픔 때문에 죽음을 택한 것이라면, "인정"과 도리상 자신도 "정조"를 지켜야 한다는 윤리적 문제에 직면하는 것이다. 일복의 이러한 심리적 갈등은 "인정이란 무가치"한 것이며 사랑이란 전적으로 개인의 선택의 문제라는 결론에 도달함으로써 해소된다. 「뽕」의 안협집 또한 생존을 위해 성을 파는 인물이지만 "만 냥 금을 주어도" 자기 마음이 내키지 않는 사내는 절대로 받아들이지 않는다. 이들은 모두 자기 내부의 욕망에 충실한 인물들이다. 사랑이든 성이든 '자아'의 욕망이 무엇보다 우선한다는 이러한 개인의식의 강조는 전근대적 윤리 질서의 완고성과 봉건적 인습에 대한 저항적 가치로서 수용된 것이다.

봉건적인 사회 체제에서 사랑은 개인의 자율적 욕망보다는 공동의 질서나 규칙에 의해서 지배된다고 할 수 있다. 그 사회가 요구하는 도리나 윤리에 순응하는 사랑의 형식만이 정당한 것으로 인정되며, 타율적으로 주어진 금기의 체계를 넘어서는 사랑은 반사회적이고 반윤리적인 행위로 지탄의 대상이 된다. 근대문학 초창기에 성행했던 자유연애에의 경도는 이러한 전통적인 애정관에 대한 거부이자 도전의 성격을 갖는 것이었다.[24] 나도향 또한 이와 같은 맥락에서 사랑의 문제를 인식한다. 그러나 한편으로 나도향의 작가 의식은 전통적인 윤리의 문제로부터 완전히 자유롭지 못하다. 사랑에 대한 전근대적인 이상, 혹은 여성에 대한 이중적인 시선이 "절대 자유"의 차원에서 전개되는 개인의 욕망 추구에 제동을 가하는 것이다. 나도향의 소설 속에서 여성은 타락한 요부와 순결한 처녀로 대비되며, 성적인 순결성이나 정조의 문제가 사랑의 성취에 가장 중요한 요건으로 묘사된다. 「전차 차장의 일기 몇 절」에서 전차 차장인 '나'는 한 여성에게 호기심과 연정을 느낀다. 차비도 없이 구차한 모습으로 처음 대면했던 그녀는 어느 날 갑자기 화려하게 변한 모습으로 나타난다. 마음속에 타오르는 뜨거운 연모의 정 때문에 '나'는 그 여자의 뒤를 미행한다. 그 여자는 이 남자 저 남자에게 몸을 파는 천한 창녀였다.

> 나는 모든 것이 더러웠다. 내 가슴속에서 부드럽고 따뜻하게 타던
> 모든 것이 그대로 꺼져 버렸다. 옆에 있는 개천에 침을 두어 번 뱉고서
> 큰길로 돌아섰다.[25]

그 여자가 창녀임을 확인하는 순간 '나'의 사랑은 일시에 사라져 버린다. 「지형근」에서 지형근은 기생으로 전락한 이화가 우는 것을

---

[24] 1920년대에 엘렌케이나 입센의 여성해방론이 신문이나 잡지 등을 통해 소개되면서 성의 해방과 자유연애, 봉건 유습의 타파라는 문제가 당시 지식인이나 문인들의 쟁점 사항으로 부각된다. 이는 김동인이나 이광수 등의 남성 작가를 비롯하여 나혜석, 김일엽 등의 여류 문인들에게도 적지 않은 반향을 불러일으켰다. 유남옥, 「1920년대 단편소설에 나타난 페미니즘 연구―양성성을 중심으로」, pp.38-39 참조.

[25] 나도향, 「전차 차장의 일기 몇 절」, 『나도향 전집 상』, p.192.

보고 "기적"을 본 것처럼 생각한다. 몸을 파는 부정한 여자인 창기의 눈에서 눈물이 흐른다는 것은 지형근에게 쉽게 이해되지 않는 상황인 것이다. 여기서 눈물은 순결한 자, 아직 때 묻지 않은 자의 표징처럼 묘사된다. 이와 같은 성적 순결성에 대한 강박 관념은 나도향 소설의 인물들이 경험하는 애정 갈등의 가장 핵심적인 요인이다. 『환희』에서 영철과 기생 설화의 사랑을 방해하는 것은 다른 무엇보다도 설화가 기생이라는 사실이다. 설화는 영철을 사랑하면서도 "더러운 계집" "저주받은 계집"이라는 자격지심을 떨치지 못하며 영철 또한 설화와의 만남이 어긋날 때마다 설화의 정절과 순결성을 의심하고 회의한다. 혜숙과 선용의 사랑 역시 혜숙이 백우영에게 순결을 잃음으로써 좌절된다. 혜숙이 선용과 재회한 순간에도 혜숙은 남편 우영에 대한 정절 때문에 다시 한 번 선용을 떠나보낸다. 여성의 정절이나 성적 순결에 대한 강조는 전통적 애정 윤리의 대표적인 항목이라고 할 수 있다. 사랑이란 외부적으로 주어진 질서와 가치에 편입되는 통로가 아니라 개인의 자율적인 욕망과 선택의 문제라는 나도향의 문제의식은 이처럼 보수적인 애정 윤리에 구속됨으로써 자기모순과 갈등에 봉착한다. 「출학」의 영숙은 약혼자 병철에 대한 죄의식에 사로잡혀 정절을 지키지 못한 자신을 자책하며, 『청춘』의 일복은 정혼녀를 죽음으로 몰아넣은 반윤리적 인간이라는 애인 양순과 주변의 시선을 이기지 못해 양순과 양순의 모친을 살해하고 자살한다. 『환희』의 사랑도 결국은 비극적인 파국으로 끝난다. 혜숙은 오빠 영철과 기생 설화와의 사랑을 받아들이지 못하고, 영철의 애인으로 가장하여 설화를 설득함으로써 설화를 자살로 몰고 간다. 혜숙(정월) 또한 선용에 대한 그리움을 간직한 채 백마강에 몸을 던진다. 혜숙이 정절을 지켜 낙화암에서 몸을 던진 삼천궁녀를 생각하며 투

신자살하는 것은 상징적이다. 『어머니』의 경우 준우와 영숙의 사랑
은 모성이라는 또 다른 윤리적 요인이 작용함으로써 결국 성사되지
못한다.

　나도향의 소설에서 사랑의 갈등과 좌절은 이처럼 신분이나 돈, 제
삼자의 개입과 같은 요인보다는 근본적으로 당위적인 윤리 의식과
의 충돌 때문에 발생한다. 내적 욕망에 충실한 자율적 개인의 사랑
에 대립되는 것은 자신의 내부에 잠복해 있는 또 다른 의식이다. 그
것은 「별을 안거든 울지나 말 걸」의 'DH'의 고백을 통해서 드러나듯
"열정과 이지"라는 이중적인 내적 심리의 대립이다.

　우리 인생에는 두 가지 큰 문제가 있습니다. 그것은 열정과 이지입
니다. 이 세상의 역사는 이 두 가지의 싸움입니다. 그리고 모든 불행의
근원은 이 열정과 이지가 서로 용납하지 않는 곳에 있습니다……. 저
는 어떻게 하면 이 이지를 몰각한 열정만의 인물이 되려 하나, 그 이지
를 몰각한 열정만의 인물이 되겠다는 것까지도 이지의 부르짖음이지
요 ……. 조용한 저녁 날에 술주정꾼같이 저는 정처 없이 헤매나이다.
안개 빛 저의 가슴에서는 눈물이 때 없이 솟나이다.[26]

　마치 언제 폭발이 될는지 알지 못하는 휴화산(休火山) 모양으로 그
의 가슴속에는 충분한 정열을 깊이 감추어 놓았으나 그것이 아직 폭발
될 시기가 이르지 못한 것이었다. 비록 폭발이 되려고 무섭게 격동함
을 벙어리 자신도 느끼지 않는 바는 아니지마는 그는 그것을 폭발시킬
조건을 얻기 어려웠으며, 또는 자기가 이때까지 능동적으로 그것을 나

---

26 나도향, 「별을 안거든 울지나 말 걸」, p.66.

타낼 수가 없을 만큼 외계의 압축을 받았으며, 그것으로 인한 이지(理智)가 너무 그에게 자제력(自制力)을 강대하게 하여 주는 동시에 또한 너무 그것을 단념만 하게 하여 주었다.[27]

"이지를 몰각한 열정만의 인물"이 되고 싶다는 강한 소망은 사랑에 대한 본능적인 내부의 자기 욕망을 그대로 승인할 수 없는 내적 갈등의 역설적인 표현이다. 나도향의 논리에 의하면 「벙어리 삼룡이」에서 삼룡이가 주인아씨에게 느끼는 강한 사랑은 "열정"의 소산이다. 반면에 삼룡이의 격동하는 사랑의 감정을 가로막는 것은 "이지"에 의해 작동되는 자기 규제력이며, "이지"의 실체는 곧 주인어른 오 생원에 대한 충정과 의리라는 당위적인 윤리 의식이다. 「벙어리 삼룡이」의 경우 이지와 열정의 대립에서 열정이 승리하지만, 이는 죽음이라는 극한적인 자기희생을 전제하고서야 얻어지는 대가이다. 열정적인 사랑의 충동과 맞서는 정절이나 순결, 의리나 인정 따위 즉 이지의 요소들은 나도향에게는 벗어나고자 하나 벗어날 수 없는 가치들이다. 때문에 나도향 소설의 인물들은 열정과 이지 사이에서, 근대적 개인으로서의 자기 욕망과 보수적이고 윤리적인 당위 사이에서 애정의 갈등을 경험한다. 애정 윤리의 이러한 이중성 앞에서 화해로운 사랑은 불가능하다. 나도향의 사랑에 대한 탐구가 대부분 파멸적 서사로 끝나는 것은 이러한 이유에서이다. 소설 「꿈」이 보여 주듯 '처녀'의 목숨을 버리는 순결하고 헌신적인 애정만이 참된 사랑, 숭고한 사랑의 이상으로 나도향의 작가 의식을 선점하고 있기 때문이다. 숭고하고 희생적인 사랑의 표상으로서의 모성(母性)이 나

---

27 나도향, 「벙어리 삼룡이」, 『나도향 전집 상』, p.224.

도향 소설에서 중요한 가치로 부각되는 것은 이런 의미에서 필연적이라 할 수 있다.

4. 고립된 개체 의식과 모성의 상관성

나도향의 소설에서 어머니의 사랑 즉 모성은 남녀 간의 사랑의 문제와 더불어 또 하나의 중심적인 화두이다. 나도향의 모성에 대한 천착은 근대적 주체로서의 자아 탐구의 문제와 긴밀히 연관되어 있다. 단적으로 모성은 현실 사회에서 소외된 개체, 혼자의 힘으로는 부정적인 외부 세계에 맞서지 못하는 나도향 소설의 미성숙한 개인들이 찾아낸 신화적인 원형의 공간이라 할 수 있다. 근대적인 주체로서의 '자아'와 '개성'에 대한 강조는 1920년대 전반기의 다른 작가들과 마찬가지로 나도향의 작가 의식을 지배하는 핵심적인 사항이다. 인습과 전통이라는 두터운 벽에 맞서 절대 자유의 '자아'를 세우는 일은 피할 수 없는 과제이지만 한편으로 힘겨운 싸움이기도 하다. 더욱이 자본의 논리가 강력한 추동력으로 작용하는 현실의 생존 논리가 덧붙여질 때 그 싸움은 더욱 어려워진다. 이처럼 작가 나도향의 인식 속에서 현실은 완강하고 개인의 힘은 미력하다. "자기의 욕망을 채워 가며 살고 싶다"는 갈망은 무척이나 강하지만 그것은 "생각한 대로, 뜻한 대로" 쉽게 이루어지지 않는다.[28] "자기의 욕망" 대로 살아지지 않는 현실에서 생존하기 위해서는 어떤 식으로든 그 현실의 논리에 순종하거나 타협해야 한다. 그것은 "뜻하지 않고 내 마음에 있지 않은 짓"을 해야 하는 상황이며, 범죄 행위와 다름없다는 극단적인 자책감을 동반하는 것이다.[29] 개인의 욕망과 가치 지향

---

[28] 나도향, 「피 묻은 편지 몇 쪽」, 『나도향 전집 상』, pp.300-301.

을 억압하는 이러한 현실에 대한 환멸은 나도향의 소설에서 두려움과 피해 의식이라는 심리적 작용으로 변용되기도 한다.[30] 이제 현실은 환멸의 대상인 동시에 가해자의 모습으로 그려진다. '자아 심상'의 낙토를 추구하면서도 고립된 개체로서 산다는 것의 두려움과 불가능성이 나도향 소설의 인물들을 절망하고 회의하게 만드는 것이다. 고립된 개체로서 던져지는 것의 공포는 균열과 분열 이전의 세계에 대한 그리움과 회귀에의 갈망으로 나타난다.

　　동리 늙은이와 작별한 친구들은 뒤를 따라와 주며, 어린아이들은 마치 출전하는 장군 앞에 선 군대들같이 앞에도 서고 뒤에도 서서 따라온다. 형근은 가다가 돌아다보고 또 가다가 돌아다보았다. 얼만큼 오니까 아이들도 다 가고 따라오던 사람들도 다 흩어지고 자기 혼잣몸이 고개 마루턱에 올라섰다……. 그는 여태까지 나지 않던 눈물이 어디서 나오는지 폭포같이 쏟아진다. 아침 해가 기쁜 듯이 잔디 위 이슬에서 오색 빛을 반사하고 송장메뚜기가 서 있는 감발 위에 반갑게 튀어 오르나 그것도 보이지 않는다.[31]

　　나는 우리가 옛날로 돌아갈 수가 있을 줄 알았더니, 그것은 할 수 없

---

29 나도향, 「17원 50전」, p.110.

30 우리 문학사에서 현실에 대한 환멸과 부정, 사회와 개인의 극한적인 분열은 세계에 대한 의도적인 절연의 태도나 자기 분열의 심리적 혼돈으로 나타나기도 한다. 죽음의 세계를 찬미했던 1920년대 초기 시의 상상력이나 염상섭의 「표본실의 청개구리」의 분열된 자아의 심리는 자신의 가치 지향과 비속한 세계 사이의 거리를 뛰어넘지 못한 당대 문인들의 절망의 산물들이다. 한기형, 「1910년대 단편소설과 낭만성」, 『민족문학사 연구』 12집, 민족문학사연구소, 1998 참조.

31 나도향, 「지형근」, p.305.

는 것인 줄을 이제야 알았습니다. 절대로 못 돌아갑니다. 우리가 옛날
로 돌아가자 하는 것은 죽었던 사람을 다시 살리는 것과 똑같은 일입
니다. 우리는 다만 꿈속이나 생각으로는 옛날로 돌아갈 수가 있을지라
도, 분명하고 똑똑한 현실로는 옛날로 돌아갈 수가 없습니다.[32]

나도향의 거의 마지막 작품으로 볼 수 있는 소설 「지형근」은 전근
대적인 전통 사회를 벗어나 근대의 현실로 나아가는 이행기에 원환
적 공동체의 세계를 뒤로하고 홀로 서야 하는 개체의 심리와 상황
을 극명하게 묘사한다. 주인공 지형근은 자신의 삶을 안온하게 감싸
주던 모든 것들로부터 떠나 생존경쟁의 냉혹한 법칙이 지배하는 현
실로 진입해야 한다. 그곳은 전기 철도가 놓이고 자본과 노동자들이
움직이는 사회이다. 고향의 고개 마루턱에 홀로 남겨진 지형근이 쏟
아 내는 "폭포" 같은 눈물은 자신이 마주해야 할 현실에 대한 두려
움이자 사라지고 있는 유기적인 세계에 대한 그리움의 표출이다. 이
제 지형근에게 자랑할 만했던 가문, 경제적인 풍요, 가족과 마을 사
람들로 조성된 따스하고 평화스럽던 세계는 지나간 향수일 뿐이다.
노동자로 전락한 지형근이 어릴 적 고향 처녀이며 지금은 기생이 된
이화에게 느끼는 연정은 자신이 떠나온 고향에 대한 그리움 곧 향수
에 다름 아니다. 형근에게 이화는 부정한 "음부독부"이면서 자신의
풍요롭던 유년 시절을 기억하는 유일한 대상인 것이다. 『어머니』에
서 영숙이 춘우와의 사랑을 통해 도달하고자 했던 곳, 그곳에도 유
년의 손상되지 않은 기억을 담고 있는 "옛날"의 세계가 있다. 그러나
그 세계는 이제 "꿈속이나 생각으로"밖에는 돌아갈 수 없는 회귀 불

---

[32] 나도향, 「어머니」, p.423.

능의 공간이다.

근대의 초입에서 나도향이 추구했던 근대적 주체로서의 '자아'는 근대의 이중적인 모습 앞에서 방향을 상실한 채 혼란에 빠져든다. 전통과 인습을 부정하는 '자아'가 대면한 근대는 개인과 사회의 분열과 모순을 증폭시키는 파편화된 세계일 뿐이다. 그것은 진보의 길이 아니라 타락의 길이다. 여기서 나도향의 '자아' 탐구는 난제에 부딪힌다. 고립된 개체로서의 자아는 불안전하고 무력하다는 자각은 "잃어버린 상상 속의 낙원"에 대한 필연적인 동경으로 이어진다. 그곳은 자아와 세계의 분열을 경험하기 이전의 시절 즉 유년의 공간이며 사랑으로 감싸 주는 모성이 존재하는 세계이기도 하다.[33]

그 정적과 공포가 엉키인 나의 심정을 풀어 주고 녹여 주는 것은 나의 뒤에 서 있는 애(愛)의 신 같은 우리 어머니의 부드러운 사랑의 힘이었다. 그것은 나의 신앙의 전부였으며 나의 앞길을 무한한 저 앞길로 인도하는 구리 기둥이었다. 베드로가 예수를 보고 갈리리 바다로 걸어감과 같이 이 세상 모든 것을 초월케 하는 최대의 노력이었다. 등잔불의 기름이었으며 쇠북을 두드리는 방망이었다.[34]

우리의 몇 만대 전 무궁한 과거 때의 우리 할아버지 때부터 지금 우

---

33 근대성의 경험은 혁신, 덧없음, 혼돈스러운 변화 같은 압도적인 감각을 낳기도 하지만 동시에 안정성과 영속성을 희구하는 다양한 욕망의 표현을 낳기도 한다. 따라서 이상화된 과거에 대한 애도로 이해되었던 향수는 이제 근대를 구성하는 지배적인 주체로 나타난다. 즉 진보의 시대는 잃어버린 상상 속의 낙원을 그리워하는 동경의 시대이기도 한 것이다. 리타 펠스키, 『근대성과 페미니즘』, 김연찬·심진경 역, 도서출판 거름, 1998, p.76.
34 나도향, 「옛날 꿈은 창백하더이다」, 『나도향 전집 상』, p.78.

리까지 이어 오고 또 이어 온 것은 생이라는 그것이 아닌가? 우리 아버지와 우리 어머니가 나와 나의 동생들에게 그의 생이라는 것을 나누어 주고 사라져 없어지는 것과 같이 우리 시조 때부터 지금까지 우리에게 생이란 것을 부어 준 것이라 하면 또한 우리는 죽어 사라지나 우리의 생은 또 그들의 자손으로 인하여 계승될 것이요, 우리의 자손의 생은 또 그들의 자손으로 인하여 영원히 계승될 것이라, 우리는 죽으나 우리의 생은 천추 만만대 영겁으로 살아 있을 것이 아닌가? 그러면 인생이란 전기선 줄 같고 대양의 물과 같아 전기선 줄의 한 분자로는 그것이 전기선 줄인지를 모를 것이요, 대양의 물 한 방울로는 그것이 대양됨을 알지 못하는 것과 같이 영원부터 영원까지 흐르는 우리 인생도 자아(自我) 하나로는 그것이 무엇인지를 알지 못할 것이 아닌가? 그러나 자아(自我)가 없어도 인생이라는 것이 있을 수 없는 것이 아닌가? 하였다.[35]

나도향의 의식 속에서 모성은 존재의 뿌리이자 삶의 공포와 두려움을 막아 주는 절대의 세력으로 각인되어 있다. 어머니와 함께하던 유년에는 어머니의 사랑에 의지하여 모든 것을 이겨 낼 수 있었고, 앞날에 대한 의심 없는 희망을 가질 수도 있었다. 「옛날 꿈은 창백하더이다」의 '나'와 어머니의 관계에서 이를 확인할 수 있다. 모성의 부재는 삶을 더욱 어렵고 힘들게 만드는 요인 중의 하나이다. 『어머니』의 춘우는 아버지의 방탕과 동생 민우의 슬픔이 모두 어머니의 부재에서 시작되었다고 생각한다. 이처럼 나도향의 문학에서 모성은 소외와 결핍의 의식과 대비되는 풍요로운 현존, 환상적인 원초적 조화

---

35 나도향, 「환희」, 『나도향 전집 하』, p.133.

의 이미지를 구현한다.[36] 때문에 나도향 소설의 인물들은 고립된 개체로서의 불안감과 두려움이 가중될수록 자기 존재의 근원이자 보호막이었던 어머니를 떠올린다. 『환희』에서 "우리 인생도 자아 하나로는 그것이 무엇인지를 알지 못하리라"는 영철의 회의는 '자아' 혹은 개체로서의 존재는 어머니에서 어머니로 이어지는 종적 고리의 한 부분에 불과하다는 인식으로 귀결된다. 개인의 인생은 유한한 것이며, 개인적 생의 영속성은 단지 어머니라는 절대적인 존재를 근원으로 끊임없이 이어지는 새로운 자손의 탄생을 통해서만 가능하다는 논리가 도출되는 것이다.

모성에 대한 나도향의 이러한 시각은 소설 『어머니』에서 보다 분명하게 드러난다. 『어머니』의 주인공 이춘우는 "어머니의 품속과 여성의 품속"만이 "복잡하고 착종"된 사회를 살아가는 인간들의 "피난처"이자 "낙원"이라고 생각하는 인물이다. 그런 그가 어릴 적 고향 친구 영숙과 사랑에 빠지자, 영숙의 딸인 청아가 큰 걸림돌로 작용한다. 남편과 아이마저 버리고 춘우와의 사랑을 선택했던 영숙이 딸 청아 때문에 심리적 고통과 갈등을 겪는 것이다. 여기서 이춘우의 고민은 주체적인 자아의 욕망인 사랑과 보편적이고 윤리적인 가치인 모성 사이에서 어떤 것을 선택하느냐라는 문제와 결부되어 있다. 애초에 영숙과 춘우와의 사랑은 자아의 내적 욕망이 인습이나 가족 따위의 사회적인 질서 체계나 가치에 우선한다는 전제에서 시작된다. 영숙이 남편 철수의 첩으로 살아가는 것은 사랑이 아니라 돈 때문이다. '돈'과 '첩'이라는 영숙을 묶고 있는 이중의 틀은 자율적인 자아로서의 삶을 억압하는 부정적인 조건들이다. 춘우에게 '돈'은 인류

---

36 리타 펠스키, 『근대성과 페미니즘』, p.75.

의 역사를 타락시키는 무서운 힘이며, '첩 제도'는 타파해야 할 봉건적 관습이다. 때문에 영숙이 남편을 떠나 춘우와의 사랑을 선택하는 것은 전혀 문제가 되지 않는다. 그러나 그들의 사랑이 영숙의 딸 청아를 둘러싼 모성의 문제와 부딪쳤을 때는 차원이 달라진다. 모성의 편에 서기 위해서는 자기 욕망 즉 사랑은 자아의 주체적인 의지와 욕구에 의해 선택되고 결정되어야 한다는 선취된 관념을 포기해야 한다. 여기에 춘우의 딜레마가 있다. 그러나 작가 나도향의 선택은 당연히 이성애가 아닌 모성에 놓여진다. 그에게 모성은 사회로부터 분리된 자아의 소외감과 두려움을 치유해 주는 포용의 세계이자, 개체와 개체를 이어 주는 유일한 형식이기 때문이다. 『어머니』의 춘우가 모성을 개인의 역사를 넘어 존재하는 절대적인 진리로 규정하고, 자아의 욕망인 영숙과의 사랑을 포기하는 이면에는 이와 같은 논리가 작용하고 있다.

5. 나도향 소설의 존재 방식과 의미

나도향의 소설에 나타난 사랑의 문제는 그가 활동했던 1920년대라는 시대적 조건을 고려하지 않고는 온전히 이해될 수 없다. 감수성이 풍부한 이십대 초반의 젊은 나이에 그의 전 작품이 창작되었다는 사실을 감안하더라도 그의 소설에 미만해 있는 떨림과 눈물, 사랑에 대한 압도적인 동경을 미숙한 청년의 감상으로만 치부하는 것은 온당하지 않다. 식민지라는 시대적 상황이 일제 하 문인들의 의식 세계를 지배하는 일차적인 조건이었다면 그들의 현실은 근본적으로 암울할 수밖에 없었다. 특히 전근대와 근대의 요소가 첨예하게 자리바꿈을 시작하던 근대문학 초창기의 우리 문인들은 삶의 비전과 방향을 놓고 심각한 고민에 직면하였다. 서구적인 근대화를 향한 개화의 이상과 실력 양성의 논리가 희망의 한줄기였다면, 삼일운동의 실패 이후 등장한 1920년대 초기의 문인들에게는 그것마저 수용되지 않았다. 그들은 현실에 대한 극단적인 부정과 환멸을 경험하면서 고립된 개체의 세계로 나아갔다. 그 세계는 "외나무다리 건너 있는 부활의 동굴"(이상화)이거나 "월광으로 짠 병실"(박영희)이며, 혹은 "죽음의 나라"(박종화) 등으로 표출되었다. 나도향의 입지는 이들과 다를 바 없었으나, 그는 '사랑'이라는 대항 이념으로 환멸의 현실을 극복하고자 하였다.

사랑만이 유일한 힘이자 구원의 형식이라는 절대적인 믿음과 관념이 나도향 문학의 중심 논리이자 서사 구성의 원리였다. '인습'으로 대표되는 전근대적 요건에 대한 부정, 모든 것이 '돈(자본)'의 논리에 의해 작동되는 물신화된 근대에 대한 부정, 이 이중의 부정성 속에서 사랑은 절대화된다. 그러나 사랑이 숭고하고 아름다운 가치로 이상화될 때 그 사랑은 오히려 현실 연관성을 상실하고 추상화된다. 오로지 사랑이라는 하나의 논리에 강박되어 실재하는 현실의 삶은 망각되는 것이다. 나도향에게 사랑은 성적 순결이나 정조와 같은 윤리적인 가치 체계를 떠나서는 성취될 수 없는 것이었다. 나도향 소설의 애정 갈등은 자율적 개체로서의 자아의 욕망과 전통적 윤리 의식과의 대립으로 나타난다. 그의 대부분의 소설에서 보이는 파멸적 서사는 개체의 내적 욕망이 내부의 또 다른 의식인 당위적 윤리 의식과의 충돌에서 패배하는 과정이다. 한편으로 모성에 대한 강조는 전근대와 근대의 가치가 공존하는 당대 현실에서 그 어느 쪽으로도 편입될 수 없었던 무력한 개체의 회귀 욕망과 관계된다. 모성의 세계는 나도향의 문학에서 균열과 분열 이전의 조화로운 공간으로 상징화된다.

사랑에 대한 나도향의 집요한 천착은 환멸적 현실에 대한 대항 방식이었다. 그러나 희망이 보이지 않는 현실의 삶에서 유일한 가치는 사랑밖에 없다는 논리는 작가 개인의 주관적인 관념일 뿐, 당대 현실에 대한 위반이나 저항의 차원으로 진전되지는 못하였다. 이는 나도향 소설의 애정 논리가 실상 전대의 보편적인 사랑의 형식이나 가치 질서로부터 그리 멀리 나가지 못했다는 점에서 비롯된다. 결과적으로 나도향의 사랑에 대한 탐구는 작가 자신이 의도했던 현실의 부정성에 대한 대항적 측면보다는 개인적 도피의 차원에서 전개되었다고 할 수 있다. 이런 맥락에서 나도향이 "현실에서 발을 빼 버린 낭만주의자였다는 평가"[37]는 부정할 수 없는 것이기도 하다.

---

37 김윤식·정호웅, 『한국소설사』, 예하, 1993, p.110.

임화 문학사론의 구도와 시각

1. 임화 '문학사론'의 안과 밖, 문학의 정치성과 그 의미

많은 연구가 집적되었음에도 임화와 임화 문학을 둘러싼 논의들은 여전히 진행 중이며 그 해석과 평가의 맥락 또한 간명하지 않다. 임화의 문학이 문제적인 것은 무엇보다도 창작과 비평, 이론과 실천적 문학 운동을 아우르는 그의 문학 이력이 굴곡 많은 한국 근대사의 정치·사회적 변전과 긴밀하게 조응하고 있다는 사실과 관계된다. 예컨대 임화는 시인이었으나 시인으로서 죽지 못했다. 그는 문학과 정치의 경계를 지우고 그 사이를 넘나들다가 끝내 '미제 스파이'라는 죄명과 함께 정치적으로 처형되었다.[1] 이러한 죽음은 그가

---

[1] 임화는 북한 정권 전복 음모와 간첩 행위 등으로 기소되어 1953년 8월 6일 사형 선고를 받고 처형되었다. 임화의 죽음은 명백히 정치적 논리와 정쟁의 결과였지만, 북한의 사회과학원 문학연구소가 그에게 내린 죄목은 「너 어느 곳에 있느냐」 「바람이여 전하라」 등의 시에서 드러나는 "패배주의적 감성과 투항주의 사상"의 표출이었다. "가슴을 조이며 애처러이 전선에 간 자식을 생각하는" 부모의 형상이나 "전

꿈꾸었던 문학적 이상에 비추어서 더욱 비극적이라 할 수 있다. 임화는 문학을 단지 문학으로서 대면하지 않고 현실 대응의 도구이자 문학 운동의 차원에서 사유했다. 그는 "어떠한 작가든지 그가 산 것처럼 문학했다는 것이 항상 진리다"[2]라는 명제로서 자신의 삶과 문학을 일치시키고자 했으며, "현실은 절대로 묘사의 대상 이상이다. 우리는 현실과의 갈등에서 운명을 만들기 위해서 문학하는 것이다. 그러므로 우리는 이 속에서 일어나는 모든 것을 생의 표적으로 긍정한다"[3]라는 신념으로써 현실과 대항했다. 문학을 통해 현실에 개입하고자 하는 그의 이러한 태도는 그것이 임화 개인의 논리를 넘어 한국 근대문학의 오래된 정신사적 경향의 하나라는 점에서 문학사적 중요성을 내포한다.

신문학의 형성 이래 한국문학이 문학의 자율적이고 내재적인 흐름과 동력에 대한 관심보다는 문학 외적 현실에 대한 규정력과 계몽의 역할에 치중해 왔다는 것은 이론의 여지가 없어 보인다. 민족문학, 리얼리즘 문학, 근대성 등 그간 한국문학의 핵심적인 분석 코드였던 개념들을 통해서도 우리 문학의 지향점이 놓여 있던 자리를 가늠할 수 있다. 어찌 보면 우리 근대문학은 떨치기 힘든 하나의 강박증처럼 문학 밖의 현실에 대한 교섭과 계몽의 책무에 사로잡혀 있었다고도 할 수 있다. 이러한 경향성은 특히 '민족' 혹은 '민족주의'의

투 영웅의 어머니를 아무도 돌보는 사람이 없는 외로운 존재로서 절망적으로 왜곡하여 형상화"했다는 것이 그 단죄의 구체적인 내용이었다. 이런 정황을 두고 김윤식은 임화의 죽음이 문학과 정치의 균형 감각이 무너진 지점에서 발생한, 시인으로서의 비극이었다고 해석하고 있다. 김윤식, 『임화 연구』, 문학사상사, 1996, pp.627-628 참조.

2 임화, 「사실의 재인식」, 『문학의 논리』, 서음출판사, 1989, p.82.

3 임화, 「현대문학의 정신적 기축—주체의 재건과 현실의 의의」, 『문학의 논리』, p.79.

이름 앞에 결집되었으며, 이는 비단 일제 식민지 시대에만 국한된 것이 아니라 해방 이후의 문학에서도 지속적인 원리로 작용한다.[4]

문학사 서술의 경우도 예외는 아니어서 그간에 산출된 대개의 한국문학사들은 "민족문학사로서의 정체성 혹은 정당성을 확보하는 일"에 주력해 온 것으로 평가된다.[5] 그것은 때로 그 함의에 있어서 다른 '민족' 혹은 다른 '근대'를 향해 있지만, 민족 공동체 혹은 국가 공동체를 주체적이고 발전론적인 관점에서 구성하고자 하는 지향 의식은 공통의 것이었다고 할 수 있다.[6] 역사란 위기의 산물이며, 한국의 근대문학이 일제 식민지와 해방, 분단으로 이어지는 파행적인 근대사 속에서 생장해 왔다는 측면에 주목하면, 그간의 한국문학사가 민족 현실에 공헌하는 문학 혹은 문학사를 지향해 온 것은 지극히 당연한 것으로 해석되기도 한다.[7] 요컨대 일련의 민족문학사의

---

4 한국문학사 속에 드러나는 '민족주의'에 대해서는 황종연의 글을 참조할 수 있다. 황종연은 베네딕트 앤더슨의 "상상의 공동체"로서의 민족 개념을 들어 "민족을 상상하는 한국소설"에 대해서 분석한다. 황종연, 「민족을 상상하는 문학」, 『비루한 것의 카니발』, 문학동네, 2001.

5 임성운, 「임화의 문학사 기술 방법 연구—지리적 공간 인식을 중심으로」, 『어학연구』 7, 순천대학교 어학연구소, 1996.6, p.12.

6 예를 들어 조윤제의 『국문학사』, 김현·김윤식의 『한국문학사』, 조동일의 『문학통사』, 임화의 『신문학사』 등에 드러나는 민족과 근대의 문제, 그 가치 개념이 동일하게 사용된 것으로 볼 수는 없다. 그러나 조윤제가 '민족정신'을 말하고 김현·김윤식이 주체적인 '민족문학사'를 강조하며, 임화와 조동일이 '근대 민족문학'을 거론할 때 그 이면에 깔린 심리적 동기나 의지는 같은 지점에 있다고 할 것이다. '민족문학사'를 구성하는 민족정신 혹은 민족주의 이데올로기의 특성에 대해서는 차승기의 다음 논문을 참조할 수 있다. 차승기, 「민족주의, 문학사, 그리고 강요된 화해」, 김철·신형기 외, 『문학 속의 파시즘』, 삼인, 2001.

7 김우창은 일제 하의 한국문학을 논하면서 '전체성'을 향한 자율적이고 변증법적인 동력이 허용되지 않는 상황에서 문학은 불가피하게 '정치적'이 된다고 설명한다. 이러한 논리는 정치·사회적인 시대의 상황과 조건으로부터 자유로운 문학적 경향

등장이 "부재와 결핍의 자리"에 '민족' 혹은 '근대'의 실체를 세우고
자 하는 욕망의 발현이었다고 보는 것이다.[8]

이처럼 문학사 서술을 현실에 대한 위기의식과 극복 의지의 산물
로서 본다면 그 하나의 전형으로서 임화의 문학사를 꼽을 수 있다.
임화의 문학사는 이른바 '민족문학사'를 주창하는 문학사들의 앞자
리에 놓인다.[9] 임화는 특히 자신의 문학사 작업이 "아카데미안의 무
미건조한 해석적 분석"으로 이루어지는 "학문적 연구"와는 무관하
며, 오로지 "절박한 현실적 필요"에 의한 "실천적 과제" 수행의 차
원에서 진행된 것임을 강조함으로써[10] 자신의 문학사가 문학 운동
의 연장선에서 비롯된 것임을 명시적으로 밝히고 있다. 임화의 이러
한 문학사 기술 의도는 그 자체로 그의 문학사론을 구성하는 관점과
방법론으로 작용한다고 할 수 있다. 말하자면 그것은 전주 사건 이
후 그 기반을 잃고 해체의 위기에 몰린 카프문학의 정당성과 역사성
을 증거하고 다시 세우는 의미에서의 문학사의 구축이며 기술이라
할 수 있다. 이를 두고 임화는 "신문학의 전역사에 관한 과학적인 역
사적 반성"[11]이라고 지칭하고 있다. 여기서 주목되는 것은 그야말로
"과학적인 문예학"의 관점에서 임화가 채택하고 있는 문학사 구성의

에 대한 비판으로 읽히기도 한다. 김우창, 「일제 하의 작가의 상황」, 『궁핍한 시대의
시인』, 민음사, 1993, pp.13-33 참조.

8 차승기, 「민족주의, 문학사, 그리고 강요된 화해」, pp.34-43 참조.

9 안확의 『조선문학사』와 김태준의 『조선소설사』를 제외하면 임화 이전에 쓰여진 문
학사는 없다. 문학사 연표는 양영길의 『한국문학사 인식 어떻게 할 것인가』, 푸른사
당, 2001, p.92 참조.

10 임화, 「조선 신문학사론 서설」, 임규찬·한기형 편, 『임화 신문학사』, 한길사, 1993,
p.318.

11 임화, 「조선 신문학사론 서설」, p.319.

방식과 논리이다. 단적으로 말해 임화의 문학사는 역사 발전의 합법
칙성에 상응하는 문학의 계기론적 진화와 발전에 대한 믿음에 의해
구조화되어 있다고 할 수 있다.[12]

　　이 시대의 사상이나 문학상의 급격하고 또 다양한 변화 현상의 혼
　　돈, 모순은 전혀 이 모순적 이 문화적 역사적 전형기의 생활적 모순
　　의 한 개 적확한 반영이다. (중략) 차등(此等) 혼탁한 외면을 정(呈)
　　한 배후에는 역사적 사회적 상극과 발전의 일관한 객관적 법칙이 관류
　　하고 있었으며, 문학예술은 그 현실적 토대로부터 제약되는 관념 형태
　　특유의 법측성상(法則性上)에 소장 명멸한 것이다.[13]

　　이는 문학과 예술의 진행 과정을 물질적 토대와의 관련 속에서 설
명하는, 이른바 토대-상부구조론의 유물사관에 근거한 것으로, 「조
선 신문학사 서설」에서부터 「개설 신문학사」에 이르기까지 일관되게
드러나는 임화 문학사론의 핵심이라 할 수 있다. 임화의 문학사 기
술은 그 자신 "예술사적 발전의 객관적 본질 운동"으로 칭하는 이러
한 문학사적 인식론을 전제하지 않고는 성립할 수 없는 것이다. 일
례로 임화는 춘원의 문학에서 염상섭, 김동인의 자연주의, 나도향의
낭만주의, 『백조』류의 세기말적 데카당스를 거쳐 신경향파로 이어
지는 근대소설사의 전개를 변증적 발전론의 관점에서 서술하고 있
다. 앞선 문학을 지양하고 종합하는 방식에 의해 문학사가 진전된다

---

12 한편으로 임화의 문학사 서술이 단기간에 집중적으로 이루어진 것이 아니며, 그것
　　이 쓰여진 시점에 따라 일정한 차이와 편차를 드러낸다는 점을 고려하더라도 그
　　근저에 놓여 있는 이와 같은 목적의식은 동일한 것으로 판단된다.
13 임화, 「조선 신문학사론 서설」, p.340.

고 보는 것인데, 이에 따라 신경향파 문학이 전대의 그 모든 문학의 "종합적 계승자"의 자리에 놓이게 되는 문학사적 배치가 가능하게 되는 것이다.

같은 맥락에서 임화가 별다른 문제의식 없이 그 악명 높은 '이식문학론'[14]을 자신의 문학사적 구도 속에 상정할 수 있었던 것도 문학사의 변화가 사회·경제적 토대에 의해서 규정된다는 인식 논리의 결과라 할 수 있다.

새로운 문학의 직접적 배경이 되는 것은 새로운 정신문화의 준비이나 새로운 정신문화는 또 새로운 물질적 조건을 배경으로 하여서만 준비되는 것이다. (중략) 이러한 물질적 배경은 물론 신문학의 준비와 태생과 성립과 발전의 부단한 온상이 될 물질적 조건 즉 근대적 사회의 제 조건의 성숙이다. 이러한 제 조건이 자생적으로 성숙, 발전치 못한 것은 불행히 조선 근대사의 기본적 특징이 되었었다. (중략) 요컨대 동양 제국은 내부 조건이 미처 성숙치 못하고 시기가 상조한 채로 근대화의 길로 들어선 것이다. 그러므로 동양 제국은 공통으로 서구 근대사회의 촉발과 수입과 이식으로 근대화될 운명 아래 놓여 있었다.[15]

임화의 사적(史的) 도식 안에서, 근대문학이란 봉건사회 와해 이후

---

14 '이식문학론'의 근거로 논자들에 의해 수없이 인용되어 온 구절을 제시하면 다음과 같다. "신문학이 서구적인 문학 '장르'(구체적으로는 자유시와 현대소설)를 채용하면서부터 형성되고, 문학사의 모든 시대가 외국 문학의 영향과 모방으로서 일관되었다 하여 과언이 아닐 만큼 신문학사란 이식문학의 역사다." 임화, 「조선문학 연구의 일 과제─신문학사의 방법론」, 임규찬·한기형 편, 『임화 신문학사』, p.378.

15 임화, 「개설 신문학사」, 임규찬·한기형 편, 『임화 신문학사』, pp.23-27.

에 형성되는 시민사회의 문학적 양식이고 산물이다.[16] 이에 따라 자주적 근대화를 이루지 못한 조선의 현실에서 근대문학이란 이식된 것일 수밖에 없으며, 그런 의미에서 조선의 근대문학은 '근대문학'이나 '현대문학'이 아닌 '신문학'으로 불려야 한다는 논리가 성립하는 것이다. 임화의 문맥에서 '이식'이란 그러므로 자의식을 동반하지 않은 사실적 현상 기술에 불과하다. 그것이 '현해탄 콤플렉스'의 소산이라거나 맹목적인 서구 추수의 심리적 반영인 것처럼 해석하는 것은 적절하지 않은 것으로 보인다.[17] 임화의 이식문학론에 대한 논의들은 증식, 재생, 전복, 변주되면서 임화 문학사를 해석하는 최대의 논점으로 부각되어 왔다. 임화의 이식문학론 혹은 문학사론을 비판하거나 옹호하는 상반된 관점들은 그러나 동전의 양면과 같은 것이다. 예컨대 내재적 발전론, 자생적 근대화론의 측면에서 임화의 문학사를 식민 사관으로 혹평하고,[18] 그러한 주장의 비실증적인 텍스트 독해와 오독의 가능성을 들어 가면서 임화 문학사의 '전통 단절론'과 '자주성 결여'를 반박하는 주장들[19]은 모두 '민족문학사'라는 하

---

16 임화, 「조선문학 연구의 일 과제─신문학사의 방법론」, p.376.

17 김윤식, 『임화 연구』, p.74.

18 대표적인 논자로 김현·김윤식(한국문학사), 조동일(근대문학 형성 과정론 연구사, 『국문학 연구의 방향과 과제』)을 들 수 있다.

19 해석의 편차가 있지만 임화의 이식문학론을 옹호하는 글로는 다음을 들 수 있다. 한기형, 「임화의 문학사 서술에 대한 관점의 몇 문제」, 『한국 근대문학사의 쟁점』, 창작과비평사, 1990; 임규찬, 「임화 신문학사의 올바른 이해를 위하여」, 『임화 신문학사』, 한길사, 1993; 신승엽, 「이식과 창조의 변증법」, 『민족문학을 넘어서』, 소명, 1999; 김영택, 「임화의 신문학사에 관한 연구」, 『한국문예비평연구』, 한국문예비평학회, 2002; 김재용, 「진보적 문학가 임화의 삶과 문학」, 『민족문학운동의 역사와 이론』, 한길사, 1990; 하정일, 「20세기 한국문학과 근대성」, 『20세기 한국문학과 근대성의 변증법』, 소명, 2000; 방민호, 「임화의 이식문학론 재고」, 『관악어문연구』,

나의 유사한 분석적 틀 안에서 움직이고 있는 것이라 할 수 있다. 임화 문학과 문학사론에 대한 이해와 해석이 보다 풍요로워지기 위해서는 문제의 '이식'의 옳고 그름을 가리는 논의로부터 자유로워질 필요가 있다. 일련의 문학사 서술에서 임화 논리의 초점은 이식된 '신문학'이라는 지점에 고착되어 있는 것이 아니라 오히려 '이식' 이후 한국 근대문학의 향방에 대한 모색에 닿아 있다고 봐야 할 것이다. 그 지향점은 현실 변화에 따라 '프롤레타리아 문학', '근대 민족문학' 등의 이름으로 변모되지만, 문학과 정치 혹은 문학과 삶이 둘이 아닌 하나여야 한다는 임화 문학의 근본 명제는 언제나 동일했다고 할 수 있다. 어찌 보면 또한 '민족을 상상하는 문학사'라는 층위에서 임화의 문학사론과 임화를 둘러싼 대부분의 논의들은 서로 동일한 어떤 지점을 바라보고 있는지도 모른다.

2. 임화 문학사론의 향방, 이식과 생장의 변증법

임화의 신문학사가 조선 근대문학의 기원을 서구 근대문학의 '이식과 모방'으로 설명하고 있다는 사실에 대해서는 이론의 여지가 없다. 문제의 핵심은 그의 이러한 논리가 일부 논자들의 지적처럼 서구 근대문학의 "직수입주의"[20]로 해석될 수 있는지, 아니면 또 다른 맥락을 내포하고 있는지, 그 '이식'의 실체를 가늠해 보는 데 놓여 있다. 이와 관련하여 흥미로운 것은 임화 스스로 "어째서 수입되고 이

2002; 문학과사상연구회, 『임화 문학의 재인식』, 소명, 2004.

[20] 김윤식은 카프 시절 임화의 이론이 일본 이론에 기대고 있으며, "문제아 가출아가 아니고서는 이런 직수입주의는 삼가는 법"이라고 평가한다. 같은 맥락에서 임화의 신문학사가 "신문학이란 일본 것의 이식사라는 명제를 깃발처럼 내세운 것도 너무도 당연한 일"이라고 해석한다. 김윤식, 『임화 연구』, p.74 참조.

식된 외래 문학을 근대문학사의 주체로 삼는가?"[21]라는 반성적 물음을 제기하고 있다는 점이다. 임화 또한 그의 이식문학론을 비판하는 논자들과 유사한 문제의식 즉 조선 근대문학의 주체성 혹은 자주성에 관한 고민을 공유하고 있었다는 추론이 가능하거니와 임화는 오히려 이러한 질문에 대한 그 나름의 역사적 분석과 해명을 탐구하는 방식으로 조선 신문학사를 서술하고 있다.

이와 관련하여 특히 주목되는 것이 신문학의 생성과 변이, 교섭의 과정과 추이를 분석하는 임화의 시각과 논리이다. 일련의 문학사에서 임화는 조선 근대문학의 기원이 명백히 서구 문학의 '이식과 모방'에서 시작된다고 명기하고 있지만, 그가 그보다 더 중요하게 비중을 두어 서술하고 있는 것은 이른바 '이식'의 배경과 과정, 교섭과 변이의 양상이라 할 수 있다. 말하자면 임화는 '이식'을 말하되 '왜 이식될 수밖에 없었는가'를 묻는 방식으로 조선의 타율적 근대화를 문제 삼고, 변증법적이고 동태적인 관점에서 '이식'의 진행 과정을 분석함으로써 조선 근대문학의 내재율을 확보하고자 한다. 임화 문학사의 이러한 특성은 그의 본격적인 문학사 서술에 해당되는 「개설 신문학사」나 「조선문학 연구의 일 과제—신문학사의 방법론」의 구성과 논리에서 확연하게 드러난다.

「개설 신문학사」에서 임화는 조선 근대화의 역사적 과정을 분석하고 설명하는 데 많은 부분을 할애하고 이를 조선 신문학 생성의 과정과 연결시킨다. 이는 '물질적 토대'와 무관하게 작동하는 정신사적·문학사적 진전은 있을 수 없다고 보는, 임화 문학사론의 대전제가 그대로 적용된 문학사 구성이라 할 수 있다. 요컨대 임화는 조선

---

21 임화, 「개설 신문학사」, p.18.

의 근대가 "서구 근대사회의 촉발과 수입과 이식"에 의해 진행되었다는 사실에 대해 이의를 제기하지 않는다. 오히려 그는 자생적 근대화의 기회와 시기를 마련하지 못한 조선의 상황에서 '이식'을 통한 근대화는 "필연한 운명"이라는 논리를 개진하고 있다.[22] 임화의 관점과 논리는 분명히 '이식'을 인정하는 지점에 놓여 있다. 이는 그러나 주체성을 상실한 맹목적 서구 추종 혹은 "식민지적 자기부정이 낳은 이식 사관"[23]의 논리와는 다른 차원에서 제기된 것으로 해석된다. 여기서 주목되는 것이 '근대'를 바라보는 임화의 시선과 맥락이다.

이리하여 고대사회, 봉건사회의 순수한 발전과 성숙을 저해함과 동시에 일반으로 역사 과정 자체의 발전의 속도를 비상히 지지하게 만들고 나중에는 서구와 함께 동양 제국이 근대사회로 들어갈 조건을 미비케 하고 시기를 뒤늦게 한 것이다. 그러므로 만일 서구 자본제의 동점이 없이 장구한 동양 혹은 조선 봉건제를 그대로 두었다면 먼 장래에 독자적으로 근대사회로의 전화를 수행했을지도 모른다.[24]

임화는 근대를 역사 진행의 보편적 형태의 하나로서 사유한다. 말하자면 임화의 근대는 선형적 역사 발전 사관에 입각한 고대-중세-

---

22 임화는 갑오개혁과 실학 등을 높이 평가하면서 조선에 자주적 근대화의 싹이 없었던 것은 아니지만, "자주 정신의 진정한 실현을 보지 못하고 개화의 마당으로 창황히 달려 나감"으로써 "구미 문화의 일방적인 이식과 모방"의 상태로 떨어지고 말았다고 주장한다. 또한 그는 자주적인 개화는 "선진 국가가 주는 경제적, 문화적인 전래물 가운데 침약(沈溺)하지 않고 그것을 자주적인 입장에서 섭취하는" 방식이라고 설명한다.

23 김흥규, 『문학과 역사적 인간』, 창작과비평사, 1980, p.176.

24 임화, 「개설 신문학사」, p.26.

근대라는 단계론적 구도 속에서의 근대이며 당위와 필연으로서의 근대이다. 이런 관점에서 근대를 수용하면 근대를 서구의 창안물로 보는 즉 근대가 곧 서구라는 공식은 그 중요성을 상실한다. 단적으로 임화에게 중요한 것은 근대화의 방식이 아니라 근대로의 진입 혹은 근대화 그 자체였다고 할 수 있다. 여기에는 조선 사회의 발전 속도를 앞당기고 서둘러 근대 혹은 근대문학으로 나아가고자 하는 임화 나름의 구도와 욕망이 자리하고 있다.[25] 임화에게 그러므로 근대의 '이식'이란 서구 추종의 차원이 아니라, "조선 근대화 건설의 유일한 길" 또는 "낡은 문화 구축의 최대의 방법"으로서 인식되었던 것이다.

임화의 이식론은 근대를 보편으로 사고하는 근대주의자의 논리이다. 근대라는 보편의 바다는 동양과 서양이라는 이분법을 무화시키고 모든 것을 발전과 진화의 이름으로 포용한다. '이식'과 '자생'의 대립적 틀 안에서 근대의 기원과 주체를 묻는 방식은 근대라는 보편 속에 가려진 또 다른 차이들이 강조될 때 비로소 가능한 일이다. 이제 막 근대를 경험하고 그 보편의 세계와의 동일화를 지향했던 당대의 문맥에서 근대의 기원을 문제 삼는 것은 어쩌면 무용하거나 불필요한 행위였을지도 모른다. 임화의 말처럼 근대의 '이식'은 '운명'이지만 또한 근대는 '이식'과 함께 '종결'되는 완성태가 아니다. 이런 맥락에서 임화는 '이식'이 아니라 '이식 이후'의 문제, 결합과 생성, 창조의 과정을 강조한다.[26]

---

25 조선 근대화 과정을 분석하는 임화의 논리는 이른바 '아시아 정체성'론에 기대고 있다. 그러나 이러한 입장이 동양 혹은 근대사회의 자생적 근대화 가능성을 완전히 부인하는 것이라고 볼 수는 없다. 임화가 '아시아적 정체성'을 거론하는 맥락은 근대사회로 전화하는 속도 혹은 선후의 문제와 관련된다. 임화, 「개설 신문학사」, pp.24-27 참조.

동양 제국과 서양의 문화 교섭은 일견 그것이 순연한 이식문화사를 형성함으로 종결하는 것 같으나, 내재적으로 또한 이식문화사를 해체하려는 과정이 진행되는 것이다. 즉 문화 이식이 고도화되면 될수록 반대로 문화 창조가 내부로부터 성숙된다. 이것은 이식된 문화가 고유의 문화와 심각히 교섭하는 과정이요, 또한 고유의 문화가 이식된 문화를 섭취하는 과정이다. 동시에 이식문화를 섭취하면서 고유문화는 또한 자기의 구래(舊來)의 자태를 변화해 나간다.[27]

비유적으로 임화의 논리 안에서 문화적 이식은 강을 건너온 귤나무를 무턱대고 아무 데나 심고 끝나는 그런 방식으로 진행되는 것이 아니다. 그는 "문화의 이식, 외국 문학의 수입은 이미 일정 한도로 축적된 자기 문화의 유산을 토대로 하지 않고는 불가능하다"[28]고 설명한다. 이식된 새로운 토양과 기후의 조건에 따라 귤나무의 생장이 달라지는 것이라면, 문화 혹은 문학의 이식 또한 이와 유사한 방식으로 변형과 해체, 생장과 창조의 경로를 밟는다는 것이다. 한편으로 임화는 역동적 교섭이 배제된 일방적 문화 이식은 "정치적 침략의 정신적 표현에 불과"하며, 이는 또한 "문명인과 야만인 사이에만

---

26 이와 관련하여 일련의 문학사에서 드러나는 임화 논리의 가장 큰 특징은 분할되고 나누어진 장들을 역동적 관계 혹은 진화론적 관점에서 고구한다는 점이다. 이를테면 예술성과 사상성, 정치와 문학, 토대와 상부구조, 전통과 현재, 정신과 양식, 형식과 내용, 동양과 서양 등은 임화의 사유 구조 안에서 서로 대립되는 자리에 있지 않고 만나고 합쳐지고 서로를 변형시키거나 영향을 미치는 것으로 배치된다. 이러한 사유 방식은 임화 문학사론의 집약적인 총론에 해당하는 「조선문학 연구의 일 과제—신문학사의 방법론」에서 특히 분명하게 드러난다.

27 임화, 「조선문학 연구의 일 과제—신문학사의 방법론」, p.381.

28 임화, 「조선문학 연구의 일 과제—신문학사의 방법론」, p.380.

가능"한 것이라고 주장한다.[29] 이렇게 본다면 임화의 이식문학론은 단순히 수동적인 '이식'의 차원이 아니라 질적인 변화와 생장의 발화점으로서 적극적 의미를 내포하는 것으로 재해석되어야 한다.

이와 관련하여 주목되는 것은 서구 근대문학을 수용하는 "소여(所與)의 조건"으로서의 '구문학'의 전통과 "근대적 정신과 근대적 형식을 갖춘 질적으로 새로운 문학"으로서의 '신문학'의 연관성에 대한 임화의 분석이다. 임화는 '신문학'이 '구문학'과 대별되는 전혀 새로운 문학이 분명하지만, 구래(舊來)의 '언문문학'을 계승함으로써 전통을 새롭게 부활시킨 문학이라는 점을 강조한다. 이에 덧붙여 '조선의 근대문학사'가 신문학으로 명명된 이유가 한문으로부터의 해방과 언문문화의 복권에 있다고 설명한다.[30]

그런 의미에서 서구의 르네상스와 같이 우리 문학사는 자기의 상대(上代)에 부흥될 전범을 갖지 못했으나, 그러나 신문학은 그러면서 고유한 가치를 새로운 창조 가운데서 부활시키는 문화사의 한 영역이다. 신문학이 한문으로부터의 해방에서 출발한 것은 동시에 언문문화의 복권에서 출발했음을 의미한다. 그것은 단지 언어로서의 언문문화에 그치는 것이 아니라 정신으로서의 언문문화로 살아나는 데 신문학사가 전통을 간과할 수 없는 이유가 있다.[31]

요컨대 신문학 이전의 조선문학은 "자기의 국유어로 표현될 자

---

29 임화, 「조선문학 연구의 일 과제—신문학사의 방법론」, p.381.
30 임화, 「개설 신문학사」, pp.18-19 참조.
31 임화, 「조선문학 연구의 일 과제—신문학사의 방법론」, p.382.

유"를 한 번도 가진 바 없고, 그런 의미에서 신문학의 모어 사용은 "장구한 동안" 우리 문학을 지배해 온 "외국어로부터의 해방"을 의미한다는 것이다. 이런 맥락에서 임화는 국한문 혼용에서 언문일치로 나아가는 우리말의 정착 과정을 매우 중요하게 다루고 있다. 특히 그는 우리말의 복권과 발전이 근대적 제도의 '이식'과 맞물려 진행되었다는 사실에 주목한다. 이를테면 신교육의 발흥과 함께 "모든 학문을 한문으로 배우던 사람들이 모든 학문을 언문으로 배우기 시작"했으며, '이식문화'의 하나인 잡지와 신문 등의 저널리즘이 활성화되면서 '조선 어문'의 보급과 발전이 급속하게 진행되었고, 기독교 또한 성서 번역 등을 통해 "언문 부흥의 선구적 역할"을 했다는 것이다.[32]

근대적 제도의 이식과 관련하여 우리말의 복권과 자주성 문제를 설명하는 임화의 논리는 그의 이식문학론에 대한 다른 각도의 해석을 요구한다. 임화의 문학사론에 대한 비판은 주로 그의 이식문학론이 전통 단절론 혹은 "조선적인 것의 부정"[33]에 기반하고 있다는 평가와 연관된다. 임화가 조선의 역사를 "부패한 봉건주의와 신흥하는 시민계급의 대립"으로 파악했고 신문학사는 이런 역사적 전망의 산물이라는 분석에 의거하면,[34] 그가 단절하고자 했던 '전통'의 실체가 보다 분명하게 드러난다. 엄밀히 말해서 임화가 부정했던 것은 조선

---

32 임화, 「개설 신문학사」, pp.56-128 참조.

33 채호석은 임화의 모든 것은 '근대'라는 지점을 향해 있었고, 때문에 '조선문학의 근대성', '세계적 보편성'을 위해서 '조선적인 것'을 부정할 수 있었고, 요컨대 '이식'을 통해서 임화는 비로소 조선문학을 세계문학의 반열에 올릴 수 있었다고 평가한다. 채호석, 「탈식민의 거울, 임화」, 『한국학연구』 17집, 고려대학교 한국학연구소, 2002.

34 김재용, 「진보적 문학가 임화의 삶과 문학」, p.160.

의 전통 자체가 아니라 조선의 봉건적 전통과 사상이며 봉건 유제로서의 구문학이라 할 수 있다. 부언하면 임화가 탈봉건의 입장에서 근대를 지향했으며 그 방식으로 '이식'을 사유했던 것은 분명하다. '이식'은 그러나 근대화의 매개 수단이자 촉발제로서의 의미일 뿐 자주성을 부정하는 전통 단절과 맹목적인 서구 추수로는 해석되지 않는다. 예컨대 근대는 서구로부터 왔지만 서구가 곧 조선의 근대는 아니며, 조선의 근대는 온전히 '이식' 이후의 변증법적 생장에 의해서 새롭게 만들어지고 형성된다는 것이 임화 이식문학론의 실체였다고 할 수 있다. 그리고 그 궁극의 지점에는 해방된 모어로 표현되고 완성되는 조선의 근대문학 혹은 '민족문학'을 향한 욕망과 요청이 자리하고 있다.

3. 임화 문학사론의 한계, '과학적 문학사'의 도식성

임화의 문학사론을 추동하는 일관된 원리는 형식과 내용, 양식과 정신, 예술성과 사상성, 문학과 정치의 구도로 나누어지는 이분법적 인식 논리와 시각에 대한 부정과 비판이라 할 수 있다. 임화 최초의 문학사에 해당하는 「조선 신문학사론 서설」에서 그는 자신의 문학사 서술 작업의 목적이 당대 문단에 만연한 그릇된 문학사 인식 즉 "이원론적 관념론"의 청산과 극복이라는 실천론적 과제에 있음을 분명하게 밝히고 있다. 예컨대 임화는 문학작품의 형식과 내용은 분리해서 평가될 수 없고, 따라서 "예술성은 이광수의 작품이 뛰어나고 사상성은 신경향파 작품이 앞선다"와 같은 문학 논리는 그릇된 것이라고 비판한다.[35] 올바른 문학사란 그러므로 언제나 "형식과 내용의 통일물로서의 문학작품"을 연구하는 것이며 외면적으로 드러난 "양식의 역사를 뚫고 들어가 정신의 역사를 발견하는" 방식으로 진행되어야 한다는 것이 임화의 논리이다. 이런 맥락에서 임화는 "속류 문학사"와 "과학적 문학사"를 구분하고, "과학적 문학사" 서술의 의미와 중요성을 강조하고 있다.

> 문학사는 언제나 이 양식의 역사다. 그러나 양식의 역사는 기실 정신의 역사의 형식에 지나지 않는다. 양식의 역사를 뚫고 들어가 정신의 역사를 발견하고 못하는 것이 언제나 과학적 문학사와 속류 문학사의 분기점이다. 문학사는 예술사의 대상일 뿐만 아니라 실로 사상사 정신사의 대상이기 때문이다.[36]

임화의 논리에 따르면 문학사는 외면적으로는 언제나 "양식의 역사"이지만 동시에 "정신의 역사"이다. "속류 문학사"가 겉으로 드러난 "양식의 역사"만을 다루는 것이라면 "과학적 문학사"는 "양식의 역사를 통하여 하나의 정신의 역사를 발견"하는 문학사를 지향한다.[37] 임화는 이처럼 양식사를 부정하지 않으면서 정신사를 탐구하는 방식으로 문학사 서술의 이원론적 논리를 극복하고자 한다. 문학사를 형식사와 정신사의 결합으로 보고자 하는 임화의 논리는 매우 일반적이고 또한 합당한 것이라 할 수 있다.

---

35 임화는 예술성을 중시하는 입장에서 이광수의 문학을 높게 평가하거나 내용과 사상 우위의 입장에서 신경향파 문학을 높게 평가하는 것은 문학작품의 예술성과 사상성을 통합적인 구도로 인식하지 않는다는 점에서 동일한 논리라고 해석한다. 임화, 「조선 신문학사론 서설」, pp.325-326 참조.

36 임화, 「조선문학 연구의 일 과제—신문학사의 방법론」, p.384.

37 임화는 정신사를 도외시하고 양식의 역사만을 기술하는 문학사를 "속류 문학사" 혹은 "통속적 문학사"라고 지칭한다. 임화, 「조선문학 연구의 일 과제—신문학사의 방법론」, p.384.

그러나 문제는 임화의 이른바 "과학적 문학사"가 예술사와 정신사의 종합이라는 측면에서 균형을 유지하지 못하고, 궁극적으로는 문학사의 정신사로 무게중심이 놓여 있다는 사실에 있다. 임화는 "정신은 비평에 있어서와 같이 문학사의 최후의 목적이고 도달점"이라고 강조하면서 결국은 문학사의 최종 목적이 '정신사'로 귀착된다는 논리를 보여 준다. 문학이 "광의의 사상의 일 형태"로서 "과학과 문학은 그러므로 본질적인 차이가 없는 것"이라는 주장에 이르면,[38] 문학은 '정신'이며 '과학'이며 또한 '철학'과 동질의 것으로 규정된다. 이 지점에서 임화의 논리는 예술성과 사상성의 '이원론적' 분리를 부정했던 자신의 주장과 상충되면서 정신사, 사상사의 맥락으로 환원되고 있다. 요컨대 임화의 "과학적 문학사"는 오히려 신경향파와 프로문학의 문학사적 정당성과 우월성을 전제하고, 또 그 점을 부각시키고자 하는 편향된 논리를 내포하고 있다고 할 수 있다.

일찍이 김기진이 프로문학의 이념적 도식성에 대해서 "기둥도 서까래도 없이 붉은 지붕만을 입혀 놓은 건축"과 같다고 지적할 때 이미 사상성과 예술성의 결합 문제는 프로문학이 해결해야 할 난제 중의 하나였다고 할 수 있다. "얻은 것은 이데올로기요 잃은 것은 예술"이라고 주장하는 박영희의 유명한 전향 선언도 프로문학이 안고 있던 미학상의 문제를 역설적으로 드러낸 것이라 할 수 있다. 김기진과 박영희의 프로문학 비판은 그 이면의 논리는 차치하고라도 문학이 문학이기 위해서는 문학으로서의 형식과 틀을 갖추어야 한다는 의미에서 타당할 수 있다. 이는 또한 문학적 실천이 정치적 혹은 이념적 실천으로 직대입될 수 없다는 의미에서 온당한 지적일 수 있

---

38 임화, 「주체의 재건과 문학의 세계」, 임규찬·한기형 편, 『임화 신문학사』, p.45.

다. 그러나 임화는 예술성과 사상성은 분리해서 적용할 수 없다는 논리로써 이들의 주장을 일축한다. 문학작품의 미학성이 형식 따로 내용 따로의 방식으로 평가될 수 없다고 본다면 임화의 주장 또한 원론적으로 옳은 것이다. 주목할 것은 임화가 사상성과 예술성을 결합하는 방식이다. 앞서 살펴본 것처럼 임화는 사상성 우위의 입장에서 사상성과 예술성을 등가의 자리에 놓음으로써 결과적으로 예술성을 지워 버리는 문학적 논리를 드러낸다. 여기에 진화론적 관점의 사적 인식론이 겹쳐지면서 우리 근대문학사에 대한 다음과 같은 도식적 분석과 서술이 가능해지는 것이다.

신경향파 문학이 과거한 문학의 모든 적극적인 유산 가운데서 형성된 것은 확호(確乎)한 것이다. 그들의 유물론적 문학 정신, 그것은 이인직 등의 초기 시민문학과 주의(主義)문학이 단적으로 내포하고 있던 실증 사상의 연장 계승이라는 것은 단순히 긍정할 사실일 뿐 아니라 신경향파와 프로문학이 갖는 역사적 사명이다. 그뿐만 아니라 그들의 치열한 비평 정신, 그것도 이인직의 봉건적 문학에 대한, 춘원의 이인직에 대한, 또 자연주의의 춘원에 대한, 낭만주의의 그 전의 모든 것에 대한 칼날 같은 비판적 사상의 장구한 발전 가운데서 형성되어 온 것이며 그 한 개 비약적인 종합이었다.[39]

춘원의 문학은 위선(爲先) 그 자신이 '발아기를 독점'하는 존재일 뿐만 아니라, 이해조, 이인직으로부터의 진화의 결과이고 동시에 동인, 상섭, 빙허 등의 자연주의 문학에의 일 매개적 계기였다는 변증법(진

---

39 임화, 「조선 신문학사론 서설」, pp.362-363.

실로 초보적인)의 견지에서 이해되어야 하며 다음에는 그의 사회적 역
사적 의의를 구체적인 현실과의 의존 관계의 법칙에 의하여 평가하여
야 할 것이다.[40]

임화가 작성한 소설사의 맥락을 따르면 모든 문학작품은 일정한
문학사적 발전 법칙에 의거하여 선형적으로 연결된다. 예컨대 이인
직은 춘원을 낳고, 춘원은 자연주의를 낳고, 자연주의는 낭만주의
를 낳고, 마지막에 신경향파 문학은 그 모든 전대 문학의 종합으로
서 자리한다. 헤겔 정신의 전진 과정을 떠올리게 하는 임화 문학사
의 이러한 도식은 그러나 문학적 발전의 내적 관련성을 설명하는 데
는 충분하지 못하다. 이는 임화의 소설사가 변증적 진화론과 문학사
의 흐름을 기계적으로 결합시키고 있기 때문이다.

임화는 "예술사적 발전 법칙"에 의거한 체계적이고 과학적인 문
학사의 서술을 추구했다. 사실의 단순하고 무질서한 나열이 아닌 발
전과 매개의 입장에서 파악된 문학사, 나아가 이원론적 사관에 의해
문학적 발전과 세계관상의 진화가 분리되지 않는 문학사를 의도했
다. 그럼에도 임화의 소설사가 도식적으로 느껴지는 것은 임화의 소
설사 혹은 문학사가 저 멀리 어딘가에 보이지 않는 절대적 아프리오
리에 의지하고 있기 때문이다. 달리 말해 임화의 "과학적 문학사"는
문학사의 전진 과정에서 어떠한 법칙성을 귀납적으로 도출해 내는
방식이 아니라 법칙성 속으로 문학사를 집어넣는 형식에 의거한다
고 말할 수 있다. 그 법칙성의 이름은 때로 법칙성 그 자체이고, 때
로 정치이며 현실이고, 사실주의라고 부를 수 있을 것이다.

---

40 임화, 「조선 신문학사론 서설」, p.329.

4. 임화 문학사론 이후, 그리고 시인의 운명

우리 문학에서 자주 결락되어 있는 것은 마르쿠제 식으로 말하면 '환상적 실재'이다. 시대의 운명, 시대의 얼굴이 곧 자신의 운명이라고 믿는 우리 문학사의 계몽적 전통은 그러나 "현실에 대한 모든 요청으로부터 벗어나는" 심미적 가상의 세계를 쉽게 수락하지 못한다.[41] 문학의 언어로 곧 현실을 번역하고자 하는 미학적 태도는 "문학의 위기를 곧 현실의 위기"로 파악하며, "생활로부터 유리되는 문학"의 예술성을 인정하지 않는다.[42] 한편으로 그것은 우리의 역사, 우리의 이데올로기, 우리의 현실이 던져 놓은 그물이기도 하다.

문학의 현실 연관성을, 문학과 정치의 등가성을 곧 자기 문학의 본질이라고 여겼던 임화의 문학사론은 언제나 역사법칙의 어떤 지점을 향해 있다. 그가 문학을 예술성과 사상성의 통합물로 말하거나, '묘사와 표현'의 조화로써 설명할 때도 언제나 중요한 것은 사상성이고 계몽성이고 정치성이다. 그런 의미에서 임화에게 최고의 소설은 이기영의 『고향』이며, 이상의 소설은 전도된 리얼리즘일 뿐이다. 임화는 신문학사의 출발과 함께 "다만 버려진 언어"였던 우리말의 "귀향"을 두고 "실로 르네상스적 의미"가 있다고 감격했다. 임화는 그 말로써 말을 다루지 않고 현실과 대적했다. 그것은 우리의 문학이 문학이면서 서구의 근대문학이고, 또한 식민지 조국과 분단 한국의 문학이었기 때문이다. 임화 문학의 정치성은 그런 상황적 조건의 산물이다. 최인훈 식으로 말하면 임화는 광장의 시인이자, 고향 마을의 '재판정'으로 소환되는 『서유기』의 독고준이다. 임화는 처형

---

41 최문규, 『문학 이론과 현실 인식』, 문학동네, 2000, p.112.

42 임화, 「조선 신문학사론 서설」, p.317.

되었고 독고준은 사면되었다. 임화는 끝내 말과 현실이 하나임을 믿었고, 추구했고, 독고준은 현실을 떠나 말이 만드는 말의 공간, 그만의 밀실로 귀환했다. 어쩌면 이것이 이 땅에서 문학을 행위하는 또다른 많은 사람들의 운명의 두 얼굴이며, 우리 문학과 정치의 지형도라 할 수도 있겠다.

임화는 현실적 실천을 문학적 실천으로 옮기려 했고, 문학은 현실에 갇혀 현실을 넘어서지 못했다. 문학의 힘은 그러나 문학적 실천을 현실적 실천으로 바꾸려는 무수한 상상력의 움직임에 의해 생성되는 것인지도 모른다. 익숙하고 일상적인 현실로부터 벗어나 '인식론적 문턱'을 넘어서는 비약과 도약의 어떤 지점에서 문학과 문학사는 불연속적인 새로움을 창출한다. 문학의 사실주의는 그러므로 문학의 언어 안에서 새롭게 구성되는 사실주의이며 변화하는 사실주의이다. 그것이 한바탕의 놀이, 유희로 마감된다 할지라도 어차피 문학은 현실에서 결핍된 것들의 호명이며, 오지 않은 모든 것들의 이름으로 지속된다.[43] 그런 의미에서 임화가 요청했던 '민족문학'은 아직 오지 않았거나, 다시 새롭게 와야 할 민족문학이라 할 수 있다. 이는 또한 임화 문학사론이 고착되어 있던 계몽성과 사상성과 정치성의 강박증을 덜어 낸 지점에서 비로소 가능할 수 있다. 우리의 문학과 문학사는 그러나 여전히 발전과 진보를 향한 계몽과 근대의 와중에 있다.

---

43 임화는 헤겔의 말을 빌어, "가능성으로서 예상된 것이 존재자로서 형성됨으로 역사 과정은 변증법적으로 갱신된다"고 설명하고, 때문에 "문학이 일반으로 존재의 자연한 상태에 긍정자(모방)로 끝나는 것은 우열(愚劣)한 것"이라고 주장한다. 이렇게 본다면 임화의 생각 또한 여기서 멀지 않다. 임화, 「위대한 낭만적 정신」, 『문학의 논리』, p.25.